Une histoire
de la séduction politique

Christian Delporte

Une histoire de la séduction politique

Flammarion

ISBN : 978-2-0812-1245-9

Avant-propos

> Que ce soit avec les femmes, avec les rois ou avec le peuple, qui veut régner doit plaire.
>
> Frédéric Mistral

Le général de Gaulle, un Dom Juan ? Oui, répond sans hésiter l'écrivain Romain Gary, le fondateur de la Ve République est un grand séducteur… politique ! Il le dit à la télévision, le 9 novembre 1975, à l'occasion du cinquième anniversaire de sa mort : « Il m'a toujours paru que le général de Gaulle était beaucoup moins la statue du Commandeur que Dom Juan dans ses rapports avec l'auditoire, avec le public et avec les foules. Il avait l'art de séduire et en avait besoin. Il suffisait de le voir en présence des grandes foules, de voir les efforts qu'il déployait pour plaire à l'assistance. Quelquefois, il allait loin et, dans une circonstance célèbre, il est allé trop loin… » Le sourire entendu de Gary, lorsqu'il parle de « circonstance célèbre », rappelle aux téléspectateurs la formule qui, huit ans plus tôt, avait provoqué une brouille diplomatique entre la France et le Canada. Le 24 juillet 1967, en effet, depuis le balcon de l'hôtel de ville de Montréal, le

Général, exalté par l'enthousiasme débordant de la foule, lança les mots qu'elle attendait : « Vive le Québec libre ! »

Les propos du prix Goncourt eussent sans doute fait bondir de Gaulle s'il les avait entendus, lui pour qui l'autorité ne pouvait s'exercer qu'avec hauteur, distance et mystère. Romain Gary, compagnon de la Libération, gaulliste fidèle, ne cherche pas à le brocarder, bien au contraire. Il applique à la politique son expérience patentée de séducteur. Son charme a tant de fois opéré ! L'auteur de *Clair de femme* retrouve dans l'attitude des leaders politiques, et singulièrement du premier d'entre eux, les tactiques qu'il employa lui-même pour conquérir les cœurs, anonymes ou célèbres (Romy Schneider, Jean Seberg).

Comme Dom Juan, l'homme politique joue sur l'attractivité du personnage qu'il s'est construit. De Gaulle lui-même, dans *Le Fil de l'épée* (1932), compare tous les grands meneurs d'hommes, tels César ou Napoléon, à des acteurs qui, face au public, doivent apprendre à forger leur personnage : « Au chef, comme à l'artiste, il faut le don façonné par le métier », écrit-il. Qui nierait que le Général est un grand acteur ? Il suffit d'assister à l'une de ses conférences de presse pour s'en convaincre. L'humour fait partie des armes du séducteur, et de Gaulle, face aux journalistes, le pratique en virtuose. En novembre 1967, par exemple, alors que le chef de l'État vient de fermer la porte de la CEE à la Grande-Bretagne, l'un d'entre eux l'interpelle à propos d'une phrase qu'il aurait prononcée : « L'Angleterre, je la veux nue. » L'œil gourmand, le Général commence : « Remarquez que la nudité pour une belle créature, c'est assez naturel et pour ceux qui l'entourent, c'est assez satisfaisant... » L'auditoire s'esclaffe. Puis il ajoute, dans un second clin d'œil : « Je n'ai jamais dit cela à son sujet. Ça fait partie de ces propos qu'on colporte sur mon compte. Il paraît même qu'on en fait des livres... » Nouvelle salve de rires. Dans quelques instants, lorsqu'il prendra congé, la salle l'applaudira. De Gaulle, faisant voler en éclats toutes les résistances, a guidé les journalistes, même les moins gaullistes, même les plus hostiles, là où il voulait les amener. Il les a séduits.

Au pays des idées reçues, on rencontre notamment celle-ci : jadis ou naguère, les hommes politiques ne cherchaient pas à séduire. Jugement illusoire ! Même si, de nos jours, la séduction est une donnée manifeste du jeu partisan, elle n'est en rien une nouveauté. Seuls l'oubli du passé ou la nostalgie d'un âge d'or de la chose publique gomment des mémoires une réalité historique : la séduction est si inhérente à la politique qu'on peut en suivre les manifestations, les effets et les métamorphoses depuis l'Antiquité. Je dis bien « séduction », tant le processus de conquête de l'opinion et le jeu des apparences déployées par leurs acteurs rappellent les mécanismes les plus sensibles de la séduction amoureuse.

Mais, au fait, qu'est-ce que séduire ? *Seducere*, en latin, c'est « tirer à l'écart », « mener à part », « conduire ailleurs », détourner quelqu'un de son chemin, l'extirper de son lieu d'existence et, dans le sens le plus fort de l'action, « amener à soi », sans ou contre la volonté de l'intéressé(e). La séduction porte en elle le caractère d'une irrésistible attraction et d'un rapport de domination redoutable pour celle ou celui qui est séduit(e). Fascinée, subjuguée par l'autre, la personne séduite est aussi conquise, assujettie, soumise. Elle renonce à son imaginaire pour se fondre dans celui du séducteur, maître de l'univers symbolique. Pour « amener à lui », le charmeur doit attirer et, pour y parvenir, déployer une stratégie nourrie par les apparences : il met en valeur son physique, il éblouit par ses paroles, il use avec habileté de ses sens, de sa voix, de son regard, de son geste. La séduction porte en elle le mensonge, la ruse, la manœuvre. Le *Dictionnaire de l'Académie française* l'affirme en 1694 : séduire, c'est « tromper, abuser, faire tomber dans l'erreur » mais aussi « corrompre ». Ainsi le juge l'Église qui voit dans la séduction, depuis qu'Ève fut charmée par le serpent, la magie ensorcelante induisant au mal et amenant au péché les jeunes filles trop crédules. Le tribunal des hommes condamnera avec la plus extrême sévérité la vilenie du séducteur.

La séduction, en politique, a confusément conservé la marque du démon. Vous ne trouverez guère de leaders avouant publiquement leur volonté de charmer l'opinion. Alors que, dès la fin du XVIIIe siècle, le mot, si effrayant, bascule dans l'imaginaire de la volupté et signifie de plus en plus volontiers « plaire », et tandis que, depuis le XXe siècle, on admet de plus en plus couramment la réciprocité des sentiments et la concomitance de leur manifestation (« nous nous sommes plu dans un même coup de foudre »), en politique, il sent l'intrigue, le mensonge, la manipulation. La chose n'est pas nouvelle. Elle date du temps où le terme même entra dans le vocabulaire politique, d'abord approprié par les philosophes des Lumières, ensuite par les orateurs de la Révolution française. Dès 1789, on stigmatise par le mot « séduction » les manœuvres des « fauteurs de despotisme ». Rien n'est pire que de « porter la séduction dans l'esprit du peuple », rien n'est plus vertueux que de « résister à la séduction de la tyrannie ». Dans le camp opposé, Louis XVIII voit, dans la France trompée par Bonaparte puis Napoléon, l'action séductrice de l'Usurpateur. Cherchant à rallier les soldats de la Grande Armée, il écrit ainsi, dans le Manifeste de

Gand, le 24 avril 1815 : « Il en est un grand nombre que l'inexpérience a livrés à la séduction. »

Au fond, la séduction, c'est toujours l'arme de l'autre qui cherche à abuser de la naïveté de ses auditeurs. Elle s'oppose à la bonne façon de faire de la politique : dire ce qui est, parler à la raison, faire partager ses convictions, démontrer, argumenter, pour convaincre. Comme l'écrit Jean Baudrillard, dans *De la séduction*, en 1979, « la séduction est ce qui ôte au discours son sens et le détourne de la vérité ». En politique, comme ailleurs, elle est un « leurre ».

Séduire et convaincre seraient donc intrinsèquement contradictoires, comme si Jaurès, Churchill ou de Gaulle, donnés en modèles des grands hommes, n'avaient jamais usé des émotions, jamais cherché à plaire, jamais joué sur le registre affectif pour conduire leurs compatriotes à penser comme eux. Convaincre grandirait la politique, tandis que séduire l'avilirait. Mais peut-on prétendre sérieusement que Jaurès, à la tribune, ne recherchait pas l'effet théâtral pour enflammer les imaginations et que le *V* de la victoire, utilisé par Churchill bien après la fin de la guerre, n'était pas un geste calculé pour raviver l'affection émoussée des Britanniques ? Pourquoi Abraham Lincoln, le grand et austère Lincoln, la figure vénérée de la démocratie américaine, l'homme des convictions vertueuses, exigeait-il de ses portraitistes qu'ils lui raccourcissent le cou sur leurs toiles, sinon pour montrer aux Américains un physique à son avantage ? La coquetterie de Lincoln atteste sa volonté de plaire. « Quand on veut passionner les foules, il faut d'abord parler à leurs yeux », disait-il.

Tout homme politique qui veut convaincre doit jouer sur les apparences, autrement dit séduire pour attirer à lui une opinion par nature versatile, la fidéliser, éviter qu'elle n'aille butiner ailleurs. Pour y parvenir, il doit mettre à profit toutes les ressources sensibles de son corps. Son « art de convaincre », propre de la rhétorique, selon Aristote, n'est vraiment efficace qu'à condition qu'il se donne à voir, jouant sur des mises en scène où se mêlent apparences et artifices. Comme le paon faisant la roue pour appâter la femelle, l'homme politique met en avant ses qualités physiques, l'harmonie de son visage, l'élégance de sa silhouette, la vitalité de son allure. Il manie le verbe pour provoquer chez son auditeur les vibrations émotionnelles qui le désarmeront et le conduiront à lui. Mais les « sortilèges des mots de miel », comme les nomme Eschyle dans *Prométhée*, ne portent que s'ils s'accompagnent de toute une panoplie d'expressions non verbales, sourire, gestes, mimiques, ondulations de la voix, puissance et variations du regard, etc. La politique est un art du paraître.

Oui, la séduction est inséparable des stratégies politiques pour capter les faveurs du peuple, pour s'en faire aimer, pour conquérir le pouvoir et s'y maintenir. La question est alors d'en mesurer l'ampleur, de savoir s'il ne s'agit que d'un palliatif tactique ou, au contraire, le fondement même de la démarche politique. Dans l'Antiquité, Grecs et Romains avaient ainsi appris à identifier le démagogue, celui, écrivait Euripide, « qui est capable de s'adapter aux circonstances les plus déconcertantes, de prendre autant de visages qu'il y a de catégories sociales et d'espèces humaines dans la cité, d'inventer les mille tours qui rendront son action efficace dans les circonstances les plus variées ». Le démagogue séduit en promettant mais aussi en flattant. La promesse et la flatterie sont-elles toujours condamnables ? Non, répond Quintus Cicéron (frère du grand orateur Cicéron), dans *De petitione consulatus*, étonnant petit manuel de campagne électorale écrit au Ier siècle avant Jésus-Christ. Au temps où la République romaine agonise, il explique, au contraire, qu'un candidat doit avoir le « sens de la flatterie ». Ce « vice ignoble en toute autre circonstance » devient, en campagne, une « qualité indispensable ». Pourquoi ? Parce que, pour gagner, celui qui prétend être élu à une magistrature doit obligatoirement changer et adapter son « visage » et son « discours » à l'interlocuteur du moment, « selon ses idées et ses sentiments ». Éloge du mensonge éhonté ou de la souplesse cynique en politique ? En tout cas, Quintus Cicéron nous dit au moins deux choses. D'abord, qu'en politique, les apparences ne sont pas accessoires mais centrales. Ensuite, qu'il faut toujours rechercher l'identification à l'électeur : en montrant que vous êtes comme lui, celui-ci croira en vous.

Ne ressentez-vous pas ici comme un écho contemporain à des propos tenus il y a plus de vingt siècles ? On pourrait, du reste, en donner d'autres exemples. Tenez, on ne cesse de répéter, à juste titre d'ailleurs, que les hommes politiques d'aujourd'hui, pour attirer les médias, ne s'exercent plus qu'aux « petites phrases » et qu'avec la télévision, leur discours s'est appauvri, débarrassé des démonstrations complexes au profit de formules concoctées par des conseillers en communication et en marketing ? Eh bien, au début du IIe siècle de notre ère, Tacite constatait avec horreur que les discours devenaient de plus en plus brefs, que les orateurs, pour retenir l'attention d'un public lassé par de longues démonstrations, les avaient volontairement raccourcis. Pour être écouté, il faut plaire.

Ces quelques remarques tirées des Anciens justifieraient, à elles seules, le regard rétrospectif que propose ce livre. Déjà César tentait de charmer le peuple pour s'imposer à Rome. Les monarques absolus, fussent-ils des dieux vivants sur terre, ne négligèrent pas leurs dispositions à capter l'amour de leurs sujets. C'est sur leur pouvoir de fascination que les héros, depuis Napoléon, fondèrent leur légende et l'élan des foules. C'est sur des stratégies de séduction que les dictateurs forgèrent leur charisme, la grâce surnaturelle à laquelle les peuples s'abandonnèrent jusqu'à se perdre.

La démocratie et le suffrage universel ont changé la donne. Pour s'imposer dans la vie politique, il faut s'y distinguer. Jamais, alors, la nécessité de séduire le peuple, l'opinion ou l'électorat n'a été aussi vive. Le phénomène s'est accéléré au milieu du XXe siècle, à mesure que se sont érodés les clivages idéologiques, que les signes d'appartenance à une famille politique se sont effacés, que les partis n'ont plus été les seuls maîtres des carrières individuelles, que s'est personnalisée la vie publique, que se sont affirmées, au quotidien, l'image, la télévision, la société de communication. D'un seul coup, tous les hommes politiques de la planète ont voulu ressembler au charmeur suprême, John F. Kennedy.

La séduction a changé de nature et d'intensité, la politique devenant un spectacle, et l'homme politique, une star du petit écran puis des magazines sur papier glacé. Tout le monde, désormais, peut prétendre accéder à la célébrité comme aux plus hautes fonctions démocratiques. Tout le monde, c'est-à-dire personne. Jamais, alors, il n'est apparu plus nécessaire de se distinguer dans le monde politique où, pour l'opinion, tous les hommes parlent le même langage, voire pensent la même chose. Pour attirer l'attention et sortir du lot dans une société où la consommation est reine, il faut jouer plus que jamais sur les apparences, faire du bruit, se montrer à son avantage, attirer la sympathie, savoir « se vendre », recourir aux techniques du marketing et aux lumières des *spin doctors* de la communication. Dans un monde d'images, l'homme politique est une image parmi d'autres qui, en séduisant, espère devenir une icône. « La politique est faite, pour une part, de la fabrication d'une certaine "image" et, pour l'autre, de l'art de faire croire en la réalité de cette image », écrivait Hannah Arendt, dans *Du mensonge à la violence*, en 1972.

Ce livre est un voyage dans le pays des séducteurs et des stratégies qu'ils déploient pour satisfaire leur ambition. On verra, d'ailleurs, que, chez beaucoup, la séduction est plus qu'un instrument pour conquérir le pouvoir : c'est un état. Charmeur dans la vie publique, il l'est aussi dans la vie privée, ce qui n'est pas sans conséquence quand, parfois, les deux images se brouillent. L'homme politique serait-il un mâle dominant ayant soif d'affirmer sa virilité, en toutes circonstances ? « Je n'ai qu'une passion, qu'une maîtresse, la France. Je couche avec elle », disait Napoléon. Ici, la séduction prend un sens primaire et communément répandu chez les politiques qui, au fond, considèrent l'opinion comme une femme à conquérir, voire à soumettre. Mais, alors, qu'en est-il des femmes politiques qui, si elles s'imposent tardivement à la société politique dominée par les hommes, finissent par accéder à la direction des États [1] ? Quand elles veulent séduire, deviennent-elles des « hommes politiques comme les autres » ?

Le tableau serait incomplet si le présent ouvrage ne portait pas aussi son regard sur l'univers des « séduits » et la manière, complexe et variée, dont ils manifestent leur amour, voire leur vénération pour celui ou celle qui les a absorbés dans son imaginaire. Supporters, fanatiques, amoureux transis ou adorateurs de l'idole, ils perdent

1. Rappelons que la première d'entre elles fut Sirimavo Bandaranaike, Premier ministre du Sri Lanka, en 1960.

souvent tout sens commun. D'autres tentent d'approcher le dieu, le héros ou la star pour le prendre lui-même au piège de la séduction. Ce sont tous les flatteurs, flagorneurs et opportunistes adulateurs qui peuplent les cours monarchiques ou républicaines. En mai 1986, Mitterrand confiait à *Globe* : « J'ai des courtisans, mais pas de cour. » La cour, pourtant, l'accompagnait, chaque année, sur les rampes de la roche de Solutré. Curieuse évocation des promenades du Roi-Soleil dans le parc de Versailles... Le pouvoir rend beau, le pouvoir attire. On chante ses louanges : « Staline, tu es plus haut/Que les espaces célestes/Et seules tes pensées/Sont plus hautes que toi. » On offre même ses filles ou sœurs au despote pour obtenir ses faveurs : Mao reconstitua ainsi à son profit la ronde des concubines de la Chine impériale.

Au fond, ce livre s'interroge sur le fonctionnement politique des sociétés et sur le rapport particulier que les gouvernés entretiennent avec leurs gouvernants. On peut le considérer de deux façons. Soit on estime que les gouvernés sont des êtres purement rationnels qui, passionnés des affaires de la Cité et animés par l'amour de la chose publique, ne se laissent guider dans leurs choix que par la qualité et le réalisme des idées, des programmes, des discours. Tout aussi rationnellement, on admet qu'au moment de glisser un bulletin dans l'urne, seuls jouent, pour l'électeur, les facteurs objectifs : ancrage politique, origines sociales, familiales, confessionnelles, géographiques, situation professionnelle... C'est très souvent ainsi que se bâtissent les enquêtes sur le vote des citoyens. Soit on admet que les gouvernés sont portés par leur imaginaire, leurs sentiments, leurs impressions, leurs émotions, leurs pulsions irrationnelles : « Je vote pour lui parce qu'il me plaît, me donne confiance, me paraît sympathique. Je ne voterai pas pour lui parce que sa tête ne me revient pas, qu'il ne me paraît pas sincère, qu'il m'irrite profondément. L'un m'attire, l'autre pas. L'un me séduit, l'autre pas… » Sans doute l'électeur est-il tiraillé entre ces deux attitudes. Mais il me semble qu'avec le temps la seconde a largement grignoté la première, que la séduction, phénomène ancien, est aujourd'hui devenue dominante dans le rapport du politique au citoyen. En France et ailleurs. C'est pourquoi, aussi, ce livre invite le lecteur à porter son regard bien au-delà de l'hexagone.

I

Dieux parmi les hommes

« Le sexe et le poignard ». En 1928, l'écrivain Renée Dunan, l'amie des dadaïstes, la féministe anarchiste, que ses détracteurs surnomment la « pétroleuse » ou la « vitrioleuse », signe ainsi son nouveau roman érotique. Après *Les Nuits voluptueuses, Entre deux caresses, Belle sans chemises,* elle a choisi de remonter le temps, très loin, jusqu'à l'Antiquité, pour s'intéresser à un personnage qui n'a cessé de susciter les fantasmes : Jules César.

Bien sûr, on pense à ses amours avec Cléopâtre qui inspirèrent la musique, la littérature ou le théâtre, bien avant le cinéma. Mais ce qui fascine chez César, c'est d'abord sa force supposée, celle qui lui permet de soumettre les femmes comme il soumet les peuples, la puissance virile que lui confère son biographe Suétone lorsqu'il décrit son corps bien proportionné ou le magnétisme de son regard. Certes, le conquérant des Gaules n'est pas un athlète, mais tout, en lui, est équilibre ; jusqu'à sa splendide calvitie qui, dégageant un large front, souligne, chez lui, un subtil mélange d'intelligence profonde et de volonté surhumaine. Bref, pour séduire, César n'aurait qu'à paraître.

La légende veut que le sang de Vénus coule dans les veines de la famille des Julii dont il est issu. Elle n'est pas tout à fait étrangère à la renommée d'un chef dont l'appétit sexuel ne semble jamais assouvi. Suétone – toujours lui –, qui évoque César un siècle et demi après son assassinat, cultive ainsi cette image, dressant avec minutie la liste de ses conquêtes féminines, à la manière d'un tableau de chasse. Renée Dunan se délecte de ces histoires où César prend plaisir à humilier les patriciens romains en couchant avec leurs femmes, y ajoutant le petit détail érotique qui fera frissonner son lecteur : « Il avait eu comme maîtresse la propre femme du sénateur richissime Servius Sulpicius. Cette Posthumia se promenait nue en litière et passait pour plus vicieuse que la salace Héraclée, dont parlent les vieux auteurs grecs. César posséda aussi Lollia, épouse de son ami Aulus, le Consul danseur, laquelle offrit pour lui ses formes à l'inspiration d'un sculpteur athénien qui en fit une Vénus callipyge. Tertullia, jeune épouse de Marcus Crassus lui-même, fut quelques jours sa favorite. César, ce qui exalta enfin le scandale, promenait dans sa litière Sempronia la poétesse, qu'il fit danser en public, revêtue seulement d'un masque priapique. » Mais Dunan, en fine provocatrice, a gardé le meilleur pour la fin, le trait de la vie de César qui indignera les bien-pensants et ravira les moins moraux des libertins. À quarante ans passés, en effet, le voici qui séduit Servilia, la propre sœur de Caton, son vieil ennemi. Or, précise la romancière, « miraculeusement lubrique, [Servilia] voulut que sa propre fille Tertia vînt partager les plaisirs que César lui dispensait. Ainsi passaient-ils tous trois des nuits charmantes dont le souvenir nous a été transmis ».

Alors, César, prince débauché ? Suétone, qui se plongea dans les archives impériales pour écrire sa *Vie des douze Césars*, rapporte une anecdote peut-être éclairante.

L'histoire se situe en 46 avant Jésus-Christ, lors du triomphe qui célèbre la conquête des Gaules, du Pont, de l'Égypte et de la Numidie par Jules César. Jamais, sans doute, Rome ne connut de cérémonie plus fastueuse pour célébrer la victoire. Alors que le grand vainqueur, ceint de pourpre, parcourt en char la Voie sacrée, puis traverse Rome pour gagner le temple de Jupiter capitolin, ses soldats chantent ses louanges avec des mots inhabituels : « Imprudents citadins, surveillez vos femmes/Voici venir le char du baiseur chauve/Qui, mêlant les plaisirs aux soucis de la guerre/A forniqué en Gaule avec l'or des Romains. » Plaisanterie gaillarde, sans doute, mais qui fournit peut-être la clé pour comprendre le pouvoir de séduction attribué à César. Car, à travers elle, émerge une évidence : le général triomphant n'est pas un chef et, par ailleurs, un séducteur. Au contraire, il est un séducteur parce qu'il est un chef. La puissance virile de César qui se manifeste par son mépris du danger sur les champs de bataille et fonde son autorité se traduit naturellement par une énergie sexuelle hors du commun. L'ampleur sans limite de cette autorité lui donne un pouvoir de séduction auquel nul ne peut résister, ni les femmes conquises, ni les maris trompés, ni quiconque, à vrai dire. Ses soldats s'en réjouissent : la vitalité du chef rejaillit sur eux et les rend désirables. C'est pourquoi il peut leur demander l'impossible. L'affirmer, pour Suétone, est d'autant plus impératif qu'en fixant le portrait de Jules César, il établit le modèle dont se réclament les empereurs romains, les « Césars » qui lui ont succédé.

Entendons-nous bien : la virilité romaine admet la séduction, pas le jeu de séduction. César ne déploie pas de stratagèmes pour conquérir : quand le maître apparaît, la femme, par nature passive, succombe ; et les maris cocufiés doivent admettre leur mésaventure comme ils se plient à son autorité. Mieux : l'infortune des cornards de tout poil s'étale sur la place publique car, pour le chef ou le prince, les femmes conquises sont autant de prises de guerre qui attestent sa vitalité virile. Les femmes… mais aussi les hommes, car, dans l'Antiquité romaine, l'homosexualité n'est pas contraire aux normes sociales. À condition, toutefois, de ne point se montrer soi-même passif dans l'acte sexuel. C'est bien le sens de la pique lancée contre César par Curion, tribun de la plèbe, lorsqu'il le dépeint comme « l'homme de toutes les femmes, et la femme de tous les hommes ». La femme de tous les hommes ? Que César sodomise de jeunes esclaves ne choquera personne à Rome ; au contraire, on se réjouira d'une preuve supplémentaire de la vitalité du chef. Mais que lui-même se transforme en femme, c'est-à-dire qu'il subisse les assauts sexuels d'un homme, est totalement inadmissible. La rumeur remonte à l'époque où l'ambitieux César, âgé de vingt ans, fut chargé de trouver une aide financière auprès de Nicomède, le roi de Bithynie. Ne reculant devant aucun scrupule pour obtenir ce qu'il voulait, il aurait rejoint le monarque dans sa chambre, se laissant « monter frénétiquement toute la nuit », si l'on en croit Cicéron. Rien ne prouve la véracité de cette histoire, peu vraisemblable, même, au regard des règles sociales romaines. Le « sodomite passif » César n'aurait pu conquérir l'estime des hommes, c'est-à-dire des mâles, à commencer par ses soldats. Mais elle est édifiante sur les liens indéfectibles entre sexe et pouvoir : évoquer l'un est toujours une manière de parler de l'autre.

La tyrannie sexuelle et ses abus sont, depuis l'Antiquité, l'expression visible, sensible, et cultivée par le prince pour prouver son absolutisme. L'homme dompte sa proie parce qu'il est le pouvoir. Le rapport de séduction, alors, est par nature inégalitaire. Le sexocrate, dieu vivant, ne saurait être séduit. Il prend, se sert, rejette, parfois avec brutalité. Mais il séduit par l'attraction immédiate qu'exerce sur l'être ordinaire son magnétisme divin. Reste que l'autorité, fût-elle d'origine céleste, dépend du respect qu'elle inspire aux hommes. Ce respect, il faut le conquérir. Et c'est là que l'habileté du chef se manifeste. Car même les dieux savent user de ruses séductrices pour charmer les peuples versatiles…

Le peuple aime César

« Du pain et des jeux », voici ce que demande le peuple, voilà ce qu'on lui jette en pâture pour calmer ses impatiences, affirme avec une cruelle malice Juvénal, le poète satirique du début du IIe siècle de notre ère. Le peuple, c'est la plèbe, la masse des citoyens romains, monde foisonnant et divers situé entre la foule des esclaves et l'élite des patriciens à laquelle elle s'est toujours opposée. À Rome, la plèbe a son aristocratie, marchands et financiers. Elle a ses « classes moyennes », artisans et boutiquiers, nombreux et actifs, têtes chaudes et verbe haut, prêts à secouer la quiétude politique quand le ravitaillement fait défaut ou lorsqu'on agite de trop près l'épouvantail des taxes. Mais elle a aussi ses prolétaires et ses indigents, parfois moins bien lotis que les esclaves et qui ne vivent que grâce aux largesses privées et aux distributions publiques de blé à vil prix, destinées à calmer leurs ardeurs de révolte. Que représentent-ils ? 40 %, 50 % de la Cité ? Davantage ? En tout cas suffisamment pour que le pouvoir ait toujours un œil sur eux.

Sous l'empire, la plèbe n'a plus le pouvoir de faire ou de défaire les gouvernants, comme au temps de la République, ni la tentation de succomber aux sirènes des démagogues. Mais si elle n'est plus la force politique d'autrefois, le prince sait qu'elle pourrait un jour lui nuire, et que, par leur nombre, les humbles représentent toujours un danger, dès lors qu'ils sont rassemblés en foule, tout particulièrement au cirque. Alors, il faut les ménager, les écouter, et même les séduire.

Comment gagner le cœur du peuple ? En lui offrant des jeux grandioses, les plus beaux, les plus dispendieux, les plus retentissants de l'histoire de Rome. C'est, en tout cas, ce qu'avait cru Pompée lorsqu'il fit construire un cirque monumental (le Circus Maximus, 250 000 places) où des condamnés devaient combattre contre des éléphants, où près de cinq cents lions furent tués. Comptez sur la reconnaissance du peuple ! Au lieu d'applaudir, de s'esbaudir, de lui baiser les pieds en signe de reconnaissance, il quitta l'enceinte en larmes, hurlant son dégoût devant un tel carnage, maudissant Pompée qui, finalement, ne put jamais le moins du monde rivaliser avec la popularité de son grand ennemi, César.

Et César, justement, que fait-il pour séduire la plèbe ? Apparemment pas grand-chose, même pas de discours. Certes, il donne des jeux. Mais, pendant les festivités, soit il ne vient pas, soit il lit son courrier. Indécent ! Il est pourtant un détail qui change tout et le démarque de Pompée : il vit au milieu du peuple, plus particulièrement dans le quartier de Subure, au nord du forum, entre le Viminal et l'Esquilin. Le quartier chaud, grouillant, crasseux par excellence, dominé par des immeubles vétustes (*insulae*) et des maisons de passe, où se croisent les prostituées aux plus bas tarifs et les coupe-jarrets de toute espèce, où les patriciens viennent parfois s'encanailler à leurs risques et périls. César peut dire : je connais les humbles, parce que je vis parmi eux. Plus que n'importe quel geste généreux, ce choix délibéré emporte l'adhésion de la multitude.

Populaire, César le fut indéniablement ; jusqu'à sa mort, et même au-delà. Ainsi, immédiatement après son assassinat, les chefs de la conjuration descendent du Capitole pour expliquer leur geste au peuple. Enthousiastes, Brutus et les autres exaltent ainsi la liberté retrouvée. Mais les regards se figent ; aucun cri d'exaltation ne jaillit. Alors, le préteur Cinna, parent de César par alliance, s'avance, arrache sa toge de magistrat, la jette au sol, indiquant ainsi qu'il ne doit rien au tyran, et salue haut et fort ses assassins. L'assistance alors s'électrise. Comment accepter une si vile ingratitude ? On hurle, on vitupère. Des pierres commencent à pleuvoir sur Cinna, contraint de s'enfuir à toutes jambes. La foule le poursuit jusque chez lui où il doit se barricader.

La fidélité du peuple à l'égard de César ne faiblit pas. Le jour de ses funérailles, en voyant son corps criblé de blessures, la foule, rassemblée au forum, est prise de fureur. Refusant que le cortège funèbre poursuive sa route jusqu'au temple de Julia où César doit être incinéré, elle se saisit de la dépouille et dresse en plein forum un bûcher, dans un geste symbolique d'appropriation. Après quoi, elle décide de se retourner contre les assassins, les pourchassant dans toute la ville, incendiant leurs maisons. La douleur collective n'est pourtant pas apaisée : César est bientôt honoré comme un dieu, auquel Auguste décide de consacrer un temple, à l'est du forum.

L'empereur aime le peuple

Habile, Auguste cultive avec science tous les gestes de nature à séduire le peuple, auquel il se mêle volontiers. Habitant à l'origine près du forum, dans une maison modeste, il s'installe au Palatin, mais prend bien garde d'occuper une demeure des plus simples, « sans marbre ni pavés recherchés », précise Suétone. Il participe aux spectacles de la foule à laquelle il offre des jeux qui, rapportent les chroniqueurs, atteignent des sommets de magnificence. Il y assiste avec sa femme et ses enfants et se fait excuser lorsqu'il ne peut s'y rendre. Il multiplie les audiences où il reçoit les requêtes du peuple et organise des banquets où sont admis les plus populaires des artistes, histrions, bouffons et cabotins de toute espèce. Auguste, souverain « people » ? Ne poussons pas trop loin l'anachronisme, mais constatons tout de même que l'empereur a ce que nous appellerions aujourd'hui le « sens de la communication ». Un exemple ? En 23 avant J.-C., Rome subit une terrible famine et les réserves de grain s'épuisent. Le ravitaillement de la ville n'est pas de son ressort, mais de celui des magistrats qui montrent alors une coupable incompétence. Alors qu'il ne reste plus que trois jours de vivres, Auguste fait courir un bruit qui glace d'effroi le peuple : il envisage de se suicider. On se précipite alors, le cœur battant, pour l'en dissuader. Finalement, devant tant de sollicitude – et l'arrivée miraculeuse d'un approvisionnement –, il renonce à la mort. Mais la rumeur calculée d'un tel sacrifice provoque une émotion qui élève Auguste au firmament de la popularité. Le projet de suicide d'Auguste ? Une bien belle histoire, d'autant plus belle qu'on ne la peut vérifier.

Néron et Caligula ont eux aussi leurs stratagèmes de séduction. La légende noire fait d'eux des tyrans impopulaires. Pourtant, Caligula enthousiasma les foules – avant de se les aliéner par sa cruauté, à la fin de son règne –, et le peuple pleura Néron lorsqu'il se suicida (68). À quoi tient, alors, l'image sombre que les Anciens s'évertuèrent à dessiner ? Notamment aux sources de la popularité des deux souverains qui s'appliquèrent à séduire le peuple, tout particulièrement en humiliant les élites patriciennes, au nom desquelles les auteurs latins, tels Suétone ou Tacite, s'expriment.

Caligula (qui règne de 37 à 41) ne se contente pas de largesses à l'égard du peuple. Il distribue des places gratuites dans les théâtres, pour que les nobles délicats y soient mêlés à la multitude grossière ; il prend un malin plaisir à faire attendre des heures les sénateurs auxquels il a accordé audience. À l'issue des jeux, il organise lui-même la vente aux enchères des esclaves et fait monter les prix si haut que les plus riches sont poussés à la ruine. La foule, ravie, s'esclaffe et applaudit car, comme le rappelle Sénèque, le peuple a toujours détesté ceux « qui vomissent pour manger et mangent pour vomir ».

Néron, empereur en 54, lui aussi, s'attire la sympathie populaire par des dons d'argent ou de nourriture et en multipliant les affronts aux sénateurs qu'il oblige parfois à se produire dans l'arène comme gladiateurs ou au théâtre comme acteurs. Mais il s'applique aussi à protéger le peuple, réprime les abus des puissants, lutte contre la corruption des nantis, met fin à une pratique ancienne étonnante, celle des coureurs de chars autorisés à parcourir la ville en bousculant tout sur leur passage, en volant, en terrorisant la population, simplement pour se distraire. Surtout, il se montre proche des humbles, partage leurs plaisirs, participe aux jeux, se fait comédien, combat au cirque, excite la foule dans les tribunes, en riant, en hurlant, en jurant, à la plus grande joie de l'assistance. Face à ce spectacle, les élites romaines, impuissantes, rongent leur frein en silence.

En 64, quand Néron annonce qu'il va s'éloigner quelque temps de la ville pour un voyage, c'est la consternation. On proteste, on supplie, on pleure. Impossible d'imaginer que l'empereur puisse abandonner la plèbe, livrée, en son absence, aux voleurs et aux criminels. Cette confiance aveugle en Néron explique pourquoi, cette même année, elle ne croit pas à la rumeur répandue par ses ennemis, lors de l'incendie de Rome : pendant que la cité flambait, Néron serait monté sur le Quirinal et, muni d'une lyre, aurait chanté le poème de la destruction de Troie. Le peuple croit, au contraire que, rentré précipitamment de son lieu de villégiature, Néron s'est employé, sans compter, pour soulager les souffrances, ouvrant les plus prestigieux édifices afin que la foule s'y réfugie, accueillant les sinistrés dans ses propres jardins. Elle n'ignore pas non plus que l'empereur a ordonné la construction d'abris de fortune pour loger les plus pauvres, qu'il s'est démené pour faire acheminer du blé. Le peuple de Rome, et singulièrement les plus indigents, aime Néron parce qu'il lui a apporté la sécurité et qu'au fond, il lui ressemble.

« Quand on aspire au pouvoir, les meilleurs partisans, ce sont les besogneux », écrit Sénèque. Peu importe de savoir si Caligula ou Néron étaient sincères. L'essentiel est de comprendre le secret de leur séduction : par leur comportement, leur geste, leur action, ils ont su forcer le respect du peuple. Certes, à Rome, on a l'habitude de suspendre les portraits de l'empereur et de sa famille aux murs des échoppes, et souvent au-dessus du lit conjugal. Bien sûr, on aime spontanément le prince, parce qu'il est le prince. Pourtant, certains souverains se détachent dans l'affection de la masse. Néron, dont on fleurit la tombe avec ferveur, est l'un de ceux-là. On prétend même qu'il ne serait pas mort et, vingt ans après sa disparition, surgissent encore de faux Néron qui disent vouloir rétablir le pouvoir de la plèbe. Le peuple romain, écrivait Montesquieu, le vénérait car « il aimait avec fureur ce que le peuple aimait ».

Le roi est beau

Apollon, Jupiter, Auguste, Trajan, César… C'est simple : Louis XIV est tout à la fois. Le Roi Très-Chrétien va puiser dans l'Antiquité romaine, ses dieux et ses princes, la force fulgurante et la majesté suprême qui le hissent au-dessus de tous les hommes et au-dessus de tous les rois. Vêtu à la façon des empereurs romains, couronné des lauriers de la Victoire, Louis XIV est le nouveau César que les peintres flatteurs et les sculpteurs louangeurs célèbrent sur les murs de Versailles ou sur les places publiques où s'élèvent ses statues de bronze. Le roi est un dieu, mais un dieu inaccessible ; et c'est précisément cette distance qui fonde son pouvoir de fascination et d'attraction. On cherche à se rapprocher de Jupiter, en attirant son attention, en s'appliquant à le courtiser pour obtenir ses faveurs ou en s'enorgueillissant de partager son lit.

Populaire, Louis XIV ? Le monarque ne néglige pas son image auprès du peuple, comme en témoignent ces almanachs bon marché, diffusés partout dans le royaume, qui célèbrent la famille royale et exaltent un souverain triomphant et répandant l'abondance parmi ses sujets. Cependant, il ne déploie pas de stratégie de séduction en direction de la multitude qu'il ignore. Ainsi, chercherait-on vainement les humbles dans tous ces tableaux qui célèbrent sa gloire. Comme le note Saint-Simon, son départ pour Versailles n'est pas étranger à la peur que lui inspire la populace. Il lui fallait fuir Paris, écrit le mémorialiste, car « il s'y trouvait importuné par la foule du peuple à chaque fois qu'il sortait, qu'il rentrait, qu'il paraissait dans les rues ». Rien d'étonnant, alors, à ce que les pamphlets clandestins fassent ainsi parler le roi : « Je me moque du Peuple et de ses cris » (*Les Amours de Louis le Grand*).

Bref, ce n'est pas ici qu'il convient de chercher la comparaison avec César ou Auguste. On la trouvera ailleurs, dans ce pouvoir d'attraction naturel que les princes exercent dès qu'on les voit. Car le roi est beau. Voici qui ne se discute pas. Il ne s'agit pas seulement de la divinité mâle qu'il incarne, de la virilité guerrière qu'il personnifie. Non, le roi est beau, simplement parce qu'il est le roi. Tout en lui est naturellement beau : sa taille, son allure, sa voix, son visage, ses yeux, comme l'écrit le duc François de Bretagne : « Sire, ce qu'on voit dans vos yeux/ Et ce beau feu qui les enflamme/Trouble les sens, interdit l'âme/De qui veut imiter le Miracle des Cieux. » Louis XIV est beau, c'est l'évidence même, soulignée avec force par son admirateur Voltaire, en 1748 : « Louis XIV était, comme on sait, le plus bel homme et le mieux fait de son royaume. » Et l'auteur du *Siècle de Louis XIV* d'ajouter : « Tous les hommes l'admiraient, et toutes les femmes soupiraient pour lui. »

L'idée que seuls les hommes bien faits de leur personne peuvent commander n'est pas vraiment nouvelle. On la trouve chez Aristote, et Homère célébrait déjà, dans l'*Iliade*, la beauté d'Achille ou d'Hector. Mais, avec Louis XIV, elle atteint des sommets jamais égalés et le panégyrique du roi devient ainsi un genre littéraire majeur. Le caprice des flatteurs n'est pas seulement en cause, car toute manifestation publique doit exalter, par l'éloge, le culte monarchique. Le roi est donc infiniment puissant, infiniment bon et, pour peu qu'on se laisse porter par son enthousiasme, infiniment beau. C'est ainsi qu'on le dépeint, et c'est ainsi qu'on le peint. Mais ici, l'écart avec la réalité est profond.

Invité en France en 1665 pour travailler à la refonte du Louvre, le célèbre Bernin, après avoir observé le roi avec l'œil impitoyable de l'expert, rend son verdict : « Il a la moitié de la bouche d'une façon et l'autre de l'autre, un œil différent aussi, et même les joues différentes. » Le nez aussi est irrégulier. Témoin attentif de la vie de cour française, le chroniqueur piémontais Primi Visconti concède que le souverain a des yeux « vifs, espiègles, voluptueux », qu'il a de la « prestance », mais son jugement reste sans équivoque : « Le roi n'est pas beau. » Au passage, il note que son « visage est marqué par la petite vérole » (contractée en 1647), disgrâce qu'effacent scrupuleusement tous les artistes invités à composer son portrait. On peut ajouter que le roi est devenu progressivement chauve à vingt ans, à la suite d'une fièvre typhoïde. C'est pour masquer les touffes éparses de cheveux qu'il se fit raser le crâne et adopta la perruque. Aussitôt, du reste, comme le rapporte Mazarin, on vit les courtisans zélés se faire raser à leur tour et se coiffer d'un postiche. Et voici comment on lance une mode.

Évidemment, tout cela ne s'arrange pas avec l'âge. À 48 ans, il est atteint de la goutte qui l'oblige souvent à se faire transporter en chaise ; ce qui n'empêche pas les peintres de souligner sa vigueur physique. Un exemple ? Prenons celui du tableau d'Hyacinthe Rigaud, Louis XIV en costume de sacre, qui est sans doute la plus célèbre de toutes les représentations du roi. Reproduit dans tous les manuels scolaires, il a nourri l'imagination des écoliers depuis les débuts de la République. Le roi a alors 63 ans, et ne se tient plus debout. Mais, grâce à Rigaud, il a toujours belle prestance, et a même conservé ses jambes de vingt ans, fines et musclées, celles qui faisaient de lui un danseur hors pair. La vigueur imaginée du corps du roi vient rappeler que, jusqu'au dernier souffle, il incarne l'énergie conquérante.

Cette représentation abusive devait faire jaser à l'époque, et même attirer le sourire amusé de quelques courtisans à Versailles. Mais on pouvait compter sur eux pour ne rien en laisser percevoir. Les atteintes de la maladie et du temps sont sans prise sur la séduction naturelle du roi ! La petite vérole qui boursoufle son visage ? C'est à peine si on la remarque. Comme l'écrit Simon de Riencourt, auteur d'une *Histoire de la monarchie française sous le règne de Louis le Grand*, parue en 1697 : « Les Poètes du temps dirent fort agréablement que bien que la petite vérole eût grossi les traits du visage du Roi, et qu'elle en eût un peu diminué l'éclat et la grande beauté, ce prince n'avait rien perdu par cette disgrâce, puisqu'il n'avait quitté la ressemblance du Dieu d'Amour que pour prendre celle du Dieu Mars. »

Flatteurs !

Le roi n'a pas besoin de séduire, parce qu'il est le roi. En revanche, pour se rapprocher du pouvoir et en obtenir les faveurs, il convient de le séduire en usant de l'arme à laquelle l'orgueil du monarque tout-puissant ne saurait résister : la flatterie. « La flatterie lui plaisait à tel point, écrit Saint-Simon, que les plus grossières étaient bien reçues, les plus basses encore mieux savourées. » Dire au roi ce qu'il a envie d'entendre, précéder ses désirs, jouer sur ses goûts et ses penchants sont les plus sûrs moyens de s'en rapprocher. À la cour, parce que l'intérêt et l'ambition commandent, la flatterie domine. Comme l'observe Mme de Motteville, femme de chambre puis dame d'honneur de la reine Anne d'Autriche : « Je puis dire n'avoir guère vu de personne à la cour qui ne fût flatteur, les uns plus, les autres moins. »

Pourtant, n'est pas courtisan qui veut. Plus qu'une pratique, c'est un art qui demande l'apprentissage de règles si rigoureuses qu'elles font même l'objet de *vade mecum* décrivant par le menu le comportement idéal pour le devenir et le rester. Les « manuels du courtisan » n'apparaissent pas avec Louis XIV. On en trouve déjà au

XVIe siècle, comme celui de Baldassar Castiglione, familier de la cour d'Urbino, en Italie : son manuel, vite réputé, fut traduit en espagnol, en français, en anglais, en allemand, en polonais. On chuchote même que l'empereur Charles Quint avait trois livres de chevet : la Bible (bien sûr), *Le Prince* de Machiavel et le célèbre ouvrage de Castiglione. Mais, avec Louis XIV, on change brusquement d'échelle. Les manuels du courtisan deviennent un genre à la mode. Du reste, ils se ressemblent tous, car ils se copient les uns les autres : même construction, mêmes conseils, mêmes exemples, ou presque.

Prenons le cas du *Manuel du courtisan ou Règles de conduite pour les gens de cour*, publié vers 1675 par l'imprimeur bâlois Eusèbe Meisner. « Il est nécessaire, conseille-t-il, que vous soyez connus du prince, que vous lui rendiez vos actions et votre conduite agréables, ou que vous lui plaisiez par quelque autre moyen. » Plaire : voici donc l'obsession du courtisan. Mais rien ne sert d'avoir conquis l'intérêt du maître, si on se montre incapable de l'entretenir. On a si tôt fait de retourner à la poussière ! Deux dangers, en effet, menacent le courtisan : la lassitude du prince et l'envie des gens de cour, toujours prêts à nourrir la cabale contre un personnage trop en vue : « Que le prince seulement lui tourne le dos ou l'abandonne aux grands, qui regardent presque toujours de pareils favoris d'un œil jaloux, et il est perdu. » Sortez armé, car la cour est un univers impitoyable !

De tous les conseils prodigués par ce *Manuel*, retenons-en quelques-uns. Premier défi pour l'apprenti courtisan : se faire connaître du prince. Mieux vaut, évidemment, être recommandé. Mais si vous n'avez pas cette chance ou si vous ne vous êtes pas couvert d'une gloire acquise sur un quelconque champ de bataille, faites-vous remarquer en créant la surprise, comme cet homme qui, pour rencontrer

Alexandre le Grand, décida de se présenter à lui totalement nu, oint de la tête aux pieds, une peau de lion sur l'épaule et un ceste à la main. « Le spectacle excita la curiosité d'Alexandre [...], et quoique le monarque n'approuvât pas ce qu'il lui proposait, il le fit cependant mettre au nombre des gens de sa maison. »

Ensuite : il vous faut bien connaître les perversions du prince et vous y conformer. Est-il ivrogne ? Vous boirez avec lui des jours et des nuits durant. Est-il débauché ? Vous le suivrez dans la luxure et lui procurerez les femmes qui assouviront son appétit sexuel. Est-il avare ? Vous approuverez son vice en ne parlant jamais d'argent. Car « ceux qui veulent obtenir la faveur du prince doivent se courber à ses passions ». Alors, naturellement, vient la troisième recommandation : sachez, par-dessus tout, manier la flatterie. Mais faites-le avec tact. Ne commettez pas l'erreur fatale de prendre vos maîtres pour des imbéciles : « Il arrive souvent que celui que nous louons si ouvertement soupçonne quelque trahison contre lui. » Ce qui compte dans la flatterie, ce n'est ni le nombre de compliments ni le degré d'obséquiosité, mais son originalité. Une bonne formule est celle à laquelle personne n'a encore jamais pensé ! Autre conseil essentiel : évitez tout impair en vous adressant au prince. Le meilleur moyen d'y parvenir est encore d'étudier au plus près son tempérament. Par exemple, face à un maître bilieux, orgueilleux, irascible, méprisant tout jugement qui ne s'accorde pas avec le sien, bannissez la plus petite objection. « N'hésitez pas à descendre aux emplois les plus bas » et « souffrez patiemment les injures ». Si, au contraire, il est porté à la gaieté et au plaisir, « évitez les affaires sérieuses » et s'il se montre solitaire et froid calculateur, soyez « avare de paroles », « craignez de le contredire », « ne l'importunez pas par des demandes ». Mais il est une ultime instruction qui, sans garantir la faveur éternelle du prince, est essentielle pour la maintenir le plus longtemps possible : calomniez ! Oui, calomniez les rivaux potentiels, à condition que votre calomnie soit vraisemblable. Et le *Manuel* d'énoncer les registres les plus efficaces : « Il n'est pas de calomnies qui réussissent mieux pour perdre les grands, que celles qui les font paraître coupables de machination envers le prince ou l'État, ou de mépris envers sa personne, et de refus d'obéir à ses volontés, ou enfin de manque de respect et de ridicule répandu sur ses paroles ou ses actions. »

Belle leçon de cynisme… Suit-on ces conseils à la cour de Louis XIV ? Avec minutie, si l'on en croit le baron Ézéchiel Spanheim, envoyé de l'Électeur de Brandebourg auprès du roi de France en 1699. Lui qui a parcouru l'Europe se dit frappé par l'exceptionnelle soumission des courtisans au prince, « en sorte qu'on ne saurait voir plus d'empressement à lui marquer son zèle et à lui faire la cour ». Cette ardeur inquiète à vouloir séduire le roi pour s'élever ou maintenir son rang est la cause d'une dépendance qui verse dans la plus vile soumission, attitude férocement brocardée par La Bruyère qui écrit ainsi : « Qui est plus esclave qu'un courtisan assidu, si ce n'est un courtisan plus assidu ? »

« Comptez, Monseigneur, que presque tous les hommes noient leurs parents et leurs amis pour dire un mot au roi, et pour lui montrer qu'ils lui sacrifient tout. » Le propos de Mme de Maintenon à l'adresse de Louis XIV peut être jugé excessif. Pourtant, les chroniqueurs et mémorialistes du temps rivalisent d'anecdotes qui soulignent le contraire. Et certaines sont édifiantes. Ainsi, pendant des années, Louis Antoine de Pardaillan de Gondrin chercha à obtenir les faveurs du roi, en vain. Il avait un atout en main, sa mère, Mme de Montespan.

Mais il dut attendre sa mort pour qu'enfin Louis XIV consentît à lui accorder ses faveurs. Fait duc d'Antin, le roi lui confia la direction de ses Bâtiments, et notamment ceux de Versailles. Voltaire, en narrant l'histoire qui suit, a beaucoup contribué à lui tailler la réputation du plus grand flagorneur du royaume. Le roi, raconte-t-il, devait se rendre à Fontainebleau. Peu auparavant, il s'était plaint à Antin : un des bois du château lui masquait la vue qu'il apercevait de la fenêtre de sa chambre. Les désirs royaux sont des ordres. Zélé, le duc ordonne donc qu'on scie tous les arbres à leur base sans les faire tomber, et qu'on les enserre dans des cordages. Le jour dit, 1 200 hommes sont mobilisés, dissimulés dans le parc et prêts à agir. Le spectacle peut commencer. Lorsque le roi, accompagné de la duchesse de Bourgogne, descend de son carrosse, il répète combien il souhaiterait voir disparaître le bois. Suit alors cet échange rapporté par Voltaire. « Sire, répond le duc d'Anzin, ce bois sera abattu dès que Votre Majesté l'aura ordonné. — Vraiment, dit le roi, s'il ne tient qu'à cela, je l'ordonne, et je voudrais déjà en être défait. » Soudain, le duc se saisit d'un sifflet et, au signal, la forêt s'effondre dans un immense fracas. Éberluée par la prouesse, la duchesse de Bourgogne lance, avec malice : « Si le roi demandait nos têtes, M. d'Antin les ferait tomber de même. » À vrai dire, le duc d'Antin n'en était pas à son premier exploit. Reçu en son château de Petit-Bourg, Louis XIV avait avisé une allée d'arbres qu'il jugeait vieux et laids : le lendemain matin, au réveil, le roi put s'apercevoir qu'elle avait disparu.

Le souverain fut-il impressionné, charmé, séduit par tant de sacrifices ? On peut en douter, car il ne porta jamais le fils de Mme de Montespan dans son cœur. Sa sentence s'abattit sur lui en 1707 : à la suite d'une fausse manœuvre à la bataille de Chamillies, d'Antin fut impitoyablement rayé des cadres de l'armée. Humiliation suprême. Reste que, jusque dans ses *Mémoires*, il lancera dans un cri : « Mais mon zèle, mon affection, mon attachement à la personne du roy étaient si sincères ! » Sans doute la douleur de l'amoureux éconduit…

Sexe et dépendances

Les courtisans sont-ils des esclaves volontaires ? Auraient-ils inventé, comme l'explique avec ironie le baron d'Holbach, à la veille de la Révolution française, l'« art de ramper » ? Arrêtons-nous un instant sur une hypothèse inverse : celle d'un monarque sous influence, souverain contrôlé par un entourage séducteur, et finalement dieu déchu. Le roi peut-il être un jouet entre les mains de ses courtisans, voire de ses maîtresses ? C'est, en tout cas ce que prétend la rumeur colportée par les libelles diffusés sous le manteau et les chansons satiriques qui se moquent des princes trop crédules.

En 1694, Jean de Vanel fait paraître à Cologne une charge au vitriol contre *Les intrigues galantes de la Cour de France depuis le commencement de la Monarchie jusqu'à présent*, où il dénonce « l'aveugle complaisance des Roys pour leurs maîtresses ou pour leurs favoris ». Selon lui, ce qu'on attribue à la politique dans les grands événements passés ne serait, la plupart du temps, que l'expression d'intrigues exploitant la naïveté des souverains, esclaves des cabinets et des alcôves.

Qui reprocherait à Louis XIV d'avoir des maîtresses ? La moralité chrétienne n'a pas effacé l'antique tradition du prince dont l'énergie sexuelle traduit la puissance surhumaine. Bien sûr, au fil du temps, les chroniqueurs ont gagné en pruderie. Nous ne sommes plus à l'époque où Pierre de Bourdeilles, abbé et seigneur de Brantôme, rapportait avec délectation les exploits de François Ier cocufiant les Grands et les moins grands, entrant à n'importe quelle heure de la nuit dans les chambres des dames de la cour dont il possédait toutes les clés : « Cet enragé du déduit [jeu amoureux] prenait les femmes quand il en avait affaire, à ses repas, comme d'autres viandes de son dîner et de son souper. Il courait le guilledou sans le moindre discernement, cherchant sans cesse de nouvelles fôlatreries avec des filles et femmes de bourgeois. » Reste que nul chroniqueur, sous Louis XIV, ne se permettrait de reprocher au prince la preuve de sa vitalité. Mais les auteurs clandestins, eux, n'ont pas les mêmes scrupules, dès lors que l'appétit sexuel du roi est, à leurs yeux, source de désordre, qu'il le rabaisse au rang de simple mortel conduit par les femmes par le bout du nez. Discrets sur Mme de La Vallière, plus diserts sur Mme de Montespan, ils se déchaînent contre Mme de Maintenon, la « catin » du roi.

En 1699, sur l'air de *La Médisance*, une chanson se répand ainsi dans les rues :

On dit qu'un prince aujourd'hui
Ne règle tout que par lui ;
Ce n'est qu'une médisance.
Une femme en pénitence,
Veuve d'un petit crotté,
Tient le timon de la France ;
C'est la pure vérité.

À la même époque, une autre cultive ironiquement le jeu de mots :

Au Dauphin, irrité de voir comme tout va,
Mon fils, disait Louis, que rien ne vous étonne,
Nous maintiendrons notre couronne ;
Le Dauphin répondit : Sire, Maintenon l'a.

Les rumeurs les plus sordides se répandent. On prétend même que Mme de Maintenon entretient l'institution des jeunes filles de Saint-Cyr uniquement pour fournir de la chair fraîche au roi vieillissant. Le séducteur à la force divine n'est plus qu'un vieux satyre ridicule et méprisable. Roi dépendant, roi manipulé, il inspire le dégoût par sa faiblesse. Ce qui dérange finalement dans cette affaire, ce n'est pas tant qu'à un âge avancé, le souverain ait encore besoin de renouveler ses maîtresses. Ce qui n'est pas admissible, c'est qu'il soit l'esclave d'une femme à qui revient désormais « le timon de la France ». Le même reproche sera lancé à l'adresse de Louis XV, plus jeune pourtant, lors de sa liaison avec Mme de Pompadour. La séduction, alors, est bien perçue comme le péché absolu répandu par la femme, par nature tentatrice.

Encore Louis XIV comme Louis XV sont-ils des hommes, mais que se passe-t-il lorsque la souveraine est une femme ? Les amours et les amants de Catherine II de Russie (1729-1796) ont alimenté des livres entiers. En 1983 encore, elle était l'involontaire héroïne d'un film pornographique allemand, intitulé *Catherine la Tsarine nue*, où l'impératrice assouvissait son appétit sexuel lors de soirées orgiaques avec les plus beaux et les plus jeunes étalons de l'armée russe ; et si, par malheur, l'un d'entre eux refusait de se soumettre à la débauche, il finissait enchaîné au fond d'un obscur cachot.

« Quoi qu'on vous dise de moi, écrit Catherine à Voltaire en 1774, je ne suis ni volage, ni inconstante. » C'est pourtant un autre visage que présentent ses détracteurs, celle d'une femme sans scrupule, qui fit détrôner son mari, Paul III, avec la complicité de son amant, Grégoire Orlov (1762), tantôt dominée par les hommes, tantôt tyrannique, nymphomane, perverse, transformant son palais en lupanar, à l'instar de son modèle, Messaline. Si la seconde image domine les libelles clandestins, la première est entretenue par les hôtes de l'impératrice, tel Lord Buckinghamshire qui, en 1764, écrit à propos d'Orlov : « Il semble avoir oublié tout le respect et la déférence qu'il doit à sa souveraine et il lui parle avec l'air d'un homme qui connaît son influence... » Catherine, femme séduite et sous influence.

Il est vrai que Catherine aime les hommes beaux et jeunes, tel Alexandre Vassiltchikov, de quinze ans son cadet, sur lequel elle jette son dévolu en 1772. Il est tout aussi vrai qu'elle s'en lasse vite : « Je me suis brûlé les doigts avec cet imbécile de Vassiltchikov », écrit-elle deux ans plus tard à son nouvel amant, Potemkine, oubliant les billets enflammés qu'elle écrivait naguère au favori disgracié. Dans le cas de Potemkine, la séduction est sans doute réciproque ; on dit même qu'ils se marièrent secrètement. Taillé comme un moujik, borgne, porté sur la bouteille, incapable de résister à un jupon, Potemkine n'a sans doute pas les atouts de l'amant idéal, mais Catherine l'adule. « Ma beauté en marbre », « Mon cher jouet », « Ma poupée chérie », « Mon mignon », « Mon Lion de la jungle », « Mon pigeon chéri »..., la tsarine roucoule en lui écrivant des lettres énamourées : « Tu es beau, intelligent, amusant », « Il n'y a pas une seule cellule de mon corps qui ne soit tendue vers toi », « Je t'aime excessivement à en perdre la raison », et même : « Ma tête est pareille à celle d'une chatte à chaleur. » Catherine couvre Potemkine de faveurs ; il en use et en abuse, jusqu'à devenir l'homme le plus puissant de Russie. Puis, au bout de quatre ans, il s'éloigne de la tsarine non sans lui avoir trouvé un remplaçant, Pierre Zavadovski, qui pourrait être son fils. Un jeune homme de 28 ans, beau mais profondément ennuyeux, dont elle se débarrasse au bout de quelques mois, au profit de Simon Zortich, un officier des hussards de 32 ans que les dames de la Cour surnomment Adonis. L'histoire s'accélère alors. Après Zortich, il y a Korsakov (il a 24 ans, elle 49), dont Catherine dira : « C'était le mannequin de la fatuité, mais de la plus petite espèce. » Puis viennent Lanskoï, Yermolov, Mamonov, Zoubov... Des amants couverts de présents et qui irritent la noblesse russe.

Catherine, au fond, agit à l'instar de Louis XV, en instituant la pratique quasi officielle des « favoris ». Mais ce qui est accepté d'un homme ne saurait l'être tout à fait d'une femme. « Mon grand malheur est que je ne sais pas vivre sans amour », se lamente la tsarine. Et, pour ses contemporains comme pour la postérité, ses aventures amoureuses la stigmatiseront en souveraine débauchée, aux allures de mante religieuse. Difficile, cependant, de faire passer Catherine pour une princesse sous influence, ensorcelée par ses amants ; même Orlov ou Potemkine ne furent d'aucun poids sur ses décisions politiques. Le véritable ensorcellement est à chercher ailleurs, sans nécessairement que le sexe y joue un rôle décisif.

Ensorceleur Raspoutine

« Tout va s'améliorer, notre Ami l'a vu en songe », écrit la tsarine à Nicolas II, alors sur le front, le 4 décembre 1916. « Notre Ami », appelé aussi « Grigori », c'est Raspoutine, homme de miracles pour les uns, charlatan pour les autres, un « saint homme » (*staretz*) que l'évêque Théophane, recteur de l'académie théologique de Saint-Pétersbourg, amène un jour de 1907 à la cour de Russie. Vêtu comme un moujik, ce religieux aux épaules solidement charpentées, aux cheveux longs et bruns, à la barbe touffue, au teint pâle, aux yeux gris, profondément enchâssés dans leurs orbites et surmontés d'une ligne de sourcils bien marquée, fascine ceux qui le croisent par la puissance magnétique de son regard. Il en joue avec talent, tour à tour inspiré, mélancolique, ou charmeur.

Lorsqu'il arrive à la cour impériale, il n'est nullement le « sauveur » qu'il va bientôt devenir. Théophane l'y a introduit parce qu'il le sait sans le sou. Justement, le tsar, grand amateur d'images pieuses, est à la recherche d'un saint homme pour entretenir le feu de petites lampes qui brûlent dans une salle dédiée à de précieuses icônes et les éclairent. Raspoutine sera donc le *lampadnik* impérial…

À cette époque, le couple impérial vit dans la désespérance. Leur jeune fils Alexis est atteint d'hémophilie ; la maladie étant transmise par les femmes, la tsarine Alexandra se sent terriblement coupable. Il est le seul héritier mâle et l'affection dont il souffre fait l'objet du plus grand secret pour ne pas attiser la haine des Russes contre *l'Allemande*, venue, disent-ils, apporter le malheur. La guerre malheureuse contre le Japon (1904-1905), c'est elle ! Et, durant des années, elle n'a été capable que de donner des filles à l'empereur, quatre au total ! La tsarine tremble : par deux fois, Alexis s'est blessé et a failli mourir. Or, il traverse de nouveau une terrible crise, après un accident qui eût été banal pour tout autre enfant : il s'est heurté la hanche contre un meuble. La fièvre dépasse désormais les 39 °C, le sang gonfle sous les tissus et, malgré leurs remèdes, les médecins avouent leur impuissance. L'empereur et son épouse se réfugient dans la prière. Après une nuit de veille, Nicolas II se rend dans la salle des icônes et s'agenouille devant l'une d'elle. Raspoutine l'attend. Après l'avoir longuement observé, il s'avance vers lui, le regarde droit dans les yeux et lui lance : « Ton fils vivra ! Mais il faut que je lui apporte moi-même la bénédiction divine. »

Troublé, le tsar accepte. Conduit dans la chambre d'Alexis, il ordonne qu'on cesse le traitement, palpe l'enfant, récite des prières et demande qu'on patiente. Le lendemain, miracle : la fièvre est tombée, Alexis est en voie de guérison. La tsarine, qui a toujours été versée dans le mysticisme, a trouvé son maître et son guide, l'envoyé de Dieu et le faiseur de prodiges.

Raspoutine est-il donc un saint guérisseur ? Sans doute, héritier de traditions ancestrales, est-il capable de calmer la douleur. Pour guérir le mal, c'est autre chose. Le geste déterminant est plutôt celui d'avoir rejeté la drogue que les médecins administraient au tsarévitch en grande quantité : de l'aspirine (que l'on connaît alors depuis moins de dix ans). Au lieu de stopper les saignements, l'analgésique les aggravait. On voulait guérir l'enfant, et on le précipitait vers la tombe. Raspoutine bénéficie ainsi de l'ignorance des médecins, mais aussi du secret qui entoure la maladie. En ne voulant pas l'ébruiter, le couple impérial se prive de recourir à des praticiens compétents et expérimentés qui eussent donné à l'enfant des remèdes plus efficaces.

Désormais, Raspoutine est devenu indispensable, singulièrement à la tsarine, confortée dans ses illusions mystiques. Il lui parle sans cesse, il la rassure, elle boit ses paroles ; il la fascine. Elle s'en rapproche d'autant qu'elle se sent isolée à la cour, et qu'il sait se montrer l'allié et l'ami fidèle de tous les instants. La seule idée qu'il puisse s'éloigner crée, chez elle, une peur panique : et si Alexis était victime d'une nouvelle crise ? Raspoutine entre dans les appartements impériaux quand bon lui semble et lorsque le tsar, en voyage ou en manœuvre, a dû quitter la cour, il se fait plus assidu encore auprès d'Alexandra. Les rumeurs les plus grossières et les plus licencieuses sur leurs relations intimes finissent par se répandre. Habile, Raspoutine exploite la fragilité et la crédulité de l'impératrice et l'influence qu'elle peut avoir auprès du tsar pour peser sur la politique du pays. Bref, il la conduit là où il veut, et c'est bien pourquoi il finit par compter plus d'ennemis que d'amis.

La fascination qu'exerce Raspoutine sur Alexandra est parfaitement perceptible dans les lettres qu'elle adresse à Nicolas II, à partir de 1914, lorsqu'il accompagne les troupes russes sur le front. Elle lui écrit parfois plusieurs missives par semaine. Or, pas une fois elle n'oublie de mentionner « Grigori » ou « Notre Ami » dont les propos reviennent comme une musique obsédante. « C'est Dieu qui l'inspire », répète-t-elle :

> Notre Ami espère que tu ne resteras pas longtemps si loin.
>
> Écoute notre Ami ; aie confiance en Lui. Il a dans le cœur ton intérêt et celui de la Russie, nous devons seulement faire plus attention à ce qu'il dit. Ce n'est pas pour rien que Dieu nous l'a envoyé. Il ne parle pas à la légère ; et c'est très important d'avoir non seulement Ses prières, mais Ses conseils.
>
> Pense davantage à Grigori, mon chéri, avant chaque moment difficile demande son intervention devant Dieu, pour qu'Il te dirige sur la voie juste.
>
> La nuit dernière, les évangiles m'ont fait penser si intensément à Grigori, aux persécutions qu'il endure pour le Christ et pour nous.

D'autres lettres sont caractéristiques de la manière dont Raspoutine use de son pouvoir sur la tsarine pour peser sur les décisions de Nicolas II :

> Notre Ami trouve que tu devrais, tout simplement, ordonner aux usines de fabriquer des munitions, même choisir les usines sur la liste qu'on te montrerait, au lieu de faire donner des ordres par différentes commissions qui bavardent des semaines entières et ne peuvent prendre une décision. Sois plus autoritaire, mon amour, montre-toi.

Le nom de celui que notre Ami aurait voulu avoir comme Gouverneur est Orlovski, président de la Chambre des domaines, à Perm.

Grigori m'a dit aussi de t'écrire que tu ne dois pas te troubler, quand tu révoques un général, par la pensée que peut-être il est innocent.

Mais le meilleur est sans doute ailleurs. Car Raspoutine se sent justement menacé. À Saint-Pétersbourg, son ascendant sur les affaires de l'État inquiète les élites qui pensent sérieusement que Dieu pourrait le rappeler prématurément à lui. Le staretz s'applique alors à manipuler Alexandra et, à travers elle, cherche à forcer la main au tsar :

J'ai de sérieuses raisons de ne pas aimer l'évêque Trifon, qui dit tout le temps du mal de notre Ami, et qui, maintenant, en dit du mal dans l'armée. […] Et s'il est contre Grigori, il est contre nous.

Je ne puis te répéter tous les noms orduriers qu'ils ont donnés à notre Ami. Pardonne-moi de t'ennuyer de nouveau avec tout cela, mais c'est pour te montrer que *tu dois* immédiatement remplacer Samarine [haut procureur du Saint-Synode].

Notre Ami est attristé de [la] nomination [de Trépov, ministre des Travaux publics], parce qu'Il sait qu'il est contre lui. Sa fille le lui a dit, et Grigori est très peiné que tu ne Lui aies pas demandé conseil. Moi aussi, je regrette beaucoup cette nomination.

C'en est trop. Un complot s'organise pour éliminer celui qui, en ayant ensorcelé la tsarine et, à travers elle, le couple impérial, menace l'avenir de la Russie. Le 16 décembre 1916, les conspirateurs, entraînés par le prince Ioussoupov, l'attirent dans un guet-apens et l'assassinent. L'impératrice est inconsolable. Deux mois plus tard, le 22 février 1917, elle écrit au tsar : « Notre cher Ami est dans l'autre monde, il prie aussi pour toi, et ainsi

Il est encore plus près de nous. Néanmoins, comme on voudrait entendre sa voix consolante, réconfortante ! »

Raspoutine n'a pourtant pas fini de fasciner le monde. En voici un exemple savoureux. Selon la légende, les auteurs de son assassinat l'auraient castré après sa mort : l'autopsie officielle infirme cette hypothèse ; du reste, le corps fut incinéré ; mais oublions cela un instant. Le lendemain, une domestique, admiratrice du saint homme, aurait découvert sur le lieu du crime le pénis tranché et l'aurait précieusement conservé dans un bocal d'alcool, avant de le donner (on se demande bien comment) à des femmes russes réfugiées à Paris. La précieuse et étonnante relique aurait encore changé de propriétaires à plusieurs reprises et parcouru le monde… jusqu'à retourner à Saint-Pétersbourg, où le musée de l'Érotisme l'exhibe depuis 2004. Le pénis de Raspoutine ? 28,5 centimètres au repos. Non, décidément, la force vitale du staretz n'a pas fini de susciter des émois…

2

Héros adulés

Petit, malingre, le teint jaune, le geste nerveux, cheveu en bataille et mal fagoté. Voici le portrait dressé par ceux qui, pour la première fois, découvrent le général Bonaparte. Ajoutons qu'il ne parle pas toujours avec aisance, loin s'en faut. Quand il prend la parole en public, tout le monde souffre : son auditoire, son entourage et lui-même. Vite gagné par le trouble, il bafouille, se bat avec les mots, maltraite la langue. Le baron Hyde de Neuville, qui le rencontre en 1800, se dit, au premier abord, frappé par sa petite taille, sa tenue composée d'un mauvais frac verdâtre, sa façon étonnante d'avancer la tête baissée, son allure « presque minable ». Certes, Hyde de Neuville est un juge partial. Agent des Bourbons, il est venu rencontrer Bonaparte, alors Premier consul, pour le convaincre de rétablir le trône au profit du futur Louis XVIII ; bien plus tard, en 1814, il plaidera pour qu'on exile l'Empereur le plus loin possible de la France. Mais, précisément, c'est son hostilité instinctive à l'égard de Bonaparte qui rend la suite de son témoignage intéressante : « L'homme s'approcha de la cheminée, et, s'adossant, releva la tête. Alors il parut tout d'un coup grandi, et la flamme de son regard, subitement dardé, signala Bonaparte. » L'émissaire des Bourbons ne peut plus se détacher des yeux du héros. Il est piégé, comme tous les autres.

Saint Napoléon

« La flamme de son regard », écrit Hyde de Neuville. Chateaubriand parle de son « œil admirable », Gaudin, futur ministre des Finances, de « son regard extraordinaire » ; Cambacérès, le deuxième consul, évoque même un « regard qui traverse la tête ». Il a aussi ce sourire séducteur qui éclaire brusquement son visage et auquel succombe Mme de Staël, longtemps méfiante à l'égard de l'ambitieux Bonaparte. Et le timbre de sa voix, chaude et sonore... Bref, l'homme magnétise ceux qui l'approchent, qui oublient sur-le-champ l'insignifiance de sa silhouette ou l'austérité de sa mine. Le dramaturge allemand August von Kotzebue se laisse prendre au jeu : « Bonaparte, note-t-il, a le profil d'un Romain, c'est-à-dire qu'il est grave, noble et expressif. Quand il garde le silence, son sérieux paraît froid et même un peu sévère ; dès qu'il parle, il a un sourire vraiment gracieux, une bouche très agréable. »

Certes, mais que serait-il resté des yeux perçants et du sourire enjôleur de Bonaparte si, au lieu du triomphe répété contre les Autrichiens, il avait rapporté de sa campagne d'Italie (1796-1797) l'amertume de la défaite ? Sans doute un petit bonhomme haut de cinq pieds, chétif, anodin, ridicule. La victoire rend beau, et le vainqueur séduit. Dans les salons parisiens, la conquête fait taire les sarcasmes qui accablaient jusque-là le petit Corse.

Beau et brave général, héros d'Italie... Ne soyons pourtant pas naïfs au point de croire que l'intéressé n'est pour rien dans la construction d'une image qui charme le

Tout-Paris comme la foule ordinaire. Avant même de revenir d'Italie, il s'arrange pour que les journaux vantent ses prouesses et chantent ses vertus. Pour s'en assurer, il crée lui-même *Le Courrier de l'armée d'Italie*, où l'on relève des formules aussi nuancées que celle-ci : « Bonaparte vole comme l'éclair et frappe comme la foudre ; il est partout et il voit tout ; il est l'envoyé de la Grande Nation. » De retour à Paris, il se démène beaucoup, d'abord pour cultiver son personnage de héros discret et mystérieux, fuyant à dessein les réceptions en son honneur, ensuite pour se rapprocher des élites intellectuelles et savantes, notamment de l'Institut, où il est élu en décembre 1797. D'un côté, il devient la vedette dont tout le monde parle et qu'on s'arrache ; de l'autre, il acquiert la stature du conquérant philosophe, conciliant la force et la sagesse. Il entretient ainsi l'intérêt, voire l'appétit pour sa personne, et éloigne les railleries sur le thème du petit Corse impatient, inculte, mal dégrossi. Le meilleur médiateur du mythe de Bonaparte est Bonaparte lui-même. Il est si habile qu'il arrive à convaincre de son indifférence à l'égard de l'ambition politique, là où tant d'autres se pressent pour accéder au pouvoir. Bonaparte, si grand, si intègre, si profond, si modeste ! Même la sobriété de son vêtement, jadis moquée, est bientôt encensée. Avez-vous vu le Premier consul ? Pas d'habit fastueux, pas de broderies luxueuses ! C'est bien la marque d'un homme honnête et dévoué à la nation ! Voici comment on retourne un handicap en atout maître et on écarte ses rivaux. Voilà aussi comment, un jour, on devient empereur. En exploitant la crédulité des hommes sensibles aux apparences.

C'est un tout autre visage que présente Napoléon Ier. Fini la modestie, place à l'orgueil le plus effronté : « Je veux ce qui convient et ce qui est bien, parce que mes vues sont supérieures. » L'empereur s'élève brutalement, à l'égal d'un demi-dieu ou d'un saint ; au sens propre. On va chercher dans les tréfonds de la mythologie chrétienne un saint Napoléon, dont on prétend qu'il fut persécuté au IIIe siècle après Jésus-Christ ; on le célèbre le 15 août, jour de la naissance de l'Empereur, en même temps que l'Assomption de Marie, et on fait de cette date une fête nationale ! À peu près à la même époque, en 1805, le ministre des Cultes, Portalis, a l'incroyable idée de proposer la publication d'un catéchisme impérial. Déjà, écrit-il à Napoléon, les Français avaient « le bonheur de vivre sous les lois du plus grand des souverains » ; désormais, le catéchisme impérial « attachera la conscience des peuples à l'auguste personne de Votre Majesté ». Ainsi, en le feuilletant, on découvre que tout chrétien doit le respect, la fidélité, l'obéissance, mais aussi « l'amour » à l'Empereur, sans oublier des « prières ferventes » pour son salut. Ce n'est plus de l'amour, mais bien de l'adoration.

Dans un tel climat, la flatterie courtisane est monnaie courante. Comme l'écrit George Sand, dans *Histoire de ma vie* (1855), « la louange officielle a fait plus de mal à Napoléon que ne lui en eussent fait vingt journaux hostiles. On était las des dithyrambes ampoulés, de ces bulletins emphatiques, de la servilité des fonctionnaires et de la morgue mystérieuse des courtisans ». Il faut dire que l'Empereur orchestre lui-même la propagande qui, dans les *Bulletins de la Grande Armée* notamment, le présente comme un chef généreux, juste, animé par des sentiments pacifiques, attaché à ses soldats et profondément aimé d'eux. Mais il est tout aussi vrai que l'affection et même l'amour des humbles pour Napoléon Ier n'est pas factice, ce que confirme George Sand : « Ma mère était comme le peuple, elle admirait et adorait l'empereur à cette époque. Moi, j'étais comme ma mère et comme le peuple. »

Or, qui mieux que les soldats pourrait traduire l'amour du peuple pour l'Empereur et le pouvoir de séduction qu'exerce sur lui le héros vivant en qui Chateaubriand voit Alexandre et Charlemagne réunis ? « Je me serais fait tuer pour lui prouver ma reconnaissance », écrit le général Rapp dans ses *Mémoires*. Ce qui est vrai pour les officiers de haut vol l'est-il aussi pour les hommes du rang ? L'écrivain et philosophe suisse Charles Victor de Bonstetten, ami de Mme de Staël, témoigne ainsi de la familiarité établie par Napoléon avec ses soldats : « Rien n'était si enivrant que la manière dont il était accueilli des troupes à cette époque. Mais aussi il fallait voir comme il savait parler alors aux soldats, comme il les interrogeait les uns après les autres sur leurs campagnes, sur leurs blessures, comme il traitait particulièrement bien ceux qui l'avaient accompagné en Égypte. » Avant d'ajouter : « Il prenait avec les militaires en sous-ordre un ton de bonhomie qui les charmait, les tutoyait tous, et leur rappelait les faits d'armes qu'ils avaient accomplis ensemble. » Le plus surprenant est que Bonstetten n'a jamais assisté à une telle scène. Qu'il la rapporte est éloquent sur l'ampleur du mythe et la fascination qu'il exerce encore en 1824, date à laquelle il écrit ces lignes.

De tels récits s'appuient sur des anecdotes qui, aussi édifiantes qu'invérifiables, insistent sur le vibrant attachement des grognards à Napoléon. Parmi elles, cette histoire évoquée dans ses mémoires par Mme de Rémusat qui situe la scène sur le champ de bataille d'Eylau, en 1807 : « Un maréchal des logis de dragons, grièvement blessé, aperçut l'Empereur qui passait à quelques pas de lui : "Par ici, notre Empereur, j'suis enfoncé, je vas aller faire connaissance avec le Bon Dieu, mais c'est égal, vive l'Empereur tout de même." "Qu'on conduise ce brave homme à l'ambulance... Messieurs, relevez-le, qu'on le recommande à Larrey…" De grosses larmes inondaient la figure mâle du dragon : "Nom d'un nom ! dit-il en joignant les mains, on voudrait avoir mille vies à donner à cet homme-là." » L'Empereur est plus qu'un chef, plus qu'un héros, et peut-être plus qu'un saint : il rejoint le Christ dans le regard de ses soldats qui, après 1815, se transforment en apôtres d'une religion napoléonienne. À la veillée, avec une touchante émotion, les grognards racontent leur épopée fabuleuse, témoignant de leur amour sans bornes pour l'Empereur. Ils l'admirent mais, plus que tout, ils s'en sentent intimement proches. Il est ainsi frappant, en lisant les fameux *Cahiers du capitaine Coignet*, parus en 1853 (sous le titre *Au vieux de la vieille*), de découvrir un Napoléon héroïque et pourtant si humain, distribuant lui-même des victuailles à ses hommes, partageant leur repas, riant de bon cœur avec eux, les entourant des attentions d'un père.

Le culte a ses objets de vénération, interdits par la monarchie rétablie, et qui circulent sous le manteau : des estampes, des bustes, des médaillons, des boîtes « séditieuses », des pommeaux de canne, des tabatières à l'effigie de l'Empereur, etc. Loin de s'apaiser, la ferveur gagne encore après sa mort, en 1821. Comme il est dangereux de glorifier Napoléon, les images, sous toutes leurs formes, exaltent alors le grognard. Le héros d'Arcole séduit encore bien longtemps après sa disparition, car le culte se transmet de génération en génération. Il y a les héritiers directs qui bénéficient de son prestige, à commencer par son neveu, futur Napoléon III. Et puis, il y a ceux pour qui la grandeur nationale plonge ses racines dans l'épopée napoléonienne, des Jeunesses patriotes de Taittinger dans les années 1920 aux gaullistes d'aujourd'hui qui, à l'instar de Dominique de Villepin, ajoutent leur pierre à l'immense monument biographique de l'Empereur. Non, décidément, Napoléon n'a pas fini de séduire…

Garibaldi, l'aventurier

« Ici commence la vie aventureuse et chevaleresque de Giuseppe Garibaldi. » Écrivain populaire, républicain convaincu (il fut, 1848, le secrétaire de Ledru-Rollin), Alfred Delvau prépare ainsi son lecteur à s'enthousiasmer pour la vie de celui qui apparaît aux yeux de tous les militants de la liberté comme un héros sans pareil. Lorsque Delvau publie son *Garibaldi*, en 1859, le patriote italien, né à Nice (1807), est déjà une légende. Partout en Europe et au-delà, on raconte comment, à vingt ans, il s'est engagé comme marin à bord du *Cortese*, attaqué par des pirates turcs, comment, en 1834, ayant rejoint Mazzini, il a cherché à soulever le peuple italien et, poursuivi par la police, est devenu un « bandit », avant de s'embarquer pour l'Amérique du Sud où, l'arme à la main, il fut de toutes les luttes pour libérer les peuples opprimés. On raconte aussi comment, rentré en Italie en 1848, il est devenu, à la tête de ses « Chemises rouges », le combattant infatigable des guerres du Risorgimento qui chasseront l'occupant autrichien des terres italiennes. On raconte, enfin, comment il dut se cacher, protégé par la population, avant de se résoudre à s'exiler aux États-Unis et d'y conquérir une incroyable notoriété. Lorsque Delvau fait paraître son livre, Garibaldi a, de nouveau, traversé l'Atlantique, se préparant aux batailles décisives qui amèneront à l'indépendance italienne.

Personnage hors du commun, le « héros des Deux Mondes » suscite, de son vivant, une fascination qui étonne encore aujourd'hui. Admiré d'un bout à l'autre de la planète, il séduit les journalistes, les écrivains, les intellectuels ou les simples érudits qui exaltent son épopée. Garibaldi est d'ailleurs plus qu'un héros. Il est un personnage de roman populaire. Ce n'est pas un hasard si Dumas rédige son « autobiographie », lui qui a rencontré le général rebelle en 1860. Subjugué par son énergie et sa bravoure, l'écrivain l'a aidé à se procurer des fusils. Plus tard, Garibaldi le remerciera en le nommant directeur des Beaux-Arts, lui donnant le privilège d'organiser les fouilles de Pompéi.

Certes, comme le note l'écrivain voyageur Maxime du Camp, qui le connaît bien, « son aspect extérieur n'a rien de séduisant, au sens ordinaire que les femmes donnent ». Mais, ajoute-t-il aussitôt, « à son approche on sent qu'une force va passer, et l'on s'incline. Quand il parle, il subjugue, car sa voix, la plus belle que j'aie jamais entendue, contient dans ses notes, à la fois profondes et vibrantes, une puissance dominatrice à laquelle il est difficile de se soustraire ». Garibaldi, par-dessus tout, « sait émouvoir, entraîner, convaincre ». Tous ceux qui l'ont approché s'accordent sur ce point : il n'est pas beau. Mais les mêmes sont tout aussi unanimes pour relever le charme qu'exerce, sur ses interlocuteurs, la généreuse humanité du héros. « Personne, souligne l'écrivain Charles Yriarte, en 1870, n'a échappé à la séduction de son invraisemblable simplicité. » Garibaldi est un homme du peuple et qui aime le peuple.

Rien d'exceptionnel, alors, chez Garibaldi ? Pas tout à fait, car les témoins qui vantent ses mérites se disent impressionnés par l'incroyable force physique du héros : « il monte à cheval comme un centaure, nage comme on marche, est arrivé à dompter son corps et à exiger de lui la plus parfaite résignation » (Charles Yriarte). Les récits exaltent son courage, son mépris du danger et de la mort, son flegme au combat. Le journaliste Félix Mornand rapporte ainsi une anecdote qu'on lui a racontée. Au cours du siège de Rome, en 1848, Garibaldi trouve refuge, avec son compagnon Dall'Ongaro, dans une chapelle qui lui sert de poste d'observation improvisé, alors que l'ennemi mitraille ses troupes. Depuis l'unique fenêtre, il scrute la position de l'adversaire. Les balles pleuvent, sans jamais l'atteindre. Retiré au fond de la chapelle, Dall'Ongaro se lève soudain pour se rapprocher de la fenêtre. « Tu vas te faire tuer ; ôte-toi de là », ordonne Garibaldi. « Mais tu t'exposes bien, toi », répond son compagnon. Alors, sans se retourner, Garibaldi lance calmement à son ami : « Moi, c'est différent, les balles me connaissent. » En Sicile, rapporte cette fois Du Camp, il se bat plus de dix fois à l'arme blanche dans les conditions les plus périlleuses, sans jamais subir une égratignure. À Reggio, une balle traverse son chapeau de part en part. Au Vulturne, une autre perce son ceinturon. Jamais il n'est touché. Miracles !

Serait-il invincible ? Des centaines d'histoires de ce genre viennent alimenter l'immense renommée. Elles se répandent dans les campagnes les plus reculées d'Italie : le vengeur du peuple est protégé par le doigt providentiel ! On prétend même qu'il est invulnérable parce qu'il fut vacciné avec une hostie consacrée. Dans les masures paysannes, on accroche le portrait de Garibaldi qu'on vénère comme une image pieuse. Partout où il se déplace, on l'acclame, on l'embrasse, on l'étouffe d'affection démonstrative. Lorsqu'il entre dans un village, la foule, tant elle est émue, se presse pour l'apercevoir ; des femmes lui amènent leurs enfants pour qu'il les bénisse. Les Palermitains prétendent que « Garibaldi » est une déformation de « Sinibaldi », le nom de la famille de sainte Rosalie, patronne de la ville sicilienne et peu avare en miracles. Un jour, un de ses volontaires s'approche de lui : « J'ai une grâce à vous demander ; comme un talisman pour la vie entière, mon général, donnez-moi un des boutons de votre vêtement. » Garibaldi sourit puis, à l'aide d'un couteau, arrache un bouton et le tend à son admirateur, fou de joie : « Que les balles osent m'atteindre, maintenant ! » Aurait-il aussi le don d'ubiquité ? Si l'on en croit la rumeur, le chef des Chemises rouges aurait été vu, au même moment, en plusieurs lieux. L'enthousiasme qui l'entoure verse alors dans la superstition et le surnaturel. « On ne lui a pas encore demandé de toucher les malades, écrit Du Camp, mais cela peut venir. »

Un jour de 1861, Félix Mornand reçoit la lettre d'un certain docteur Riboli, phrénologiste de son état, c'est-à-dire prétendant cerner les caractères et les facultés intellectuelles des hommes en observant leurs crânes. Il a eu le privilège d'examiner la tête de Garibaldi, et ses conclusions sont nettes : elle est « merveilleuse, organique, sans défaillances » et, pour tout dire, « remarquable ». Mais encore ? Les particularités du crâne garibaldien sont le signe de l'abnégation, de la prudence et du sang-froid, de l'austérité naturelle des mœurs (il est vrai qu'il est un homme fidèle !), de la méditation, de l'éloquence grave et exacte, de la loyauté, de la déférence pour ses amis, de la clairvoyance à l'égard des hommes… Bref, l'observation scientifique ne saurait mentir : Garibaldi est tout simplement parfait !

Tout le monde ne partage pas cet enthousiasme, et certains, exploitant les mille anecdotes colportées sur l'infatigable combattant, le dépeignent volontiers comme un bandit grossier, un escroc illettré, un vulgaire soudard. Eugène de Mirecourt, par exemple, qui passe le plus clair de son temps à polémiquer avec les autres écrivains, comme George Sand ou Alexandre Dumas qu'il accuse de plagiat, explique que Garibaldi irait jusqu'à donner le baptême aux nourrissons. Avec, on s'en doute, des paroles bien peu chrétiennes : « Je te baptise au nom de Dieu ! Que le Christ, législateur de l'humanité, te bénisse ! Grandis libre et vertueux, ennemi des hypocrites, qu'ils s'appellent prêtres ou jésuites. Affranchi de préjugés, sois prodigue de ton sang, si la patrie le réclame. »

De telles attaques sont minoritaires. On écrit au général du monde entier, et notamment les femmes de la bonne société, sensibles à ses vertus viriles. Parlant et écrivant plusieurs langues, il entreprend d'y répondre, avant d'être débordé par son succès. Il forme alors un véritable secrétariat pour traiter l'abondante correspondance et se contente de signer les missives. Aux lettres exaltées s'ajoutent les poèmes. Certains sont imprimés et publiés. Ils confinent parfois au sublime. Ainsi, lorsque depuis Guernesey, en 1867, Victor Hugo dédie à Garibaldi une ode à la liberté : « Viens, toi qu'on n'a pu vaincre et qu'on n'a pu ployer ! » D'autres poèmes versent davantage dans la grandiloquence poussive, tel *Garibaldi le flibustier*, que signe Édouard Atgier, en 1860 : « Apôtre infatigable, audacieux soldat/Intrépide marin, savant homme d'État/Tu résumes en toi, par un divin prodige/De plus de dix héros la gloire et le prestige. »

« Héros des légendes antiques », « Héros chéri de la victoire », « Dieu des combats », « Plus grand guerrier », les poètes les moins talentueux rivalisent de formules pour exprimer leur amour, leur admiration, leur piété pour un homme qui, devenu symbole de la liberté en marche et de la libération des peuples, les séduit par son courage et ses prouesses. Jamais un combattant n'avait provoqué pareille exaltation. À cet égard, Garibaldi reste, dans l'histoire, un cas exceptionnel.

Boulanger, le beau général

« Nous ne sommes pas une nation de pédérastes, pour nous engouer d'un homme uniquement parce qu'il est beau ! » La vulgarité des propos du journaliste Pierre Denis, en 1887, est à la hauteur de la lame de fond qui, brutalement, s'abat sur la France. Ils visent l'homme que tout Paris adule, le nouveau héros que la foule s'est donné, celui que ses ennemis soupçonnent de vouloir abattre la Gueuse, le général Boulanger. C'est vrai que le ministre de la Guerre, la cinquantaine passée, a toujours fière allure, silhouette athlétique, élégance altière, œil vif et pénétrant. Il plaît aux dames qui accourent à son passage, mais il séduit aussi les hommes qui voient en lui le sauveur de la patrie, le seul à pouvoir redonner la parole au peuple, confisquée par les parasites du Palais-Bourbon, le seul, aussi, à pouvoir laver l'humiliation de 1870, en parlant haut et fort à l'arrogant Prussien.

Bien sûr, il serait caricatural de réduire le foudroyant élan populaire dont bénéficie Boulanger à son apparence physique. Cependant, on remarquera que ses partisans sont les premiers à en tirer argument. En juillet 1886, l'imprimeur-éditeur Clavel publie très opportunément une brochure biographique (qu'on dirait aujourd'hui « non autorisée ») sur le ministre de la Guerre. Dès les premières lignes, le ton est donné : « Au physique, c'est un beau garçon, en même temps qu'un bel homme. » Ridicule, consternant de naïveté, se lamentent les adversaires de Boulanger. Ils oublient alors un peu vite que le visage harmonieux, la tenue impeccable, la noble démarche du ministre composent un personnage auquel il est tentant de s'identifier. On aime le général, couvert de gloire sur les champs de bataille, parce qu'on en est fier, d'autant plus fier qu'il correspond à une certaine idée de la perfection physique et de la grandeur nationale. Bedonnant, les traits flasques, l'œil torve, le geste hésitant, Boulanger eût-il attiré autant la foule ? Pas sûr. Car, indéniablement, sa présence magnétise le peuple. Il le sait et il en joue, comme le 14 juillet 1886, lors de la revue militaire, de Longchamp aux Champs-Élysées, où, durant des heures, il parade à cheval, travaillant sa monture comme à l'exercice, changeant de cadence, galopant d'un corps de troupe à un autre, dans le seul but de s'exhiber. Il y réussit idéalement. D'abord timides, les « Vive Boulanger ! » se font bientôt plus orgueilleux et retentissent sur tout le parcours du défilé. Ils gonflent, se répondent, à la fois enthousiastes et festifs. Le beau général est la star du jour.

Le soir même, à l'Alcazar d'Été, Paulus, roi du café-concert, offre à son public la primeur d'une chanson qu'il a intitulée *En revenant de la revue*. Il commence timidement : « Ma tendre épouse bat des mains/Quand défilent les Saint-Cyriens/Ma belle-mère pousse des cris/En reluquant les spahis. » Les paroles amusent et l'assistance sourit. Puis, vient la chute du deuxième couplet : « Moi, je faisais qu'admirer/Not' brav' général Boulanger. » Et, là, dans un éclat, le public exulte et en redemande : Paulus doit reprendre le couplet vingt fois de suite ! En quelques heures, et comme un souffle de folie collective, la chanson se propage dans les bals, les cafés-concerts, les bistrots et la rue même. Le lendemain, la foule assiège le domicile du général Boulanger qui ne peut plus faire un pas sans être assailli par une troupe d'admirateurs criant son nom, tendant la main vers lui, comme pour le toucher, agitant chapeaux ou mouchoirs.

Ne croyons pas, cependant, que le ministre est devenu un héros en moins de vingt-quatre heures. En fait, depuis des mois, il a mobilisé son service de presse pour bâtir sa légende, relayée avec bienveillance par des journalistes qui savent combien leurs lecteurs aiment les belles histoires. Difficile, alors, d'ignorer ses exploits : campagne de Kabylie à 19 ans ; blessure à la campagne d'Italie qui lui vaut la légion d'honneur à 22 ans ; campagne de Cochinchine et nouvelle blessure ; actes héroïques en 1870 et troisième blessure ; colonel à 33 ans, etc. Impossible de ne pas connaître l'humanité de Boulanger pour les soldats du peuple. En arrivant au ministère, il fait améliorer la nourriture ordinaire des régiments. Puis il installe des réfectoires où l'on mange dignement, assis, avec assiette et fourchette, et non plus comme un vagabond, n'importe où avec sa gamelle. Il ordonne qu'on brûle les vieilles paillasses immondes, remplacées par de vrais sommiers, qu'on supprime le sac pour les factionnaires, qu'on unifie les soldes, qu'on accorde le repos complet le dimanche, qu'on autorise le port de la barbe, et tant d'autres choses encore… Brave général Boulanger !

Patiemment, savamment, Boulanger a créé autour de lui un courant de sympathie et d'admiration. Mais, désormais, le phénomène se nourrit de lui-même et lui échappe. Trois cents chansons, plus louangeuses les unes que les autres, lui sont consacrées. Le journal *L'Estafette* offre à ses lecteurs un portrait en pied du ministre de la Guerre, brusquement transformé en icône : un beau coup commercial, car il en écoule 800 000 exemplaires, cent fois plus que le quotidien ordinaire ! *Le Figaro* propose un numéro spécial sur Boulanger, tout en couleurs, épuisé en quelques heures. Combien de photographies du général sont vendues ? Cinq, six millions, peut-être davantage. On dit même que, dans certaines mairies, le portrait de Boulanger trône à côté du buste de Marianne !

Mais ce n'est pas tout. Lorsque la popularité d'un homme se combine avec l'ingéniosité du commerçant, Boulanger devient une marque qui se vend sous toutes les formes : savons, manches de blaireaux, foulards, montres, cravates, assiettes, mouchoirs, chapeaux de paille, jeux de cartes, et même apéritifs. Les crieurs des rues s'en donnent à cœur joie. Demandez nos produits Boulanger, il y en a pour toute la famille ! Pour les enfants, voyez ce magnifique culbuto Boulanger, « toujours debout », impossible à renverser ! Les mamans ne manqueront pas ces très élégants crochets à bottine Boulanger ! Et vous, pères de famille, procurez-vous vite une pipe à l'effigie du grand homme, chez Gambier à Paris (si vous aimez l'écume ou la bruyère) ou chez Bonnaud & Cie, à Marseille (si vous êtes amateur de pipe en terre) ! Un produit très apprécié en Alsace-Lorraine occupée… et promptement interdit par les Allemands. Et comme le séduisant Boulanger est à croquer, grands-mères, n'oubliez surtout pas de récompenser vos petits-enfants obéissants en leur offrant un succulent pain d'épices à l'image du bien-aimé général. Bien sûr, pour tout le monde, en toutes circonstances, nous avons aussi quantité d'œillets rouges à glisser à la boutonnière, en signe de ralliement à notre nouveau guide !

La mercantilisation de la popularité du ministre en dit long sur ce qu'on pourrait appeler une « Boulanger-mania », brusque, excessive, et qui dure quelques années. Bon enfant tant que Boulanger est maintenu à son poste ministériel, elle tourne à la menace insurrectionnelle, dès lors que le héros est exclu du gouvernement (1887). Les autorités cherchent à l'éloigner de Paris, en le nommant à Clermont-Ferrand, à la tête du 13ᵉ corps d'armée. Or, le soir où il se rend à la gare de Lyon pour prendre le train qui doit le conduire en Auvergne, c'est quasiment l'émeute. La foule bruyante et fiévreuse, qui veut le retenir, envahit le quai. Le général est contraint de passer par les voies, de se réfugier dans un train qui n'est qu'un leurre pour tromper les manifestants, de s'en extraire discrètement pour gagner le bon wagon. Peine perdue. La ruse est découverte et, déjà, on enjambe les marchepieds, on escalade la locomotive, on écrit à la craie sur les parois du train : « Vive Boulanger ! Il reviendra ! » Bientôt, le wagon de Boulanger est envahi par ses partisans. On crie, on se bouscule. Un bruit court : « Le général s'est trouvé mal ! » Finalement, il apparaît et descend sur le quai. Porté par la marée humaine, ses pieds ne touchent même plus le sol. Deux heures : il aura fallu deux heures pour que le calme revienne et qu'enfin le signal du départ soit donné.

« Il reviendra ! » hurlent les manifestants. Sept mois après cette scène, il revient, en effet, et se lance dans la politique, défiant les candidats du gouvernement dans plusieurs scrutins législatifs. En avril 1888, il est en campagne pour un siège de député du Nord. Dans toutes les villes et tous les bourgs qu'il traverse, c'est le même engouement populaire. Des mères lui tendent leurs enfants pour qu'il les embrasse. Les mineurs d'Anzin, les larmes aux yeux, lui disent qu'il est leur seul espoir. À Denain, un ouvrier, n'y tenant plus, se précipite vers lui et lui lance : « Je vous aime, moi ! »

Boulanger l'emporte largement, avant d'autres succès électoraux. Mais il finit par décevoir ceux qu'il avait séduits. Ils attendaient du guide qu'il renverse la République, qu'il chasse la vermine parlementaire, qu'il remette de l'ordre dans le pays, qu'il domestique l'Allemagne. Et rien, strictement rien. N'est pas César qui veut ; Boulanger ne se décide pas à franchir le Rubicon. Dès janvier 1889, l'aventure amoureuse entre le brave général et la foule tourne au fiasco. Le héros fatigué, de peur d'être arrêté, s'exile en Belgique où il rejoint sa maîtresse, Mme de Bonnemains. Peu de temps après, elle meurt ; inconsolable, il se suicide sur sa tombe, d'un coup de revolver. Quant à ses supporters d'hier, ils l'oublient sans pitié. Ingratitude de l'amant blessé ?

Jaurès, prophète de tribune

À la fin du XIXe siècle, nous entrons dans l'ère des masses et des mouvements de masse qui organisent, éduquent, mobilisent la classe ouvrière et fixent la ligne à atteindre : la révolution prolétarienne pour des lendemains qui chantent. Qu'elle passe par le « grand soir », l'action brutale de la minorité agissante ou l'action pacifique de la majorité des urnes, la révolution est inéluctable. La science socialiste se mue en foi révolutionnaire, avec ses rites, ses lieux de communion – meetings, banquets et congrès –, et ses apôtres, tout auréolés de leur passé prestigieux au service de l'émancipation du prolétariat. On vient écouter ces nouveaux guides qui, du haut des tribunes, montrent le chemin, on vient voir ces nouveaux héros qui captivent les foules à chacune de leur apparition, comme Bebel en Allemagne ou Jaurès en France.

Jules Romains, dans *Les Hommes de bonne volonté*, rapporte la fascination exercée par Jean Jaurès sur la foule qui se presse, l'acclame, boit ses paroles, mais aussi la manière dont l'orateur la fait vibrer, envahi qu'il est par « l'esprit prophétique » : « Les arguments ne sont plus qu'une espèce de masque qu'il met par pudeur devant le visage surnaturel de la Prophétie. » Roger Martin du Gard, dans *L'Été 1914*, parle de la « vertu ensorcelante de Jaurès », portée par son « âme symphonique, où tout s'harmonisait par miracle ». Aragon, dans *Les Cloches de Bâle*, évoque « le charme qu'il sait donner aux mots, le charme des cloches de ces mots ».

Jamais nous n'entendrons la voix de Jaurès, puisque aucun enregistrement sonore n'a été conservé. Mais tous les témoins se disent frappés par sa puissance, capable – à une époque où le micro n'existe pas et où les meetings se font parfois en plein air – de dominer le nombre et l'espace. « Sa voix, se souvient Martin du Gard, par un prodige naturel qui se répétait chaque fois qu'il montait à la tribune, couvrit, d'un coup, ces milliers de clameurs. Un silence religieux se fit : le silence de la forêt avant l'orage. » Jaurès peut parler des heures : au congrès socialiste de Toulouse, en 1908, il tient l'assistance en haleine durant cinq heures ! Et, lorsqu'il achève son intervention, un tonnerre d'applaudissements gronde, à tel point que le président de séance, Gustave Delory, comme le rapporte *L'Humanité*, se voit contraint à suspendre le congrès durant quelques minutes pour « permettre à l'émotion de se calmer ». Jaurès est si redouté que certains orateurs préfèrent renoncer à prendre la parole après lui, de peur de se ridiculiser. Lorsqu'il descend de la tribune, sous les applaudissements enthousiastes, les sentiments se mêlent, bonheur de l'avoir entendu, regret de ne plus l'entendre, comme à Nîmes, en septembre 1912 : « Et c'est fini ! On voudrait encore écouter. On est tout surpris de constater que Jaurès a parlé une heure et on a l'impression qu'il commence à peine son discours. Alors une ovation sans fin se déchaîne. Tous les spectateurs applaudissent, debout, l'illustre orateur qui vient de les charmer » (*Le Combat socialiste*, 8 septembre 1912).

Le magnétisme du tribun embrase la foule des meetings, mais glace aussi d'effroi ses adversaires. Sylvain Roudès, qui se taille une petite réputation avec des livres de conseils à succès (comment prendre la parole en public ? comment faire son chemin dans la vie ? comment faire fortune ?), écrit en 1907, à propos de Jaurès : « Il fonde la religion du socialisme. Il en consolide les dogmes. Il transforme une idée, le collectivisme, en sentiment obscur, universel et véhément. Cela même fut l'œuvre de tous les pontifes. À la raison il substitue la foi. Les unifiés déjà laissent prévoir le fanatisme d'un clergé. » « Fanatisme » :

le grand mot est lâché. Les foules séduites, hypnotisées, aveuglées, soumises, trompées par de rusés séducteurs devenus leurs héros apparaissent, aux yeux de beaucoup, comme un terrible danger social. Suffisamment terrible pour que la science se penche sur la question.

Foules séduites, foules trompées ?

L'admiration des foules pour ses héros relève-t-elle d'une forme de pathologie ? C'est, en tout cas, ce que sous-tend l'analyse de Gustave Le Bon, le précurseur de la psychologie sociale. De *La Psychologie des foules* (1895) à *La Psychologie politique* (1901), Le Bon offre, sans le savoir, une série de manuels à l'usage des futurs dictateurs, tant il dissèque avec minutie la relation complexe qui unit le chef et les masses. Mussolini comme Hitler en feront leurs livres de chevet. Mais, à l'extrême gauche, on ne négligera pas non plus les écrits de Le Bon.

Au fond, que nous dit Le Bon ? Il nous explique, avec force détails, que l'individu, brusquement projeté dans un contexte de foule, perd toute raison et toute autonomie, n'obéit plus qu'à ses émotions et ses pulsions, et se soumet sans résistance à la volonté des habiles séducteurs, « meneurs » et « manieurs d'hommes ». La foule, par nature manipulable, se coupe de l'univers du raisonnable, du libre arbitre, de l'esprit critique pour s'abandonner à un monde imaginaire où s'efface la conscience individuelle, où règne la plus stupide crédulité.

Pour Le Bon, le rapport de séduction est la clé des relations entre le meneur et la foule. « Le véritable manieur d'hommes, note-t-il, commence d'abord par séduire, et l'être séduit, foule ou femme, n'a plus qu'une opinion, celle de son séducteur, qu'une volonté, la sienne. »

Remarque doublement intéressante. Pour le scientifique Le Bon, le rapport de séduction est une façon de qualifier la forte inégalité d'une relation : le meneur domine ; la foule est dominée. Mais on a beau être scientifique, on n'en est pas moins homme, ou, si l'on préfère, « mâle » ; un mâle pétri d'une culture multiséculaire où l'homme séduit et la femme succombe. Si le meneur est l'homme, la foule est forcément la femme. Si le premier est paré des vertus viriles, la seconde est nécessairement émotive, crédule, capricieuse, frivole, versatile. « Les foules sont partout féminines, mais les plus féminines de toutes sont les foules latines », écrit-il. « Plus féminines », entendez par là plus émotives, plus crédules, plus capricieuses, plus frivoles, plus versatiles qu'ailleurs… La foule femelle ? Une idée qui va continuer à faire son chemin et que l'on retrouvera sous la plume de Mussolini ou de Hitler.

Qu'est-ce qui séduit la foule, selon Le Bon ? Le prestige, d'abord, « c'est-à-dire le pouvoir de s'imposer sans discussion », « d'empêcher de voir les choses telles qu'elles sont », « de paralyser tous nos jugements ». Difficile de le définir autrement que par « une puissance mystérieuse, une sorte d'ensorcellement tout rempli d'admiration et de respect, paralysant les facultés critiques ». Bref, une emprise irrésistible sur les autres qui correspond bien à la manière dont, par exemple, les témoins du temps évoquaient l'ascendant de Napoléon, comme le note justement Le Bon. Mais, cela ne suffit évidemment pas. Il faut flatter la foule, « ne pas hésiter à lui faire les plus fantastiques promesses », en restant cependant flou sur ce qu'on lui propose. On nourrira son discours d'opinions toutes faites, de simplismes, d'images évocatrices, et on cultivera les formules creuses capables de produire leur effet sur la population visée. Vous vous adressez à l'ouvrier ? N'hésitez pas, parlez-lui de l'« infâme capital », des « vils exploiteurs », de la « socialisation des richesses ». Succès garanti.

Le Bon va plus loin en examinant à la loupe le meneur en action, en observant le héros des foules dans son exercice favori : l'art de la tribune. Là se révèlent ses plus belles techniques de persuasion, à commencer par l'affirmation (sans preuves) qui dispense de la discussion et la répétition des mêmes mots, des mêmes formules, des mêmes idées qui s'imprègnent dans les esprits et annihilent tout effort de réflexion. L'orateur populaire ne vise pas l'intelligence, « mais cette région inconsciente où germent les émotions génératrices de nos pensées ». Pourtant, explique encore Le Bon, on peut appliquer scrupuleusement toutes ces règles dans son discours sans réussir à séduire. Car la séduction exige bien davantage : « L'orateur qui séduit charme par sa personne beaucoup plus que par ses paroles. L'âme de ses auditeurs est une lyre dont il ressent les moindres vibrations nées sous l'influence de ses intonations et de ses gestes. Il devine ce qu'il doit dire et comment le dire. » L'auteur de la *Psychologie politique* parle encore de « charme magnétique », mais sans jamais vraiment en dévoiler les secrets.

Du magnétisme à l'hypnose, il n'y a qu'un pas. Comment s'étonner, alors, que le père de la psychanalyse se penche, à son tour, sur le rapport de séduction qui unit le tribun et la foule ? En 1921, dans *Psychologie collective et analyse du moi*, Sigmund Freud lui applique le concept d'« état amoureux ». Pour lui, le pouvoir hypnotique du séducteur précède et nourrit l'état amoureux qui annihile durablement la volonté de la foule. Car c'est bien d'amour qu'il s'agit. On aime le tribun parce qu'on s'identifie à lui ; on l'aime également par une forme de narcissisme qui permet de se réaliser à travers lui. Toutefois, pour Freud, la relation repose sur un – faux – échange, la force du séducteur résidant dans sa capacité à transmettre son amour à chacun des individus qui compose la foule, à le persuader qu'il est « le seul objet digne d'attention ». Je l'aime, parce qu'il m'aime… On aime finalement parce qu'on se croit aimé. Lourde illusion qui fait de la foule séduite un agrégat d'individus trompés.

3

Habiles charmeurs et beaux parleurs

« Un candidat à la députation doit tout savoir, et ne reculer devant aucun obstacle… véritable encyclopédie vivante où se trouve pour chaque passion, chaque caractère, un article tout prêt !… » L'ironie du propos saute aux yeux. On le doit à l'homme de lettres François de Groiseilliez qui, avec humour, publie en 1846 un ouvrage non signé mais au titre prometteur, *L'Art de devenir député et même ministre, par un oisif qui n'est ni l'un ni l'autre*, ou les mille et un conseils donnés à celui qui, bravant le suffrage censitaire, rêve d'un siège à la Chambre. Pour y parvenir, il faut charmer l'électeur. Comment ? C'est tout l'objet de l'impertinent manuel.

Devenir député : tout un art !

Avant toute chose, l'apprenti candidat doit conquérir une notoriété, c'est-à-dire faire en sorte que la rumeur, ou mieux la presse parle de lui. Il ne faut d'ailleurs pas hésiter à surprendre pour capter tous les regards. « Êtes-vous industriel ? Vous exposerez aux produits de l'industrie un bonnet de nuit, pouvant au besoin servir de pot à fleurs ou de soupière au moyen d'un mécanisme ingénieux, et tout le monde de s'écrier : Voilà un homme bien absurde ! Mais le nom de l'homme absurde est cité dans tous les journaux, et remplit au moins la moitié d'une colonne. » Riche, vous fonderez un hôpital ou mettrez un château en loterie pour les pauvres ; banquier, vous vous montrerez généreux ; chevalier de la Légion d'honneur, vous ferez en sorte qu'on le sache mais ne la porterez pas, exhibant ainsi votre noble modestie. Une fois connu, il conviendra de vous enraciner dans les terres de vos futurs électeurs en achetant un domaine, en acquérant des actions dans le journal local, et en vous livrant à des travaux herculéens : « Apprenez à acheter des landes et des sables, afin de vous donner la gloire de les rendre fertiles ; enfermez-vous dans un désert pour le peupler ; d'une chaîne de rochers, faites sortir des bourgs et des villes. La rigueur de l'électeur le plus farouche ne tiendra pas contre des appâts aussi séduisants ! » La première étape est franchie : vous voici notable.

Du coup, l'horizon est dégagé : vous pouvez être officiellement candidat. Après le travail d'amorce, commence l'œuvre de campagne, c'est-à-dire la visite chez l'électeur. Conseil essentiel : bien choisir son moment. Surtout, ne surgissez pas quand il déjeune ou quand il dîne, quand il est en affaires ou quand il se querelle avec sa femme (ce qui est moins prévisible !) ; informez-vous préalablement sur ce genre de contingences.

Maintenant, vous entrez chez l'électeur. Où poser votre chapeau ? Certainement pas sur le piano ! Pas plus, du reste, sur un fauteuil, un divan ou un meuble quelconque. En fait, vous le garderez à la main, de même que votre canne. Où vous asseoir ? Jamais dans le fauteuil, trône réservé à votre hôte. Vous choisirez une chaise modeste et inconfortable qui vous mettra en position d'infériorité.

La tentation, alors, est d'engager immédiatement la conversation sur votre programme politique. Erreur fatale ! « C'est la méthode courante de tous les savants candidats dont la clairvoyance ne s'étend pas au-delà de l'horizon de leur nez ; c'est la méthode de tous les éligibles qui restent toujours à élire et qui meurent éligibles… » Non, le *nec plus ultra*, c'est de parler de tout, sauf de politique, et mieux, de détourner la conversation chaque fois que l'échange risque de vous y amener. De même, il convient de se conformer à une règle absolue : l'électeur a toujours raison. Ici, l'art atteint le génie : vous êtes perspicace ou vous ne l'êtes pas. Comment répondre à la question que vous pose votre interlocuteur ? « Vous devinerez à l'expression de son regard, aux inflexions de sa voix, au mouvement de son geste, ce qu'il faut répondre pour le satisfaire. »

Bien sûr, vous adapterez votre attitude et votre propos à celui auquel vous vous adresserez. On ne parle pas de la même façon à un tailleur, à un carrossier ou à un épicier. Sachez, par exemple, que le tailleur « déteste cordialement son état ». Et Groiseilliez d'expliquer : « Une foule de candidats à la députation qui n'ont pas étudié ni la profession ni le caractère de cet homme politique croient faire chef-d'œuvre d'habileté en allant, pour gagner la voix de leur tailleur, lui commander un habit. C'est le comble de la déraison. Si un tailleur confectionne des habits, un électeur n'en confectionne pas… et quand vous allez solliciter la voix de votre tailleur, n'est-il pas électeur ?… n'a-t-il point déposé ses ciseaux ? Dans ce moment suprême il est votre maître, votre roi, votre souverain !… Et vous lui commandez un habit… un habit, à ce potentat !... Mais c'est profondément l'humilier ! lui rappeler l'état qu'il déteste dans une circonstance où il l'a oublié ! lui faire sentir la supériorité de votre position sociale, quand il se trouve plus puissant que vous !... » Ne voyez dans l'artisan que l'électeur : inclinez-vous devant lui, comme s'il était un grand banquier ; donnez-lui une poignée de main « sans être arrêté par la propreté douteuse de la sienne ; cette familiarité le charme. En descendant jusqu'à lui vous l'élevez jusqu'à vous ! »

Est-ce tout ? Certes non. Ce serait faire fi de l'environnement de l'électeur, essentiel dans sa détermination de voter ou non pour vous. Ainsi, même si elle est exclue du scrutin, il est impératif de charmer sa femme et même de lui faire une visite spéciale. Comme le rappelle Groiseilliez : « S'il est nécessaire de flatter les passions de l'électeur, il est encore plus utile de plaire à sa femme », car « les sept huitièmes des électeurs ne votent que sous le bonnet de leurs moitiés ». Et elles sont impitoyables à votre égard, vous jugeant immédiatement sur votre physique et votre élégance : « Dans le nœud de cravate, il y a souvent une question de vie ou de mort. » Si vous êtes naturellement beau, vous partez avec un avantage décisif. Dans le cas contraire, il vous faudra faire preuve d'esprit : « Soyez instruit et savant sans pédantisme, causeur aimable sans bavardage, galant et poli sans fadeur. » Vous découvrirez vite que « vous avez mille moyens de séduire cette royauté féminine », en lui laissant notamment le privilège de conduire la conversation.

Mais il y a bien pire à défier que l'électeur et son épouse : leurs enfants et leurs animaux. Ne négligez pas les enfants. Faîtes tinter votre montre à leur oreille ; ils adorent cela. Gardez le sourire quand « ils sautent sur vous de plus belle, salissent votre pantalon, chiffonnent votre cravate et votre gilet, se jettent vos gants à la tête », et n'oubliez pas de leur promettre des gâteaux à votre prochaine visite. Passe encore pour les enfants. Car l'obstacle le plus terrifiant est le chien ou le chat de l'électeur. Eux aussi, il faut les flatter et les séduire, car « il suffirait de deux ou trois chiens qui vous eussent pris en grippe pour faire manquer votre élection »... Le risque, bien sûr, est que le chien irascible vous morde au gras de la jambe. Le conseil de Groiseilliez est à suivre à la lettre : « Ne bougez pas ! soyez calme ! laissez-vous mordre noblement !... Si vous avez affaire à un bouledogue, je vous plains ! mais si vous n'êtes maltraité que par un caniche ou un épagneul, dont la dent est moins longue, moins perfide, votre mollet ne sera pas gravement compromis. [...] Paraissez gai, sémillant, magnanime ; cherchez à désarmer par des caresses la fureur de votre ennemi, et dites bien haut, en tâchant de vous dérober tout doucement à sa politique incisive : Est-il gentil le *toutou* ! [...] Monsieur aime les bêtes... monsieur est philanthrope... monsieur est ami de l'humanité !... » Et Monsieur est alors bien parti pour se métamorphoser en notable sacré par l'onction des urnes.

Voici la belle leçon enseignée par François de Groiseilliez, divertissante charge antiparlementaire, fondée sur une instructive observation. Au-delà de la volonté polémique, elle attire l'attention sur les effets induits par l'affirmation de l'opinion publique et la généralisation du système électoral. L'homme politique n'est pas un dieu, et presque jamais un héros, mais un simple individu dont l'avenir dépend de citoyens-électeurs. Certes, il peut être porté par un mouvement ou représenter un parti. Mais, à un moment ou à un autre, il est seul devant ceux dont il espère la confiance et qu'il doit convaincre. Tout compte, ses idées, son programme, son bilan (s'il est candidat sortant), mais aussi son comportement, la façon dont il s'adresse à un groupe rassemblé, la manière dont il approche chaque électeur. Il peut être beau ou laid, manier ou non le verbe avec aisance ; il doit, en tout cas, puiser dans ses propres ressources pour l'amener à glisser un bulletin dans l'urne en sa faveur. Bref, pour convaincre, pour conduire l'électeur au geste attendu, le candidat doit parvenir à établir une relation humaine, affective ou quasi affective, avec lui ; autrement dit, le séduire ou, au moins, le charmer. Dans l'univers pluraliste de la démocratie, la dimension affective contribue à déterminer le choix de l'électeur. Et cela ne date pas d'hier.

Charmeurs du suffrage universel

« Intrigants de haut et de bas étage, je vous le déclare, je ne suis pas l'homme qu'il vous faut » ; « J'ai toujours eu confiance dans le peuple, et le peuple peut compter sur moi » ; « J'ai toujours pensé qu'un député se doit tout entier à l'accomplissement de son mandat »... De la Seine au Var, en passant par la Somme ou les Vosges, les candidats à la députation rivalisent de bonnes intentions pour séduire l'électeur. Nous sommes au printemps 1848, et la toute jeune République offre aux citoyens français leur premier véritable scrutin au suffrage universel. L'examen attentif des centaines de professions de foi affichées, à cette occasion, un peu partout dans le pays, permet de dégager quelques constantes dans les techniques de charme et de persuasion. Elles paraîtront souvent naïves à un électeur d'aujourd'hui, rompu aux ficelles du marketing et de la communication des hommes politiques. Mais, au-delà de formules qui feront sourire, interrogeons-nous un instant : les choses ont-elles vraiment changé ? Et, sous le vernis d'un style marqué par son époque, ne retrouvons-nous pas là certains messages lus ou entendus dans de récentes élections ? En France, ou ailleurs… Voyons cela de plus près.

« Encouragé par les nombreux témoignages de sympathie que vous voulez bien me donner, écrit un parfumeur de Grasse, je ne saurais plus résister à accepter la candidature que vous m'offrez. » « Hier encore, renchérit un patron parisien, je ne songeais guère à me présenter pour demander vos suffrages, mais voilà que par des lettres que l'on veut bien m'adresser, des personnes qui ne connaissent de moi que mon très grand désir de procurer de l'ouvrage aux travailleurs […] m'engagent à mettre sur les rangs. » Voici qui donne confiance : le désintéressement. Ambitieux, moi ? Que nenni. Je me sacrifie sur l'autel de l'amitié, je me dévoue pour la communauté, « je n'ai qu'un désir, celui de servir mon pays », j'ai « un amour ardent de l'intérêt général », car je suis « un homme de cœur ». Comme l'affirme un candidat varois, « je ne cours ni après les honneurs, ni après la fortune ; mon ambition est de me dévouer à la sainte cause du peuple ». Rien d'étonnant à cela, car tous ceux qui briguent un siège de député l'affirment : ils sont loyaux et probes. « Au nom de la patrie, clame Napoléon Colbert qui se présente près de Mantes, choisissez les plus honnêtes, les plus éclairés, les plus dignes. » Et mieux encore, des « hommes nouveaux ». « Je suis un homme nouveau » est plus qu'une formule : un signal fort, en ces temps de rupture républicaine.

Il est de bon ton d'assurer solennellement l'électeur de la profondeur de ses « convictions ». Pour le prouver, rien de tel qu'invoquer son histoire, avec cette petite musique douce murmurée aux purs républicains : je n'ai jamais changé d'avis. « La constance de mes opinions dans le passé répond de la fermeté de mes principes dans l'avenir », s'émeut un ancien négociant de la Mayenne. Un médecin d'Arpajon se dit « républicain de naissance », tandis qu'un métallurgiste parisien annonce : « Ce n'est pas d'aujourd'hui que je suis républicain. » Mais lui semble pouvoir le prouver et se met à raconter son histoire : « Déjà, en 1854, j'étais condamné comme tel dans un procès intenté aux ouvriers bijoutiers, dont j'étais le délégué et le caissier. » Chaque fois où cela est possible, on agitera son passé de persécuté pour toucher le cœur de l'électeur. Mais, hélas, tout le monde ne peut pas exhiber les cicatrices de son combat pour la République. Voici qui est bien embarrassant. Que dire quand on n'a rien à dire ? Les plus habiles joueront sur la discrétion et la modestie, lançant un clin d'œil entendu en direction de l'électeur, à l'instar de ce candidat à Abbeville, qui ajoute une sorte de post-scriptum à sa profession de foi : « Vous raconter la part que j'ai prise à nos luttes depuis trente ans me semble oiseux et trop personnel ; je me bornerai à vous dire que ma place a toujours été auprès des plus fermes et des plus dévoués. » Quelle pudeur chez ce fier républicain !

Dévoué à l'intérêt général jusqu'au sacrifice de soi-même, républicain jusqu'au bout des ongles… Certes, mais cela ne suffit pas pour séduire l'électeur. Il faut sortir du fourreau une meilleure arme, celle de la proximité absolue, source d'identification et garantie du nécessaire lien affectif rapprochant l'électeur du candidat : vous pouvez me faire confiance, car je suis comme vous ! Les prétendants à un siège de député ne s'en privent pas. Se définir comme « homme du peuple », c'est bien mais un peu court. On peut mieux faire. « Nous, travailleurs des campagnes… », s'exclame un candidat varois. On ignore s'il est un pauvre paysan (ce qui n'est guère vraisemblable) ou un riche propriétaire (ce qui l'est davantage), mais cette proclamation lui permet d'affirmer : « Il faut qu'il y ait quelque représentant cultivateur, pour prendre [*sic*] les intérêts pour nous. » « Depuis l'âge de 14 ans, soutient un autre, et j'en ai 45, j'ai passé [*sic*] par la filière d'apprenti, d'ouvrier, de compagnon, de contremaître et de directeur ; par suite je sais par cœur et n'ai que trop appris les souffrances des corps, les angoisses de l'âme et l'état permanent de gêne et de misère qui frappent les ouvriers. » Parcours méritoire, mais le « citoyen Duranton » a beau se dire « ouvrier », la réalité est brutale : il est bel et bien patron. Et des patrons, on en compte beaucoup parmi les candidats. Alors, à défaut de pouvoir se définir comme ouvrier, on déclare, le cœur sur la main, combien on aime et, surtout, on connaît le sort des couches laborieuses : « Travailleurs de tous les états, je ne suis point un étranger pour vous, je connais vos besoins, vos plaintes légitimes, et je veux y répondre », affirme un manufacturier parisien ; « vingt années passées dans vos rangs m'ont appris à connaître vos besoins », confirme un autre.

Par bonheur, il est un argument plus séduisant encore pour l'électeur : le terroir ! Je suis comme vous, parce que je suis de chez vous… « Né dans ce département auquel m'attachent tous mes liens de familles, commence le docteur Bommy, candidat près de Rouen, je viens m'offrir à vos libres suffrages. » Parce qu'il est un homme de « chez nous », non un étranger, non un parachuté, le brave médecin a une longueur d'avance sur tous ses concurrents. D'autant que son principal adversaire a commis une funeste erreur, celle de s'éloigner de ses terres d'origine. Alors, il fait amende honorable : « Je suis né, j'ai habité quarante ans au milieu de vous ; si vous m'honorez de votre confiance, je prends l'obligation de reprendre mon domicile au milieu de vous. » Mais le mieux, peut-être, est de flatter l'amour-propre des habitants du cru, en leur disant, par exemple : « Enfant des Vosges, par le choix de mon cœur, dès le jour que j'y mis les pieds, je le suis devenu par alliance, et si je puis m'exprimer ainsi, par le sang, en prenant pour femme, dans vos montagnes, une héritière de ces races fortes et pures qui, depuis des siècles, consacrent de leurs généreuses sueurs ce patriotique sol. »

Vient alors le moment le plus délicat, celui qui fait rêver l'électeur, celui qui parle le plus à son cœur, celui qui, parfois aussi, suscite chez lui quelque méfiance : le temps des promesses. Certains n'hésitent pas à faire miroiter un avenir radieux, comme ce candidat de la Seine qui écrit : « Ouvriers et employés, vous désirez tous une répartition uniforme, autant que possible, du travail ; une rétribution plus équitable du salaire, afin que votre part à chacun puisse vous faire vivre honorablement ; donner l'instruction à vos enfants et une petite aisance pour vos vieux jours ; enfin lorsque vous serez malade, pouvoir vous donner les soins de famille ; ne pas être obligés d'aller frapper aux portes d'un hôpital, qui souvent ne vous sont ouvertes lorsqu'il n'est plus temps que pour livrer vos corps au scalpel du carabin. Fabricants, négociants et rentiers, vous désirez sécurité pour vos affaires et pour vos loyers. » Avant de conclure admirablement : « Il est très facile d'arriver à ce résultat sans rien bouleverser » ! D'autres alignent les mesures à défendre. Elles sont d'autant plus précises qu'on vise des catégories très spécifiques de l'électorat, tel ce candidat qui cherche à séduire le monde des campagnes varoises en exigeant « qu'en faveur du peuple, les permis de chasse soient remis à 3 francs ». Mais, plus généralement, on préférera des promesses vagues, pleines de bonnes intentions : « Je serai l'infatigable défenseur de vos droits, l'ennemi le plus énergique des abus et des sinécures. Je demanderai chaque jour la réduction des impôts, des gros traitements. » Mieux, ce candidat qui se battra pour « le bonheur et les intérêts de tous ». Le contraire eût surpris.

Rien d'étonnant, alors, à ce que les stratégies de séduction électorale soient, très tôt, l'objet de charges satiriques, comme cet insolent poème anonyme, daté de 1863, et intitulé *Les Candidats. Épître à la France*, d'où je tire ces quelques vers :

Plein de séductions, prodigue en caresses,
Il entasse à plaisir promesses sur promesses,
Au modeste employé s'offre pour protecteur,
Et fait à tout venant l'accueil le plus flatteur... [...]
Un de ces aspirants, faute de parchemin,
Un jour s'intitula : *Le candidat humain.*
Celui qui prit ce nom, espérant nous séduire,
De ce qu'il signifie aurait dû nous instruire. [...]
Ma seule ambition, dit-il, c'est votre bien,
Car pour moi, mes amis, je ne demande rien...
Déguiser sa pensée et farder sa nature,
C'est ainsi qu'on travaille à sa candidature !

Mots injustement cruels, mais qui nous indiquent clairement que la question de la séduction en politique est déjà au cœur du débat public au XIXᵉ siècle, s'y révélant particulièrement à la faveur des campagnes électorales. Pas exclusivement, cependant, car on parle beaucoup aussi de ceux qui, sachant charmer l'entourage des grands, font de la séduction une arme pour s'élever jusqu'aux sommets des carrières politiques, à l'instar du Premier ministre britannique qui frappa les esprits de son époque, Disraeli.

Dizzie, le dandy

Un jour, la reine Victoria demanda à Benjamin Disraeli de lui dévoiler le mystère de son fabuleux succès. « Je ne refuse jamais ; je ne contredis jamais ; j'oublie quelquefois », lui répondit-il. L'histoire de Disraeli, né en 1804, est celle de l'enfant d'une famille de marchands juifs italiens qui ne se résout pas au destin promis, celui, au mieux, d'un avocat obscur, tirant le diable par la queue. Talentueux, subtil, excentrique, pétri d'esprit, il se lance à 22 ans dans l'écriture pour rembourser ses dettes. *Vivian Grey*, son roman à clé au parfum de scandale, récit d'un jeune intrigant manipulant un stupide marquis, suscite immédiatement la curiosité de la bonne société. Il lui ouvre le cœur des femmes, les portes des salons londoniens les plus renommés et, bientôt, celles d'une brillante carrière politique : député à 35 ans, chef du parti tory, deux fois Premier ministre. Les uns admirent son intelligence raffinée et ses manières, à l'instar de Joseph Reinach qui écrit : « Jeune, il défiait ses ennemis par sa beauté de prince oriental. Vieux, cassé, grimaçant, fardé, il n'a pas renoncé à plaire et à charmer, et il plaît encore, il charme toujours. » Les autres ne voient en lui qu'un odieux Rastignac, « un glouton qui se dégrade en vingt-cinq postures pour parvenir à un seul but », comme le juge Maurice Barrès dans *L'Ennemi des lois*, avec une pointe inavouée d'antisémitisme. Bref, Disraeli ne laisse personne indifférent.

Les yeux sombres qui donnent du mystère à son regard, la crinière noire, bouclée et savamment coiffée, laissant échapper une mèche de cheveu sur le front, les lèvres finement ourlées, le jeune Disraeli sait mettre en valeur ses atouts physiques. Mais le personnage frappe d'abord par son allure. Il est ce qu'on appelle alors un dandy, se promenant dans la vie avec insolence, épousant la mode des tenues les plus extravagantes, jouant sur les effets d'une élégance baroque qui surprend et permet de sortir du lot. Le dandysme, écrit Baudelaire, c'est « le plaisir d'étonner ». Disraeli, à cet égard, suit fidèlement la règle, si l'on en croit un témoin qui le décrit ainsi : « Habit de velours noir aux revers en satin, pantalons de couleur pourpre brodé d'or, gilet écarlate, manchettes en dentelles couvrant le bout de ses doigts, gants de chevreau blanc ornés de plusieurs bagues étincelantes et longues boucles de cheveux noirs descendant jusqu'aux épaules. » Chemises à ramages, chaînes scintillantes autour du cou, canne flexible qu'il fait virevolter… : indéniablement, Disraeli sait se faire remarquer. Tout cela ne serait rien, cependant, si le charme se brisait au moment où il ouvre la bouche. Or, non seulement il est un beau causeur, mais il est un homme d'esprit, jamais avare de bons mots, drôle, féroce, impertinent. Il remplit les conditions, non pour être invité dans les salons, mais pour s'y installer !

Quand on veut se lancer en politique, quand on vise un siège à la Chambre des communes, c'est d'abord dans les salons, les cercles élégants, les dîners en ville qu'on doit plaire. C'est ici, dans ces milieux très fermés, que l'on rencontre les hommes et les femmes les plus influents, que l'on obtient les faveurs qui guident sur les chemins de la réussite. Il lui faut un ticket d'entrée : l'écrivain et député Edward Bulwer le lui fournit. Intrigué par l'audacieuse jeunesse de l'auteur de *Vivian Grey*, il l'invite à sa table, début 1832. Disraeli y rencontre notamment Mrs Norton (petite-fille du grand dramaturge irlandais Richard Sheridan, éminente figure du parti whig), le prince du dandysme Alfred d'Orsay et Mrs Wyndham Lewis qui, épouse d'un célèbre député tory, tombe sous son charme. Le jeune ambitieux fait forte impression. Ce dîner en appelle d'autres. Mrs Norton le convie à son tour. Sa réputation de parleur raffiné est en marche. Dans les salons, les femmes se pressent autour de lui pour l'écouter. Son succès auprès d'elles lui ouvre le club très select d'Almacks qui, patronné par les ladies, reçoit tous ceux qui comptent dans l'aristocratie anglaise.

C'est plus difficile avec les hommes. Mais Disraeli a le sens de l'éclat. Dès avril 1832, il publie un pamphlet dirigé contre Louis-Philippe, *Gallomania*, qui lui vaut d'être remarqué par sir Robert Peel, le leader tory, qui l'invite à déjeuner. À 28 ans, l'homme du monde, l'écrivain qui fait parler les grandes dames à l'heure du thé croit alors son moment venu. Il se présente à la députation dans un bourg rural du comté du Buckinghamshire. « Toutes les femmes sont de mon côté et arborent mes couleurs, rose et blanc », écrit-il, enthousiaste, à sa sœur. Ses discours fougueux révèlent un vrai talent d'orateur. Il est sûr de son élection. Et, pourtant, sans soutien d'un grand parti, il essuie un premier échec cuisant. Il s'entête, se présente ailleurs, et échoue pareillement.

Tout est à refaire. Le voici de nouveau fréquentant les soirées chics, les loges de théâtre et les bals costumés, faisant la cour aux dames, cédant à quelques aventures amoureuses qu'il souhaite éphémères (« je n'ai nulle intention de me marier par amour, ce qui est, j'en suis sûr, un gage de malheur »), jusqu'à ce qu'il rencontre Harietta en avril 1833, la passion de sa vie (que, sans vergogne, il arrache à son mari !). Un jour de 1834, le chevalier d'Orsay l'entraîne chez Lady Blessington. Voici la rencontre décisive. Dans son salon, se croisent tous ceux qui comptent dans la sphère politique. Disraeli le sait et déploie son art de la parole pour attirer l'attention sur lui. Un journaliste américain du *New York Herald*, présent lors d'un dîner, se dit subjugué par « l'éloquence fougueuse » du « plus grand causeur qu'[il a] jamais entendu ». La belle Lady Blessington, enchantée par les prestations de son bouillant invité, le guide vers les députés influents du parti tory, tandis que d'Orsay lui apprend à domestiquer son ardeur vestimentaire. Cette fois, Disraeli le sent, il va réussir. « Je fais aisément mon chemin dans les milieux les plus chics », rapporte-t-il à sa sœur, ajoutant : « Je suis également bien placé en politique, étant à présent soutenu par un parti très puissant. » Il a choisi son camp ; il sera tory.

Il lui faut encore faire preuve de patience. Son siège à la Chambre des communes, il l'obtient finalement en juillet 1837. S'en étonnera-t-on ? Il le doit à une femme, Mrs Wyndham Lewis, rencontrée, on l'a vu, cinq ans auparavant. Elle lui propose de se présenter dans un fief conservateur, doté d'une circonscription à deux sièges : elle s'en réservera un ; elle lui offrira l'autre. Disraeli est ravi et, durant toute la campagne, envoie à sa bienfaitrice les lettres les plus aimables – pour ne pas dire les plus obséquieuses –, alors qu'il l'a toujours jugée coquette, superficielle, bavarde, assommante, bref totalement insupportable. Cette fois est la bonne : élu du Kent, Benjamin Disraeli, le 15 novembre 1837, assis dans une travée de la Chambre des communes, assiste à l'ouverture de la première session parlementaire, conduite par la jeune reine Victoria. Il en est sûr : c'est elle, désormais, qu'il convient de charmer.

Moins d'un mois plus tard, il monte à la tribune pour prononcer son premier discours, mais il essuie la pire humiliation de sa vie. Contrairement aux familiers des salons, la Chambre déteste les excentriques et abhorre les mots trop recherchés. Alors, quand Disraeli parle de « mendicité majestueuse », les députés sourient. Vexé, il réplique : « Je ne veux pas affecter d'être insensible à la difficulté de ma position. » Du coup, on ne sourit plus, mais on rit franchement. Plus il poursuit, plus la salle se gausse. Ampoulé dans son style, affecté dans ses manières, il déclenche un fou rire. On ne l'entend plus, au milieu des éclats, des grognements, des sifflets. Le speaker est obligé d'intervenir pour faire taire les sarcasmes. Mais en vain. Quand Disraeli se rasseoit à son banc, on rit encore. Mortifié, amer, il en tirera la leçon : ce n'est pas ainsi qu'on séduit l'auditoire parlementaire ! Il change de style, renonce à ses manchettes en dentelles et simplifie son discours.

Il se donnera du temps. Il flattera les importants, rivalisera d'amabilités pour ses collègues de la Chambre, jusqu'à devenir un personnage clé qu'on ne peut ignorer. Après s'être imposé au sein du parti tory, jusqu'à le diriger, il devient chancelier de l'Échiquier, se rendant indispensable au couple royal. N'ignorant pas qu'il souffre d'être trop souvent tenu à l'écart des affaires du pays (Albert, le prince consort, continue de se méfier de lui), il multiplie les lettres où il l'informe dans le moindre détail et, au besoin, demande audience à la reine. Sensible à de si douces attentions, elle finit par tomber sous son charme.

En 1861, le prince Albert meurt brutalement. Victoria est inconsolable. Mais Disraeli est là pour l'entourer de son affection, sincère ou calculée. Bientôt, elle lui voue une infinie reconnaissance. Dizzy (c'est ainsi qu'elle l'appelle désormais) a gagné la partie, le cœur comme les faveurs de la souveraine. Il est devenu son confident ; elle le surnomme « mon fou » ou « mon sorcier ». Ne reste plus qu'à parachever l'œuvre de séduction, à écarter ses rivaux et à attendre que la reine le désigne Premier ministre. En 1868, Disraeli triomphe. « Le juif, l'animal le plus subtil du lieu a, comme tentateur d'Ève, gagné les faveurs de la Dame », éructe l'un de ses pires ennemis, Lord Clarenton. Mais il n'y peut rien. La reine est envoutée par son Dizzy, qui lui écrit : « Si j'étais le Grand Vizir de Votre Majesté, au lieu d'en être le Premier ministre, je serais satisfait de passer le restant de mes jours en accomplissant tous les vœux de Votre Majesté. » Comment résister à une si touchante déclaration ?

En 1876, Disraeli fait de Victoria l'Impératrice des Indes ; en retour, elle l'anoblit. Benjamin Disraeli devient Lord Beaconsfield. Lorsque son second gouvernement chute, en 1880 (il a alors 76 ans), la reine est désespérée. Quand il meurt, l'année suivante, il se fait enterrer avec la photographie de la souveraine. Jamais elle ne n'oubliera. « Il me semble entendre sa voix et sa manière passionnée, vive de parler de toutes choses », écrit-elle encore en 1907. L'amour entre Disraeli et Victoria n'aura jamais été que platonique. Mais Dizzy le dandy aura hissé la séduction au niveau d'un grand art politique.

Roosevelt, Teddy et Franklin

Disraeli s'est élevé en charmant les élites. Theodore et Franklin Roosevelt, eux, cherchent à toucher l'opinion publique. Présidents des États-Unis à trois décennies d'écart (1901 et 1933), l'oncle et le neveu, l'un républicain, l'autre démocrate, ont la même stratégie : séduire les médias, car c'est en apprenant à s'en servir qu'on parvient à se tailler une solide et durable popularité.

En novembre 1902, les journaux américains rapportent une anecdote sur le président Theodore Roosevelt (entré à la Maison Blanche dix mois plus tôt, à la suite de l'assassinat de McKinley, dont il était le vice-président). Tout le monde connaît alors son passe-temps favori : la chasse au gros gibier. Or, on apprend qu'en voyage, pour régler un conflit frontalier entre le Mississipi et la Louisiane, le président a participé à une battue, spécialement organisée pour le divertir. Au bout de trois jours, le fringant chasseur est toujours bredouille. Heureusement, on finit par trouver un vieil ours, pisté par les chiens qui l'attaquent et le blessent sérieusement. Ravis, les guides l'attachent à un arbre et alertent le président : il n'a plus qu'à tirer. « Je n'abattrai pas un animal blessé ! » s'insurge Roosevelt, qui ordonne qu'on abrège ses souffrances. L'histoire inspire les caricaturistes, et notamment Berryman, du *Washington Post.* Il publie un premier dessin où l'ours, puissant et féroce, a dévoré un chien. Mais, quelques jours plus tard, il en fait paraître un second, où la bête cruelle est devenue un ourson inoffensif, tremblant de peur, un adorable petit ours, tout droit sorti des albums illustrés pour enfants. Comment expliquer cette volte-face ? Sans qu'on en ait la preuve absolue, il est vraisemblable que les conseillers de Roosevelt ont murmuré à l'oreille des responsables du journal. Ne pourrait-on fournir une version plus rose du récit, qui parlerait au cœur des familles américaines, celle du bon président sauvant le gentil ourson aux yeux tendres ?

Mais l'histoire ne s'arrête pas là, car l'anecdote, dans sa nouvelle version, inspire un certain Morris Michtom qui tient un magasin de friandises à Brooklyn. Sa femme, pour attirer les enfants (et leurs mamans), a l'idée de confectionner des ours en peluche et de les exposer en vitrine. L'intérêt des badauds est tel que Michtom décide de les fabriquer en série. Mais son idée va plus loin : il décide de les appeler « Teddy », le surnom donné à Theodore Roosevelt. Ainsi naît, en 1903, *Teddy Bear*, l'ours Teddy, la peluche que dorlotent les enfants, unissant, dans un même amour, l'ourson sauvé par le président et le président lui-même ! Le succès est fulgurant ; il ne s'est pas démenti depuis. On raconte que Michtom écrivit au président pour obtenir son autorisation et que ce dernier la lui donna de bon gré. Rien n'est sûr. Ce qui l'est davantage, c'est l'habile exploitation que fait Roosevelt de sa nouvelle image, d'autant qu'en peu de temps il est aussi devenu un héros d'histoires illustrées. Jamais il ne manque une occasion de s'entourer d'enfants, d'aller à leur rencontre. Lorsqu'il se déplace dans une ville américaine, il prévoit, dans son programme, la visite d'une école. Quand il fait une halte, lors d'un voyage, il n'est pas rare que l'assaille une nuée de marmots, criant joyeusement : « Teddy ! Teddy ! » En habile communicant, le service de presse présidentiel décrit aussi la Maison Blanche comme le foyer du bonheur, où se promènent en liberté cochons d'Inde, écureuils, tortues, chats, chiens et poneys. Roosevelt, l'ami des enfants et des animaux !

Ne croyons pas, en effet, que cette popularité soit totalement spontanée. Le plus jeune président que l'Amérique ait jamais connu (il a à peine 43 ans lorsqu'il entre en fonction) a un sens aigu de l'autopromotion et sait y faire avec les journalistes. Il fut, à n'en pas douter, le premier président « médiatique » de l'histoire des États-Unis. Son but : occuper sans cesse les unes des journaux ; à son avantage, évidemment. Le moyen pour y parvenir : établir une relation de confiance, voire d'amitié avec les journalistes, en les accueillant chaleureusement, en leur annonçant ses activités à l'avance, et surtout en leur confiant les informations qu'ils attendent. Mais attention : celui qui ne jouera pas le jeu du « off » sera impitoyablement banni ! Chaque jour, peu avant le déjeuner, il les reçoit lors d'une pittoresque séance de rasage où, sous couvert d'une conversation entre amis, il leur confie les informations qu'il souhaite voir développées dans la presse. Roosevelt plaisante, rit, gesticule : son barbier est au bord de la crise de nerfs ! Rite imperturbable et diabolique numéro de charme, car le chef de l'État délivre de vraies mais aussi de fausses confidences, destinées à tester l'opinion publique ou à éprouver ses adversaires politiques. La stratégie est payante : il est, dans toute l'histoire des États-

Unis, le président qui fit le plus souvent les titres des journaux. Au besoin, lorsque l'actualité est un peu molle, il sait créer l'événement, ne serait-ce qu'en assistant à une cérémonie officielle. Là aussi, il détient une manière de record historique.

Grâce à la presse, se diffuse dans l'opinion la légende rooseveltienne, celle du jeune homme de bonne famille, diplômé de Harvard, marié à la fille d'un banquier qui, à 25 ans, après une tragédie familiale (il perd, la même année, sa mère et sa femme), décide de tout abandonner pour aller vivre dans un ranch et partager l'existence des cow-boys. « Jamais je ne fus plus heureux dans ma vie », avoue-t-il avec émotion. Il raconte ses souvenirs de ranchero gardien de bestiaux, la guerre contre les loups et les serpents à sonnette, les nuits de garde, glacées et dangereuses, et dit surtout son amour pour les cow-boys, ces hommes simples, courageux, chaleureux, héritiers des pionniers. Comment mieux charmer l'Amérique qu'en lui parlant du mythe du Grand Ouest ?

Mais la légende rooseveltienne est aussi celle du combattant. Préfet de police de New York, il interrompt, en effet, sa carrière politique en 1898 pour s'engager dans la guerre à Cuba contre l'Espagne. Il prend la tête d'un régiment de cavalerie, les *Rough-Riders*, les « durs à cuir », qui mêle des étudiants d'Harvard ou de Yale à des cow-boys, des *bronco-busters* (dresseurs de chevaux) et même des Indiens Cherokees ; bref, un autre mythe américain en miniature, celui du « melting-pot ». Les combattants se distinguent courageusement en plusieurs occasions, notamment à San Juan et à Las Guasimas. Chaque fois, les journaux montrent Theodore Roosevelt brandissant son épée, chargeant à la tête de ses hommes, hurlant – au sens propre – comme un Sioux. Un *Rough-*

Rider, rentré chez lui après une grave blessure, répond à un reporter qui lui demande si le « colonel » Roosevelt est devenu un soldat : « Un soldat ? Vous donneriez votre vie pour voir cet homme-là conduire une charge, et pour l'entendre appeler ses hommes. Il ne sait pas ce qu'est la peur, et il semble qu'il a un charme contre les balles. Nous tous, *Rough-Riders*, nous l'adorons ! » Bientôt, photographies et gravures de Roosevelt à cheval se répandent dans les journaux. On compose des chansons à la gloire du colonel et de ses braves soldats. Buffalo Bill assied définitivement sa réputation en consacrant son spectacle à l'épopée rooseveltienne. Comme on n'est jamais mieux servi que par soi-même, Theodore raconte lui-même l'histoire de son régiment dans un livre qui paraît dès 1899.

Le moment venu, il peut compter sur une notoriété bien établie. Lorsque McKinley meurt, un journaliste du *New York Times* écrit : « Avec M. Roosevelt, c'est *un homme* qui arrive au pouvoir. Il a partout montré une énergie, un sang-froid, une intrépidité, un mépris du qu'en-dira-t-on, une confiance en ses propres lumières, assez rares. » La presse est sous le charme du héros. Son sens de la mise en scène fait le reste. Quand il s'installe à la Maison Blanche, où l'attend la foule, il se présente avec le vieux chapeau qu'il portait durant l'expédition de Cuba, celui qu'ont popularisé les journaux.

Jouant avec la presse pour mieux atteindre l'opinion, Theodore Roosevelt (facilement réélu pour un second mandat) a conquis le cœur des Américains, ce qui lui vaut, plus tard, de rejoindre Washington, Jefferson et Lincoln au mont Rushmore, où son visage est sculpté dans la pierre.

Son neveu, Franklin, qui a 19 ans lorsque Theodore entre à la Maison Blanche, a pu l'observer de près. Même s'il a choisi le parti d'en face, il bénéficie indéniablement du prestige qui entoure le nom des Roosevelt. Comme son oncle, il est un habile séducteur de médias. Il connaît la presse, la lit attentivement, sait ce qu'attend un journaliste, ce qu'il doit dire pour se retrouver en une des quotidiens ou en couverture des magazines. Il est également très attentif à son image et prend garde à n'être jamais pris en photo assis dans un fauteuil roulant ou appuyé sur des béquilles, alors qu'atteint d'une maladie qui paralyse ses membres inférieurs depuis 1921 (sans doute le syndrome de Guillain-Barré), il est singulièrement diminué physiquement.

Le 4 mars 1933, il prête serment. Quatre jours plus tard, à 10 heures, il accueille cent vingt-cinq journalistes dans son bureau. Ce n'est pas la première fois qu'un président reçoit la presse. Mais, là, le changement sidère les intéressés. D'abord, ils voient un homme détendu, souriant, affable, qui n'hésite pas à plaisanter, qui appelle même certains hôtes par leur prénom. Son prédécesseur, l'austère Hoover, ne les avait jamais conviés à pareille fête ! Ensuite, et surtout, il énonce de nouvelles règles. Hoover se méfiait des journalistes, moyennant quoi il les recevait peu et, surtout, les obligeait à poser leurs questions par écrit. Désormais, annonce le nouveau président, l'échange sera direct et il verra les représentants de la presse deux fois par semaine, le mardi matin pour favoriser les journaux du soir, le vendredi après-midi pour satisfaire leurs confrères du matin. Un sourire de béatitude parcourt le visage des journalistes, tout disposés à l'écouter. Et puis, à un moment, la conférence est brusquement interrompue : deux des fils du président entrent dans la pièce. Sous le regard interloqué de l'assistance, ils viennent dirent au revoir à leur père car ils s'apprêtent à partir en voyage... Touchante image d'une famille américaine qui vit comme toutes les autres ! Roosevelt peut être sûr que toute la presse s'en fera fidèlement l'écho.

Roosevelt ? Le meilleur journaliste qui ait jamais accédé à la Maison Blanche ! La boutade, qui part des salles de rédaction, contient une part de vérité. Ses vingt-neuf causeries radiophoniques (sur douze ans de mandat) ne sont pas étrangères à cette réputation. La radio, il la connaît bien. Il s'en servait déjà, lorsqu'il était gouverneur de New York, pour s'adresser à ses administrés. Désormais, il en use pour entretenir le lien qui l'unit à ses concitoyens, pour expliquer lui-même sa politique. Il en connaît l'impact, alors que 17 millions de foyers américains sont équipés en récepteurs. Tout est soigneusement préparé par ses collaborateurs. Mais le président met lui-même la main à la pâte. Il s'assure notamment qu'il sera compris par les Américains les plus modestes, que ne viendront pas se glisser, ici ou là, des mots complexes, des formules techniques, de nature à parasiter son message. Dans *Chantiers américains* (1933), André Maurois rapporte même cette anecdote qu'on lui a racontée : « Lorsqu'il préparait le fameux message sur la crise bancaire, le président fit venir dans son bureau un peintre en bâtiment qui travaillait à la Maison Blanche et lui lut son brouillon. S'il y a dans ce que je viens de lire, aurait-il dit, des mots que vous ne comprenez pas, arrêtez-moi. Deux ou trois fois, l'homme interrompit la lecture et le président changea la forme de la phrase. » Et Maurois d'ajouter : « J'espère que l'histoire est vraie ; c'est celle de Molière et de la servante. »

Vraie ? Fausse ? On ne le saura jamais. En revanche, on sait, en partie, comment sont reçues ces causeries présidentielles car elles suscitent, chaque fois, des centaines de milliers, voire des millions de lettres. Roosevelt les sollicitent lui-même : « N'hésitez pas à faire des critiques. » Dix mille missives ont été finalement conservées. L'immense majorité exprime une incroyable confiance au président. Ceux qui écrivent se disent sensibles à la simplicité, à la clarté, à la franchise du discours, prononcé dans un « anglais familier », ordinaire, accessible, loin du langage abscons auquel les sommités de Washington les ont habitués : « Il y avait longtemps que j'attendais d'entendre un Américain parler comme un Américain. » On félicite Roosevelt pour la « conviction de son ton », et même sa « splendide voix radiophonique ». Transportés par ce qu'ils ont entendu, les auteurs des lettres expriment leur émotion : « nous avons bu chacun de vos mots » ; « nous étions bouleversés par votre dernière causerie » ; grâce à vous, « les gens ont retrouvé courage et confiance » ; « nous sommes tous avec vous » ; nous sommes « remplis de fiertés », « émus jusqu'aux larmes ». Ici, une auditrice frissonne : « C'est mon président qui parle, mon président ! » Là, un auditeur se sent soudain si proche de celui qui s'est glissé chez lui, par la voie des ondes, qu'il se propose de le rencontrer : « Je suis disponible pour discuter de la situation dans le centre-ouest à votre convenance. » Souvent, aussi, on écrit à Roosevelt pour lui rapporter des conversations avec son conjoint, ses amis, ses voisins, pour lui parler d'un article lu dans la presse, pour lui faire une suggestion.

Au fond, le mot de « causerie » est pris comme le président le souhaitait au pied de la lettre : une conversation avec chaque Américain. Roosevelt devient un proche, et ses interventions radiophoniques sont autant de rendez-vous fixés entre amis. Elles charrient, en tout cas, une incroyable émotion et nourrissent un lien affectif d'une force étonnante. La voix chaude, les propos simples du chef de l'État vont droit au cœur des auditeurs qui lui répondent : « Le public est avec vous et c'est cela qui compte. » La force séductrice vient-elle de celui qui parle au micro ou de la magie de la radio qui porte la voix dans chaque foyer ? Les deux, sans doute. Mais une chose est sûre, désormais : l'homme politique, grâce à la radio, dispose d'un instrument suggestif d'une prodigieuse et redoutable puissance. À la même époque, les dictateurs l'ont très bien compris.

4

Dictateurs hypnotiques

J'eus la sensation immédiate, forte, inoubliable, que « jamais, jamais de ma vie, je n'avais vu des yeux pareils, [...] dorés et sombres, flambants », véritables « foyers rayonnants ». « Le sourire était aussi extraordinaire que les yeux. » « J'éprouvais le charme d'obéir, [...] et j'aurais voulu sur-le-champ devenir son sujet. » Mais qui parle ainsi ? Une femme amoureuse racontant sa rencontre avec Rudolph Valentino ? Un homme subjugué par l'apparition d'une déesse, frappé par la flèche de Cupidon ? Pas du tout. Ces mots, on les doit à un écrivain et journaliste de 52 ans, prix Goncourt 1919, peu enclin, d'ordinaire, à faire partager au lecteur ses vibrations de midinette : René Benjamin. Naviguant dans les eaux de l'extrême droite maurassienne, exécrant la démocratie et le Front populaire arrivé depuis peu au pouvoir, Benjamin s'est pris de passion pour l'Italie fasciste et a décidé de faire le voyage de Rome pour rencontrer le Duce. De retour à Paris, il fait part de son enthousiasme dans un long texte, d'abord paru dans la monarchiste *Revue universelle*, puis publié en 1937 sous le titre *Mussolini et son peuple*.

Que lui dit Mussolini durant l'entrevue ? On n'en sait quasiment rien. En revanche, Benjamin est prolixe sur l'émotion fébrile qui le traverse à la simple vue de sa nouvelle idole. « J'étais tout près de lui [...]. Il s'imposait, il me confondait. » L'écrivain-journaliste décrit la beauté fascinante d'un homme à la « tête bien faite », au « front qui aime la lumière, la retient, la garde », au « nez droit sur un visage bien modelé ». Il exprime son trouble fiévreux à l'idée de lui parler : « Il faut que je trouve à lui dire des choses importantes. » Il avoue sans retenue le sentiment d'exaltation qui l'étreint à l'issue de l'entrevue.

Un tel témoignage n'est pas isolé. Nombreux sont les étrangers, intellectuels et journalistes qui, approchant pour la première fois Mussolini ou Hitler, succombent, comme frappés par l'énergie incontrôlable du coup de foudre. Ainsi, quelques mois plus tôt, Bertrand de Jouvenel, envoyé à Berlin par *Paris-Midi* pour interviewer le Führer, explique à ses lecteurs que le fondateur du IIIe Reich n'est pas du tout le monstre terrible qu'on croit : « Quoi, cet homme simple, qui parle doucement, raisonnablement, gentiment, avec humour, est-ce là ce redoutable meneur de foules qui a soulevé l'enthousiasme forcené de toute la nation allemande et en qui le monde entier a cru voir un jour une menace de guerre ? » (*Paris-Midi*, 28 février 1936). La séduction opère. Jouvenel, doux comme un mouton, se risque à une question sur le sort qu'Hitler réserve à la France, dans *Mein Kampf*, et accepte, sans broncher, la réponse du Führer qui aveugle définitivement son interlocuteur : « Nous étions ennemis. Mais, aujourd'hui, il n'y a plus de raison de conflit. Vous voulez que je fasse des corrections dans mon livre, comme un écrivain qui prépare une nouvelle édition de ses œuvres ! » Est-il drôle, est-il bonhomme cet Hitler ! L'année suivante, en décembre 1937, le plus grand quotidien populaire de l'époque, *Paris-Soir*, consacre un long portrait au Führer, qu'une de ses équipes est allée rencontrer dans sa résidence de Berchtesgaden. Hitler ? Un homme simple, « sobre et frugal », passionné de cinéma, qui écoute de la musique (Wagner, de préférence) et lit des romans policiers. Et puis, il aime tant les animaux... D'ailleurs, la photographie qui accompagne l'article ne saurait mentir, qui montre le brave Adolf donnant un « susucre » à un gentil toutou. Mussolini comme Hitler soignent leur image face aux hôtes venus d'ailleurs, sourient, se font aimables, jouent avec leur réputation, et referment leur piège.

L'ascendant exercé par Mussolini et Hitler en dehors des frontières de l'Italie ou de l'Allemagne sur une frange de population tentée par le fascisme est indéniable. Au-delà même des idées et des modèles qu'ils représentent, les personnages fascinent. Ils le savent et en usent, retardant le moment où la raison et la lucidité submergeront la cécité collective. Pour expliquer le pouvoir que les dictateurs exercent sur les foules italienne ou allemande, on mettra en avant, évidemment, l'encadrement policier, le carcan idéologique, le conditionnement organisé, etc. Mais on ne peut ignorer le rapport émotionnel et affectif entretenu par le dictateur avec son peuple, c'est-à-dire la stratégie de séduction du chef, nourrie par la propagande d'État, et ses effets sur les comportements sociaux. Observer le phénomène permet non seulement de comprendre une part de la nature profonde des fascismes, mais aussi d'éclairer les modalités de leur enracinement dans les imaginaires collectifs.

Envoûtement de tribunes

En 1941, peu après l'entrée en guerre des États-Unis, le chef du service de renseignement américain (Office of Strategic Services, OSS) commande un rapport sur « La mentalité d'Adolf Hitler ». Les enquêteurs auditionnent les agents infiltrés en Allemagne, des journalistes qui connaissent bien le régime nazi, mais aussi d'anciens compagnons du Führer qui ont fui le Reich, comme Otto Strasser, dont le frère, Gregor, a été éliminé en 1934, lors de la fameuse Nuit des Longs Couteaux. Les témoignages réunis sont ensuite transmis au Dr Walter Langer, psychiatre, pour qu'il les analyse et révèle la vraie personnalité de Hitler. Tenu secret, le fruit de son travail (250 pages) n'est rendu public que trente ans plus tard. Document foisonnant et précieux qui cherche notamment à répondre à une question troublante : qu'est-ce qui peut bien fasciner chez Hitler ?

Ce qui frappe d'abord Langer, c'est l'insignifiance physique du chef nazi : « En taille, il est un peu en dessous de la moyenne. Ses hanches sont larges et ses épaules se rétrécissent relativement. Ses muscles sont mous, ses jambes courtes, minces et fusiformes [...]. Il a un grand torse et une poitrine creuse au point où on dit qu'il fait capitonner ses uniformes. » Au début du Parti nazi, ses chemises « n'étaient pas toujours très propres et, avec sa bouche pleine de dents brunes, pourries et ses longs ongles sales, il présentait plutôt une image piteuse ». Sa démarche était « très féminine », avec « des petits pas gracieux ». Et, comme si cela ne suffisait pas, il était bourré de tics : « Tous les deux ou trois pas, il haussait son épaule droite nerveusement [...]. Il avait aussi un tic sur le visage qui poussait un coin de ses lèvres à friser vers le haut. » Triste portrait.

Pourtant, Langer le reconnaît, cet homme sans charme naturel, et même repoussant, fascine. Quelle en est la cause ? Ses yeux, d'un bleu profond tirant sur le violet, qui, dit-on, donnent à son regard une « qualité hypnotique » ? Qui n'a vu cette photographie prise dans une brasserie de Munich où Hitler, assis à une table, est observé par quarante-trois paires d'yeux, magnétisés par les siens ? Beau cliché posé, où s'empilent et se pressent les militants nazis, frappés d'un sourire illuminé, comme aimantés par leur chef ! Langer cite notamment le témoignage d'un officier de police sur l'un de ses hommes, envoyé pour maintenir l'ordre dans un meeting nazi, à la fin des années 1920. Hitler arrive, le croise et le fixe un instant dans les yeux : « Il regarda dans l'œil du policier avec cet hypnotisme fatal et ce regard pénétrant irrésistible. » Le lendemain matin, l'agent annonce à son chef : « Depuis hier soir, je suis national-socialiste. *Heil Hitler !* » Anecdote peu concluante, en vérité, car complaisamment colportée par la propagande nazie pour attester l'irrésistible attraction exercée par le Führer. Par ailleurs, tout le monde ne partage pas l'idée selon laquelle Hitler serait doué d'un regard captivant. Hermann Rauschning, ancien nazi, passé en Suisse en 1936 (avant de rejoindre l'Angleterre puis les États-Unis), affirme même rigoureusement le contraire dans *Hitler m'a dit*, succès éditorial de l'année 1939. Comme d'autres, il trouve que son regard manque « de brillance et d'étincelle ». De toute façon, peu d'Allemands l'ont approché d'assez près pour en être affectés d'une manière quelconque. En revanche, ils sont inondés par les images de propagande, affiches, photographies, actualités filmées qui, elles, mettent en valeur le regard hypnotique du Führer.

Et si le mystère se situait dans sa voix ? Mais elle est rauque, grinçante, si peu puissante… Alors, dans la qualité de son expression ? Hitler use d'une langue banale. Le journaliste autrichien Karl Tschuppik observe même qu'en ses débuts d'orateur, le chef nazi parlait dans un jargon mêlant le haut allemand avec un dialecte autrichien, typique de la Bohême d'où il était originaire. Rien de très attirant là-dedans.

Néanmoins, c'est bien la tribune qui constitue le secret du pouvoir de fascination d'Hitler. Pourquoi ? Parce qu'il a la capacité de sentir ce qu'un auditoire veut entendre, de s'exprimer sur un ton de conviction exaltée, de produire de l'imaginaire en jouant sur les émotions. Langer cite, à ce propos, une formule forte de Strasser : « Hitler répond à la vibration du cœur humain avec la délicatesse d'un sismographe. » « Je vous sens », lance parfois le Führer à son public. Au point de faire corps avec lui. Avant de parler, il donne des signes de nervosité et, lorsqu'il commence, son débit est toujours lent, comme s'il jaugeait l'attention de la foule, comme s'il flairait le souffle collectif. Mais dès qu'il sent l'assistance réceptive, il s'échauffe, s'emballe, intensifie le volume de sa voix jusqu'à la saturer, déverse le flot des mots en saccades. L'onde qui traverse l'auditoire, disent les observateurs, est presque palpable. Un journaliste américain, cité par Langer, parle de « contact métaphysique », chaque membre de la multitude se sentant brusquement attaché à Hitler par un lien individuel de sympathie. Un autre décrit ainsi ce qu'il a vu dans les meetings : « Quand il se balance d'un côté, ses auditeurs se balancent avec lui ; quand il se penche en avant, ils se penchent pareillement. » La communion avec le public est notamment entretenue par ce dialogue, fréquent, qui consiste en un jeu de questions/réponses entre l'orateur et le public. En 1936, par exemple, debout à la tribune d'un meeting, il interroge la foule rassemblée : « Je pose cette question au peuple :

souhaitez-vous que la hache de guerre entre la France et nous soit enterrée enfin, qu'il y ait paix et compréhension entre nous ? Si c'est bien cela que vous souhaitez, alors, dites "oui" ». Une immense clameur explose : « Oui ! »

Hitler flatte, cajole, met en scène et se met en scène, répétant ses poses et gesticulations théâtrales devant le miroir, comme l'atteste la série célèbre de photographies prises par Heinrich Hoffmann, en 1925. Les procédés sont multiples et bien connus. On insiste généralement sur le grandiose, mais peut-être pas suffisamment sur le mystère qui conditionne l'état de réceptivité des foules. Pourtant, ce n'est un hasard si les rassemblements sont programmés de préférence le soir, jouant sur l'atmosphère si particulière à l'obscurité. Ce n'est pas non plus fortuit si le Führer jaillit juste avant son discours et disparaît tout aussi brusquement, comme le messager céleste venu éclairer l'humanité avant de regagner les cieux.

Hitler se dit homme du peuple, mais méprise la foule que, dans *Mein Kampf*, il compare à une femme dépourvue de raison et qui, mue exclusivement par le désir émotionnel, « préfère se soumettre au fort plutôt qu'au faible ». Mussolini ne pense pas autrement. Pour s'adresser à elle, il possède sans doute des dons naturels qui manquent au dictateur allemand, à commencer par sa voix, chaude et puissante, qui lui permet notamment, quand il le faut, de se passer de micro (un instrument qu'il déteste). Comme Hitler, il joue avec son auditoire, provoque ses exclamations : « Il me plaît de m'entretenir avec vous. J'aime être interrompu, parce que, de ce dialogue de vous à moi, jaillit le cri révélateur de vos états d'âme. » Mais, contrairement à Hitler, il aime l'improvisation, sait manier l'humour, verse volontiers dans le langage cru, « en paysan », dit-il.

Dès que l'assistance commence à se rassembler, sous les fenêtres du Palazzo Venezia, d'où il prononcera son discours, le Duce est pris d'une « nervosité presque hystérique », comme le note son valet de chambre, Quinto Navarra, dans ses souvenirs. Les instants qui précèdent la rencontre évoquent l'attente fébrile du séducteur qui s'apprête à soumettre sa proie, mais doute confusément de son pouvoir d'attraction. Les applaudissements et les clameurs, Mussolini les vit comme une libération, mais plus encore comme la preuve d'une irrésistible conquête. De la foule, le Duce attend une sorte de servitude amoureuse, ce qui provoque en lui une constante insatisfaction. « Lorsque les masses sont comme de la cire entre mes mains, déclare-t-il, je me sens faire partie de [la] foule », ajoutant aussitôt : « Persiste néanmoins en moi un certain sentiment d'aversion, tel celui que l'artiste éprouve à l'égard de l'argile qu'il pétrit. Le sculpteur ne brise-t-il pas son bloc de marbre en mille fragments, parce qu'il ne parvient pas à donner corps à la vision qu'il a conçue ? » Les foules, jamais assez séduites, jamais assez soumises.

Si grand et pourtant si humain

Pour les deux dictateurs, la masse reste une entité qu'ils dominent. En revanche, ils se méfient des « gens », les tiennent à distance et fuient, plus encore, les « bains de foule ». Le contact physique avec les individus les effraie, à tel point que les hommes et les femmes du peuple qui entourent Mussolini dans les photographies posées ne sont, généralement, que des policiers qui ont endossé la tenue d'ouvrier ou de paysan. « Certains, écrit son valet de chambre, ont cru que l'histoire drôle racontant que le Duce, à Littoria, avait dansé la valse avec des policiers déguisés en paysannes, n'était qu'une histoire inventée. Mais elle correspondait à la réalité, beaucoup plus qu'on ne peut imaginer. Les paysans que Mussolini étreignait pendant la bataille du blé, les maçons auxquels il tendait la pioche ou la truelle symbolique, les athlètes qui s'approchaient de lui pour le fêter, les baigneurs qui se pressaient autour de lui pour l'applaudir dans les stations balnéaires, les rudes mineurs qui, avec leurs lampes, l'aidaient à descendre au fond de la mine, les ouvriers de la sidérurgie parmi lesquels il se faisait photographier dans une ambiance de saine camaraderie, n'étaient que des agents, toujours des agents, inévitablement des agents. »

Toutes ces situations fabriquées s'emploient à cultiver l'identification du peuple au dictateur, mais aussi à nourrir l'admiration collective pour un homme « qui sait tout, qui voit tout », comme l'écrit *La Stampa*, un homme « tout simplement astronomique », selon le parti fasciste. Le Duce sait aussi tout faire, tour à tour aviateur intrépide, violoniste virtuose, cavalier élégant, nageur émérite, skieur chevronné, pilote d'exception, juché sur sa magnifique moto ou au volant de sa splendide Alfa Romeo 6G 2300. Moderne, dynamique, sportif, Mussolini exhibe sa force et expose son corps aux regards. On le voit ainsi, se livrant aux travaux des champs ou sortant d'un bain de mer, torse nu, gonflant les pectoraux. Pourtant, ici, un détail intrigue lorsqu'on compare les clichés originaux et les photographies publiées. Un peu comme dans un jeu des sept erreurs, on sent un léger décalage entre les deux images, sans le discerner vraiment au premier coup d'œil. Puis, soudain, c'est la révélation : le Mussolini du journal n'a plus un poil sur la poitrine et les épaules ! D'astucieux retoucheurs sont passés par là, gommant la vulgaire toison, donnant à la silhouette demi-nue du dictateur les allures de statue antique. Mussolini, l'Apollon du Belvédère…

Qui sait que le Duce a besoin de lunettes pour lire ? Personne. Le secret d'État est bien gardé. Le dictateur a une certaine idée de la perfection physique et du corps viril, équilibré, séduisant, désirable. La censure est là pour y conformer les images que la presse diffuse. Les consignes données peuvent même changer, selon l'orientation politique du moment. Longtemps, ainsi, Mussolini fait interdire les photographies où il sourit, peu conformes, selon lui, au modèle du combattant farouche et à la noble dignité du chef fasciste. En 1935, cependant, au moment de l'invasion de l'Éthiopie, il les autorise et même les encourage, cherchant désormais à séduire l'opinion internationale et à briser l'image rugueuse du dictateur brutal et ombrageux qu'alimentent les journaux du monde entier. Mais le Mussolini enjoué n'a qu'un temps. Dès 1940, et l'entrée en guerre de l'Italie, le visage du Duce s'assombrit à nouveau. Une consigne, en revanche, ne change pas : interdiction de reproduire la « loupe » qu'il porte sur le crâne, cette petite excroissance de chair qu'il s'applique soigneusement à dissimuler ! Ne pas respecter cette coquetterie mussolinienne peut attirer l'ire du chef prestigieux. Menchi, un modeste sculpteur toscan, en fait la cruelle expérience. Il se présente un jour au Palazzo Venezia et convainc le Duce de poser pour lui. Il croit alors avoir fait le plus difficile. Mais, son travail terminé, il envoie le résultat de son talent à Mussolini : un buste parfait, si parfait qu'il n'a pas manqué de faire figurer la « loupe » disgracieuse. Menchi ne reverra jamais le Duce : sa sculpture lui est réexpédiée, sans le moindre remerciement.

La séduction ne se satisfait pas seulement d'admiration. Il faut faire éprouver des sentiments plus sensibles pour s'attacher durablement la fidélité des peuples. Il faut jouer sur la distance qui sied aux chefs célestes, placés au-dessus des mortels, mais aussi sur la proximité des pères qui protègent et transmettent leur amour. C'est cette ambiguïté ou subtile alchimie qui explique les efforts de la propagande pour humaniser Mussolini comme Hitler.

Une histoire, soigneusement fabriquée, se répand en Allemagne, au milieu des années 1930. Au passage du Führer, une jeune paysanne tente de rompre le cordon policier pour l'approcher. Hitler, qui voit la scène, ordonne qu'on la laisse passer. Arrivée devant lui, elle fond en larmes. Touché par sa détresse, Hitler lui en demande la cause. Elle lui explique que son fiancé, à qui l'on reprochait sa fidélité à l'idéal nazi, a été expulsé d'Autriche et se retrouve sans emploi. Ils ne peuvent donc se marier. Le Führer promet alors de trouver un travail au jeune homme et un logement aux futurs mariés, demandant même qu'on fournisse un lit de bébé au nouveau couple. Persécution des Allemands en Autriche, politique nataliste, cette anecdote concentre la propagande du temps. Mais elle fait davantage, en exaltant la bonté et la générosité du Führer, en exprimant l'amour qu'il éprouve pour les gens du peuple.

Début 1932, le chef des Jeunesses hitlériennes, Baldur von Schirach, préface un livre d'une centaine de clichés signés par le photographe officiel de Hitler, Heinrich Hoffmann, *Hitler wie ihn keiner kennt* (Hitler comme personne ne le connaît). « Je tiens à souligner, écrit-il, les deux traits à mes yeux les plus importants du caractère d'Adolf Hitler : la force et la bonté. » Le lecteur est alors invité à découvrir l'intimité du Führer. Et qu'y voit-on ? Un homme ému face à la montagne ; un homme riant au moment où, assis sur une chaise longue où il lit son journal, il est surpris par l'œil indiscret du photographe ; un homme heureux face aux enfants, aux jeunes gens, aux jeunes filles qui lui tendent des fleurs. Qui prétendrait qu'Hitler n'a pas de cœur ? Où est donc ce chef violent brocardé par ses adversaires qui le présentent comme une menace absolue pour les libertés en Allemagne ? Dans quelques semaines, se tiendra l'élection présidentielle : pour convaincre l'électeur indécis, il faut d'abord le séduire. En 1934, un an après son accession au pouvoir, le Führer fait de nouveau l'objet d'un album de photographies : *Jugend um Hitler* (La jeunesse pour Hitler). De bien belles images où se bousculent, autour du Führer, moins des jeunes gens ou des adolescents que des enfants. Il les tient par la main, pose avec eux sur la photo, sourit à leurs jeux, offre une friandise à l'une, console un autre, en larmes, d'une caresse sur la joue. Ces deux livres ne font pas exception. La presse nazie montre régulièrement Hitler entouré de bambins, évoque les visites des enfants du voisinage à Berchtesgaden, raconte son bonheur à leur servir bonbons et gâteaux. Hitler, papa gâteau ? L'image est osée. Mais en exposant son cœur, c'est celui des Allemands qu'il veut atteindre.

Mussolini ne procède guère différemment, même si, en compagnie d'enfants, il paraît plus chaleureux et sans doute plus tactile. Il les embrasse sur le front, leur caresse les cheveux, leur saisit le menton ou la joue avec affection. Le Duce a pourtant un avantage sur le Führer, car, contrairement à lui, il est père. En 1930, se répand ainsi une image bientôt popularisée par la carte postale, prise dans la maison de campagne de Mussolini, la villa Carpena (Forli) : il promène son jeune fils Romano à califourchon sur ses épaules. L'enfant, tout fier, semble esquisser un salut fasciste.

Humanisation du dictateur ne rime cependant pas avec banalisation. Toutes ces images doivent nourrir l'imagination collective et attacher affectivement le peuple au dictateur. Mais le dictateur lui-même doit demeurer un personnage hors du commun qu'on approche mais n'atteint jamais. L'individu est alors enfermé dans l'histoire qu'on lui raconte et qui le soumet. Celle d'Hitler, rapportée dans *Mein Kampf*, commence comme un conte de fées : « Dans cette petite ville sur la rivière Inn, Bavarois par le sang et Autrichiens par la nationalité, dorés par la lumière du martyr allemand, ont vécu là, à la fin des années 80 du siècle dernier, mes parents : le père un fonctionnaire fidèle, la mère se consacrant aux soucis ménagers et au soin de ses enfants avec éternellement la même bonté. » L'histoire se poursuit au pouvoir, douce et rassurante, forte et fascinante, lorsqu'elle peint Hitler comme un moine moderne, pauvre, chaste, dévoué, comme un héros doué de toutes les qualités humaines, fidèle, juste, mesuré, mais aussi comme un saint rédempteur, un chevalier du Graal, voire Dieu lui-même. En 1937, au rassemblement annuel du Parti nazi de Nuremberg, trône un gigantesque portrait du Führer, accompagné de ces mots : « Au début était le Verbe. »

De l'aimé à l'idole

« Vous pouvez bien imaginer combien et à quel point cela m'a plongé dans une complète extase. » L'homme qui a si fiévreusement vibré est Pasquale Troise, directeur général de la Banque d'Italie. Il l'écrit sans pudeur dans une lettre adressée à Osvaldo Sebastiani, secrétaire particulier de Mussolini. Pourquoi un tel émoi ? Parce que le Duce lui a envoyé sa photographie dédicacée à l'occasion de la naissance de sa petite-fille, accompagnant le précieux témoignage d'attention de quelques mots aimables pour sa fille, heureuse maman.

On ne compte plus les demandes de photographies qui, émanant de responsables fascistes, de hauts fonctionnaires, de chefs d'industrie ou de simples particuliers, s'amoncellent sur le bureau de Sebastiani. Qu'ils obtiennent satisfaction, et leur remerciement tient moins de la flatterie que de la béatitude. « Je suis tellement heureux », écrit Tullio Canetti en 1939 : le nouveau ministre vient de recevoir l'image sacrée ! « Je vous remercie de toute mon âme pour ce don précieux qui sera exposé religieusement comme le plus grand trésor de ma maison », s'enthousiasme le journaliste Giuseppe Bevione, futur patron de l'Istituto nazionale delle assicurazioni (INA). Obtenir la photo dédicacée du Duce, c'est le signe qu'on a plu. Ce cliché, qu'on pourra exhiber fièrement, on le considérera aussi comme l'indice des faveurs qui ne tarderont pas à venir. À condition qu'on se montre infailliblement fidèle à Mussolini. Surtout, ne pas le décevoir !

Le ballet des courtisans s'anime autour du Duce. On rit à ses bons mots. On applaudit. On se pâme. Quelle intelligence, quel esprit, quelle supériorité en toutes circonstances ! Moqueur, le valet de chambre de Mussolini raconte l'inquiétude fébrile des ministres qui, dans quelques instants, auront l'honneur d'une entrevue avec le Guide. Ma cravate est-elle bien ajustée ? Mes souliers bien cirés ? Un jour, le ministre des Finances, Giuseppe Volpi, arrive au Palazzo Venezia avec des chaussures neuves. Dans l'antichambre, il croise Aldo Finzi, grande figure du fascisme, qui, après l'avoir observé, lui lance : « Tes souliers grincent comme deux rossignols. Cela va irriter le Duce. » Volpi rougit, blêmit, panique et exige un verre d'eau. Il y plonge son mouchoir et frotte frénétiquement la semelle de ses chaussures. Il marche : le bruit désagréable s'est transformé en murmure. Le ministre vient d'éviter la catastrophe !

Sincère ou forcée, l'attitude d'excitation, de nervosité, d'anxiété confine aux manifestations physiques de l'état d'amoureux. Mais l'expression de la fascination pour le dictateur peut aller beaucoup plus loin. Le philologue Viktor Klemperer rapporte, dans son journal intime, ce qu'il a vu, le 13 mars 1938, après avoir poussé la porte d'accès aux guichets de la Banque d'État. Lorsqu'il entre, toutes les personnes présentes semblent pétrifiées. Le bras tendu, elles écoutent le discours radiodiffusé du Führer qui annonce l'annexion de l'Autriche. Parmi elles, Klemperer reconnaît Paula von B., assistante dans l'université où il exerçait. Et voici ce qu'il note dans son journal : « Tout en elle était extase, ses yeux brillaient, la raideur de sa posture et de son salut ne ressemblaient pas au "garde-à-vous" des autres, non, c'était un spasme, un ravissement. »

En Italie aussi, Mussolini exerce une indescriptible attraction. Certains veulent tellement lui ressembler qu'ils adoptent ses gestes et ses mimiques, déambulant dans la rue la mâchoire serrée, les yeux exorbités, l'air menaçant. Ses déplacements provoquent parfois l'hystérie collective, comme ce jour où, sur le quai de la gare de Naples, le Duce est assailli par la foule. On veut l'approcher, le toucher, le serrer contre soi. Pâle, haletant, il parvient à gagner son wagon, mais son visage est griffé et ses mains ensanglantées.

L'amour démonstratif de la foule n'atteint cependant pas toujours un tel degré de violence. En octobre 1941, Mussolini se rend à Bologne pour visiter les usines Ducati. Après son passage, les ouvriers sont invités à dire et écrire « comment ils ont vu le Duce » (*Come ho visto il Duce*) : l'ensemble de leurs témoignages – plus de 400, au total – constituera un bel album-souvenir pour Noël ! Bien sûr, il faut faire la part de la propagande dans cette affaire : le livre doit servir à la gloire du Guide suprême.

Raison insuffisante pour le disqualifier, cependant. Car, soit les témoignages sont sincères, et ils indiquent la manière dont le Duce a séduit ses hôtes ; soit ils ne le sont pas, et ils éclairent sur la conception mussolinienne de la séduction des masses ! Dans le deux cas, ils sont intéressants pour nous. Or, ce qu'on lit relève indéniablement de l'émotion amoureuse. Et ce, dès le premier contact visuel : « Cet instant est resté dans mon cerveau, comme la foudre » ; « Tout à coup, il est apparu et tout le reste a disparu par enchantement ; je ne voyais que lui » ; « Soudain, les choses qui m'entouraient perdirent toute distance à mes yeux, occupés à se rassasier de la personne que j'avais tant attendue ». Ces sentiments se prolongent par le souvenir passionnel de celui qui a dû s'éloigner : « Assise chaque jour à mon poste de travail, en fermant les yeux, je vois encore l'image inoubliable de notre grand Duce. » Mais, parfois, les témoignages, essentiellement féminins, vont beaucoup plus loin, et rapprochent l'impression décrite d'une pulsion orgasmique : « l'instant où j'ai plongé mes yeux dans les siens est resté tellement gravé en moi que j'en suis encore toute secouée. [...] je me suis sentie parcourue de frissons [...], et j'ai été prise par une grande envie de rire et de pleurer » ; « j'ai senti en moi des émotions inconnues » ; « je n'aurais jamais pu penser que sa présence procurerait en moi une émotion aussi forte ».

Cas isolé d'une frénésie populaire bien orchestrée ? La correspondance reçue par Mussolini semble indiquer le contraire. « Duce ! Je vous aime, je vous aime, je vous aime, écrit un admirateur de 15 ans, en 1934. Les mots ne peuvent exprimer mon amour pour vous. [...] Je crois que je vous adore plus que mon père, car vous avez donné la vie à un peuple. » Et, au passage, il ajoute : « Ce n'est pas de l'amour, mais de la vénération. » Dans un rapport de 1938, un mouchard note les propos d'une dame qui vient de croiser Mussolini dans un aéroport : « Il ressemblait à un dieu ! J'aurais voulu lui baiser les mains, mais je n'en ai pas eu le courage. Je l'embrasserai ce soir, en photo. » Des lettres, des poèmes, des cadeaux en tous genres, en témoignage de leur amour, les Italiens en envoient des quantités à Mussolini. Son effigie est également partout : bustes-savonnettes parfumées, cendriers décorés, maillots de bain où on imprime fièrement le visage du Duce, etc. Son portrait, présent chez le coiffeur, chez le confiseur, chez le marchand de tabac, exposé dans le salon, la salle à manger ou la chambre à coucher, est vénéré comme une image pieuse. En janvier 1938, dans le journal des *Balilla*, mouvement fasciste des 8-14 ans, on relève le dessin d'un enfant agenouillé, avec cette légende : « Avant de s'endormir, l'enfant tire quelque chose de sous son oreiller et y dépose un baiser. C'est le portrait du Duce. » Quelques mois plus tard, en septembre 1938, l'Europe est au bord de la guerre. Mussolini se rend à Munich et joue les conciliateurs. Le Duce a sauvé la paix, s'exclame la presse italienne ! Revenant à Rome par le train, il a tout le temps d'apprécier son triomphe lors d'étonnantes scènes de dévotion. « Entre Vérone et Bologne, se souvient le diplomate Filippo Anfuso, j'aperçus des paysans agenouillés au passage du train. » Et d'ajouter : « Mussolini s'aperçut qu'il était devenu un saint. »

On le dit parfois « envoyé de Dieu ». L'écrivain fasciste Emilio Settimelli, qui vient de l'entendre parler à Florence, évoque un « événement divin », tandis que René Benjamin assure qu'un Toscan lui a dit, les larmes aux yeux, à propos du Duce : « S'il avait vécu, il y a deux mille ans, sur les bords du lac de Tibériade, âme farouche et tendre, il eût été des apôtres du Christ. » Saint, compagnon du Christ, mais pas Christ lui-même. L'effet de séduction qui nourrit le culte ne va pas jusque-là pour Mussolini. Mais, pour Hitler, c'est autre chose.

En 1934, le sociologue américain Theodore Abel lance une enquête sur les nazis et, autant pour se couvrir que pour appâter le chaland, la double d'un concours. Sera primée « la meilleure histoire de vie d'un adhérent au mouvement d'Hitler ». Près de sept cents réponses lui parviennent. Parmi elles, ce genre de témoignage : « Vers 1923, j'arrivais à la conclusion que ce n'était pas un parti, mais un homme seul qui pouvait sauver l'Allemagne » ; « Ses paroles-à-ne-jamais-oublier résonnèrent en moi comme les paroles d'un prophète » ; avant de rencontrer le Führer, « j'étais un homme brisé, sur le point de se perdre, qui n'avait plus accès à Dieu. Hitler, messie, prophète et rédempteur »... « Qui est cet homme ? s'interroge Goebbels en 1925. Mi-plébéien, mi-Dieu ! Vraiment le Christ ou seulement Jean[-Baptiste] ? [...] Que je l'aime. » En France, Louis Bertrand, dans une biographie très complaisante sur Hitler, parue en 1936, parle en ces termes de l'élan des Allemands pour leur Führer : « C'est bien autre chose que de la popularité : c'est de la religion. Hitler, aux yeux de ses admirateurs, est un prophète, il participe de la divinité. J'ai reçu d'Allemagne des lettres de gens du peuple, où il est exalté comme l'Élu de Dieu et le chef-d'œuvre de la Création... »

Hitler, nouveau Christ ? Lui-même cultive cette image à dessein, comme à Nuremberg, en 1936, où il prononce un discours aux accents messianiques : « Un jour, vous entendîtes la voix d'un homme et elle parla à votre cœur ; elle vous a réveillé, et vous l'avez suivie. » La référence au Christ n'est pas rare chez ses admirateurs qui entreprennent le pèlerinage de Berchtesgaden, avec le fol espoir de l'apercevoir un instant et prétendent parfois qu'il possède des pouvoirs miraculeux de guérison. La journaliste américaine Dorothy Thompson cite même un compatriote rencontré en Allemagne, à Garmisch : « Il avait été à Oberammergau, pour assister à la pièce sur la

Passion. Ces gens sont tous fous, dit-il. Ce n'est pas une révolution, c'est une résurrection. Ils pensent qu'Hitler est Dieu. Croyez-le ou pas, une femme était assise à côté de moi à la représentation de la Passion, et quand ils ont hissé Jésus sur la Croix, elle a dit : "Le voici. C'est notre Führer, notre Hitler." Et quand ils ont payé les trente pièces d'argent à Judas, elle a dit : "C'est Roehm, qui a trahi le Chef." » Avec Hitler, et quel que soit de degré d'exactitude de l'anecdote, la force séductrice, nourrie de « magie mystérieuse » (Goebbels), débouche sur une adoration mystique aveuglante et paralysante.

À la hussarde

On connaît le destin tragique d'Eva Braun et de Clara Petacci, entraînées vers la mort par leur passion pour Hitler et Mussolini. Le cas de « Claretta » est d'autant plus singulier qu'elle fut d'abord une admiratrice du Duce avant de devenir sa maîtresse. De près de vingt ans sa cadette, elle collectionnait ses photographies, découpées dans les journaux, depuis l'âge de huit ans, et possédait même une carte postale à l'image de Mussolini cachée sous son oreiller. Chaque soir, avant de s'endormir, elle lui donnait un baiser.

Combien de lettres d'amour, de télégrammes enflammés, de messages téléphoniques éplorés le Guide du fascisme reçoit-il quotidiennement ? Impossible de le dire ; mais le courrier des femmes qui lui demandent rendez-vous – ou s'offrent à lui – est si dense qu'un secrétariat est spécialement chargé de le trier. Deux piles s'entassent, « femmes connues » et « femmes nouvelles » : pour les secondes, une enquête de police est éventuellement diligentée. Si elles ne présentent pas de danger pour la vie du Duce, tous les espoirs leur sont permis. Car son valet de chambre est formel : Mussolini reçoit chaque jour une nouvelle conquête, pas forcément belle, pas nécessairement jeune. Toujours entre deux audiences, à des horaires étonnants de régularité. Mais cela ne lui suffit pas. Son chauffeur le conduit chez des maîtresses, parfois plusieurs quotidiennement, et il se vante auprès de Clara Petacci d'avoir pu satisfaire jusqu'à quatorze femmes en une seule journée !

Les femmes de l'aristocratie italienne ne sont pas les dernières à rêver de partager le lit du puissant chef fasciste. Un bal, une réception, un entracte au théâtre sont autant d'occasions de l'approcher et d'obtenir un instant d'entrevue dans son palais. Et plus si affinités… Mais la liaison ne s'éternisera pas. Mussolini aime l'éphémère, l'amour à la hussarde et ignore ce qu'est la fidélité. La rumeur veut que le Duce soit un amant romantique ou chevaleresque, qu'il offre des fleurs à celle qu'il aime, qu'il en fasse même cultiver pour elle. La réalité est plus brutale. Il prend ce que la femme est venue lui donner, sans le moindre égard pour elle. Comme le note son valet de chambre : « Quoique les “audiences” fussent toujours placées en fin d'après-midi, le Duce n'offrait à ses conquêtes ni café, ni liqueurs. Pas même un gâteau. » Pour Mussolini, « la femme doit être passive ». Il l'explique dans un célèbre entretien avec Emil Ludwig, en 1932. Certes, il parle de la place de la femme dans la société (« Dans notre État, la femme ne doit pas compter »), mais la phrase s'applique aussi à sa conception de l'amour.

Mussolini aurait-il été aussi attirant s'il n'avait été le Duce ? On peut en douter. Or, il est manifeste que, dans l'Italie fasciste, il acquiert auprès des femmes, souvent les plus jeunes, le statut désirable de star qui fait battre les cœurs. C'est si vrai que bien des hommes s'appliquent à lui ressembler physiquement pour capter une part de son succès auprès des femmes. Ainsi naît en Italie la mode de la « tête à la romaine » ou, si l'on préfère, de la « boule à zéro ».

Hitler aussi reçoit beaucoup de lettres d'admiratrices, et ses apparitions publiques déclenchent souvent des scènes d'hystérie, où des jeunes filles hurlent, pleurent, s'agitent frénétiquement, s'évanouissent parfois : on leur recommandera d'aller se calmer dans une organisation du parti, la meilleure façon de prouver leur amour et leur fidélité au Führer ! Certaines Allemandes se mettent même en tête d'avoir un enfant avec lui, ce qui inquiète les autorités, surtout depuis que l'une d'entre elles, ayant eu l'honneur d'une audience, est allée jusqu'à déchirer son corsage devant un Hitler médusé ! Qu'il attire des femmes fanatisées, qu'il éprouve du plaisir à les posséder mentalement, il n'y a aucun doute là-dessus. Mais, contrairement au divan de Mussolini, le canapé d'Hitler ne subit aucun outrage.

La séduction, arme du fanatisme et de la servitude collective : l'expérience des fascismes glace d'effroi les démocraties qui, refusant de jouer sur les émotions des hommes, veulent parler à leur raison. Dans l'après-guerre, les responsables politiques de l'Europe démocratique se méfient de tout ce qui rappelle les heures les plus noires, condamnant plus que jamais la personnalisation de l'action publique, voyant en elle la source d'aliénation des peuples. Mais peut-on convaincre sans séduire ? Les consciences apaisées, les Européens regardent ce qui se passe très loin, de l'autre côté de l'Atlantique, dans la plus grande démocratie du monde. Là-bas, depuis longtemps, la vie politique est dominée par des personnalités fortes qui ne menacent pas la liberté des individus. Là-bas, un homme fait rêver son peuple, par sa modernité et son charme irrésistible. Il s'appelle Kennedy. Bientôt, sur le vieux continent, tous les jeunes hommes politiques, pour peu qu'ils soient ambitieux, voudront lui ressembler. Et user de sa carte favorite : la séduction.

5

Plaire : le tournant Kennedy

« C'est le succès d'une star, cela n'a rien à voir avec la politique. » Prononcée avec une moue dubitative, la petite phrase lancée aux journalistes par un député républicain est éloquente sur l'agacement que provoque l'engouement collectif pour John Kennedy, le nouveau président américain, investi en janvier 1961. Il est partout, sur les écrans de télévision, sur les couvertures des magazines, sur les objets les plus divers, conservés comme des fétiches, aux États-Unis, mais aussi en Europe et ailleurs. Chaque fois qu'il met les pieds hors de la Maison Blanche, c'est l'émeute. Et cela se répète à New York, à Londres, à Berlin… Quand il se présente avec sa femme, Jackie, c'est pire encore. Les Européens sont tellement fous d'elle qu'un créateur danois a décidé de dessiner des mannequins inspirés de sa silhouette !

On comprend que la popularité de Kennedy indispose ses adversaires. Toutefois, réduire le président américain à un jeu d'apparences est aussi faux qu'injuste. C'est oublier son rôle pour l'égalité entre noirs et blancs, dans la lutte contre la pauvreté, la conquête de l'espace, la défense de la démocratie face au totalitarisme soviétique. Il est vrai, cependant, que l'enthousiasme qu'il suscite et nourrit très savamment le rapproche des célébrités d'Hollywood, avec lesquelles il s'affiche, ou des stars de la scène, d'Elvis Presley aux Beatles. Il est tout aussi vrai qu'en se saisissant de la télévision comme un outil de conquête de l'opinion, ravie, émue, voire transportée par ses interventions sur le petit écran, Kennedy semble avoir inventé un nouveau mode de séduction politique : la « séduction cathodique ». Pourtant, on aurait tort de croire que le phénomène fut immédiat, que le charme de Kennedy a immédiatement jailli, aux yeux de tous, comme une évidence. L'ex-sénateur du Massachusetts se souviendra longtemps du regard mi-interrogatif mi-suspicieux de braves électeurs à qui il tendait la main, et qui se disaient, au fond d'eux-mêmes : « Mais qui c'est, celui-là ? Il est bien jeune pour devenir président... »

Il était une fois Kennedy...

La vie de « Jack », comme on le surnomme, ressemble aux romans à l'eau de rose qui émeuvent les Américains jusqu'aux larmes. Le fils de bonne famille, éduqué dans les meilleures écoles, passé par les plus prestigieuses universités, de la London School of Economics à Harvard et Princeton, est beau comme un dieu. Tout lui est promis lorsque survient un premier drame. Atteint de la maladie d'Addison (insuffisance surrénale), mortelle à l'époque, il ne peut s'engager dans l'armée, en 1941. Surmontant obstinément ses souffrances, il parvient à servir dans la flotte américaine, jusqu'à commander une vedette lance-torpilles. C'est là que le lieutenant de vaisseau Kennedy devient brusquement un héros. Le 2 août 1943, son bateau, le *PT 109*, est coulé par les

Japonais. Blessé, mais n'écoutant que son courage, il sauve de la noyade trois de ses hommes, ramène son équipage sur une île et donne l'alerte. Une telle prouesse lui vaut la médaille de la Marine avec citation. Si les Américains ne goûtent guère les intellectuels, ils adorent les héros de guerre. Durant la campagne de 1960, l'équipe de propagande de Kennedy rappellera complaisamment ses exploits, diffusant un spot télévisé sur son fait d'armes, faisant fabriquer un fixe-cravate à l'effigie du *PT 109*, immédiatement adopté par ses supporters. Entré à la Maison Blanche, le président supervisera lui-même le film consacré à l'aventure du *PT 109*, tiré du livre de Robert Donovan, faisant même pression sur les producteurs pour que son personnage soit joué par Warren Beatty. Beatty ayant refusé le rôle pour désaccord avec la Warner Bros, Kennedy visionnera les bouts d'essai des comédiens pressentis et jettera finalement son dévolu sur Cliff Robertson, connu par la série télévisée *Les Incorruptibles*.

Après guerre, le parcours de Kennedy est encore jalonné de drames et de joies. Côté drame, il est à deux doigts de perdre la vie sur la table d'opération, et reçoit même l'extrême-onction à trois reprises. Côté joie, il est élu sénateur du Massachusetts à 35 ans, et publie *Profiles in Courage*, portraits de huit sénateurs qui ont risqué leur carrière pour leurs idées, qui lui vaut le prix Pulitzer. Et puis, en 1953, il se marie avec la délicieuse et fortunée Jacqueline Bouvier. Immédiatement, la presse se saisit du conte de fées. Le 20 juillet 1953, Jack et Jackie sont en couverture de *Life*. En short et pieds nus, cheveux au vent, sourire éclatant, on les voit au bord d'un voilier fendant la vague. « Le sénateur Kennedy fait sa cour », s'émeut le plus célèbre magazine illustré américain. Désormais, les journaux ne les quittent plus. Ils pleurent avec les Kennedy, lorsqu'en 1956 Jackie donne naissance à une enfant mort-née. Ils se réjouissent avec eux quand, en novembre 1957, naît Caroline. Quelques mois plus tard, en avril 1958, Jack, Jackie et Caroline se retrouvent en une de *Life*. Voici un couple désormais comblé, posant devant le photographe, dans la propre chambre de l'enfant. Comment résister à une si touchante image ?

Bien sûr, il y a une autre réalité du couple Kennedy, soigneusement tue par les journaux et qui ne manquerait pas de choquer l'Amérique pudibonde si la presse la dévoilait : les fredaines de John. Car, séducteur-né, il n'est pas le mari fidèle que les lecteurs et lectrices de *Life* imaginent. Il lui arrive même d'utiliser les services de son beau-frère, l'acteur Peter Lawford, pour approcher les stars ou les starlettes. Devenu président, le charme sera nourri par l'attraction du pouvoir. De Kim Novak à Gene Tierney, de Jayne Mansfield à Angie Dickinson, de Lee Remick à Janet Leigh et, bien entendu, Marilyn Monroe, les conquêtes de Kennedy font bruisser les dîners en ville. Mais les journalistes savent garder leur langue, se contentant de donner au public ce qu'il attend : l'image du bonheur. Ses adversaires eux-mêmes s'interdisent de tirer argument de son infidélité chronique.

Naissance d'une rock-star

En 1960, lorsqu'il se lance dans la campagne des primaires démocrates, Kennedy n'est pas un inconnu, du moins dans les villes de la côte Ouest où l'on suit au plus près l'actualité : on connaît l'homme politique, bien sûr, mais aussi l'élégant sportif, habile golfeur (swing superbe et handicap 7-10) et partenaire de Jackie au tennis. Mais dans l'Amérique plus profonde, il reste beaucoup à faire pour séduire le citoyen. Le futur président des États-Unis conserve ainsi un souvenir douloureux de sa tournée, lors de la primaire démocrate, dans certains districts du Wisconsin, comme le dixième, qui s'enfonce dans les Grands Lacs. Il s'arrête à Ladysmith, Ingram, Prentice, Phillips, Cornell, et chaque fois le scénario se répète. Lorsqu'il arrive dans le village, il paraît plongé dans une scène de western, juste avant le duel final : la rue principale est totalement vide et le silence pesant. Courageusement, le candidat se rend alors dans le café ou la petite salle où il est censé parler : là, les huit à dix personnes qui l'attendent l'écoutent d'une oreille distraite. Puis il cherche le contact en allant à la sortie d'une usine ou en poussant la porte d'un bistrot. « Mon nom est John Kennedy, je suis candidat à la présidence aux élections primaires ! » lance-t-il, joyeusement, à la cantonade. Au mieux, on lui jette un regard furtif avant d'avaler une nouvelle bouchée de sandwich ; au pire, on grogne et on lui fait comprendre en fronçant le sourcil d'un air menaçant qu'il n'est pas le bienvenu. Parfois, une main se tend. Hélas, c'est celle d'un écolier qui ne vote pas ou celle d'un homme dont la jovialité inattendue s'explique par un excès de boisson.

Kennedy n'est pas un grand orateur et, à vrai dire, ne prend guère de plaisir à s'exprimer en public. Il n'aime pas les discours exaltés, truffe ses interventions de chiffres et de citations et refuse catégoriquement d'adopter les gestes amples qui galvanisent les foules. On ne le verra pas non plus taper dans le dos des notables locaux pour montrer sa sympathique complicité ni s'exhiber en bras de chemise pour faire peuple. Au contraire, il tient à porter des costumes impeccables (et coûteux !) et ne desserre jamais son nœud de cravate. Mais, là, son goût pour le chic classique rejoint des préoccupations de communication : il s'agit pour lui, à qui on reproche tant sa jeunesse, sinon de se vieillir, du moins d'afficher le sérieux qui sied au prétendant à la plus haute fonction de l'État.

Pourtant, au fil de la campagne présidentielle, il fait quelques concessions, ponctuant son discours d'un geste de la main droite, court et sec, y ajoutant quelques anecdotes soigneusement répétées en coulisses et des formules que ses auditeurs attendent comme « Il est temps de réveiller le pays ». Applaudissements garantis. Avec huit à dix interventions par jour, dans les hôtels, les foires-expositions ou les salles de billard, Kennedy apprend vite. Il apprend à plaisanter quand un micro tombe en panne, à distribuer les autographes, à retenir les noms et gratifier chacun d'une petite attention personnelle et d'un sourire sincère. Il apprend à se précipiter dans la foule pour serrer les mains dès son discours terminé, et éviter ainsi d'être happé par les notables locaux et les officiels du parti. Il apprend aussi à poser devant le photographe avec les vedettes locales de base-ball ou les femmes en tenue d'intérieur serrant leur bébé dans les bras, et surtout à se servir de sa famille pour atteindre les cœurs. « Pour préparer cette campagne, j'ai fait en sorte que mes sœurs habitent tous les États clés », s'amuse Kennedy devant ses auditeurs ravis. Ses sœurs, mais aussi ses belles-sœurs, sa mère et, bien sûr, sa femme. Pendant qu'il sillonne les routes, Jacqueline se ménage en attendant la naissance de son second enfant. Mais elle n'est pas absente au début de la campagne. C'est elle qui s'occupe du réseau téléphonique *Calling for Kennedy*. C'est elle, encore, qui tente de séduire l'électorat hispanique, en enregistrant un spot publicitaire en espagnol, diffusé dans les villes du Sud. Debout, installée dans une pièce qui peut être un salon ou une salle à manger, sourire discret, petite robe sombre à manches courtes, elle y invite les téléspectateurs à venir prendre un café avec elle et explique avec application tout le bien qu'elle pense de son mari. Elle va même jusqu'à l'interroger dans un autre film publicitaire sur des sujets censés intéresser les femmes, comme l'école ou l'assistance aux personnes âgées. À ce moment, la grossesse de Jackie ne se voit guère. Mais, quand la femme du candidat disparaît brusquement, la presse s'inquiète et interroge John. D'abord hésitant, Kennedy finit par avouer aux journalistes, avec un large sourire : « Ma femme est enceinte. » La nouvelle se répand alors comme une traînée de poudre : Jackie est enceinte ! C'est pour novembre ! Juste après l'élection ! Bientôt, toute l'Amérique attendra l'heureux événement…

Sympathique, ce Kennedy, mais cela ne suffit pas. À la fin de l'été 1960, Nixon est donné gagnant. C'est alors qu'intervient le fameux débat télévisé sur CBS, le 26 septembre 1960, suivi par 75 millions d'Américains. Peu à l'aise sur les tréteaux, le candidat démocrate séduit définitivement à l'écran. La télévision, qui n'aime ni l'emphase ni les grands gestes, où il convient de s'exprimer avec simplicité sur le mode de la conversation, est l'outil rêvé pour Kennedy. On a beaucoup glosé sur cette confrontation opposant un Nixon blafard, mal à l'aise, à un Kennedy bronzé, resplendissant. Contrairement à ce qu'on a beaucoup écrit, ce jour-là, le second ne l'emporte pas nettement sur le premier. Mais il fait peut-être mieux : en lui résistant, en se montrant solide face à ses assauts, il gagne la crédibilité qui lui manquait et, surtout, donne l'indispensable confiance qui va enthousiasmer ses partisans. Le soir même, après le débat, le maire démocrate de Chicago, Richard Daley, jusque-là des plus réservés à l'égard de Kennedy, propose à Frank Stanton, président de CBS, une petite promenade en ville. Immédiatement, il entame la conversation : « Vous savez, je vais changer d'avis et demander à mes gens de tous se rallier à

Kennedy. » Daley est conquis. Il n'est pas le seul car, jusqu'ici isolé, le candidat voit arriver vers lui tous les leaders démocrates qui le méprisaient ostensiblement. On ne le sait pas encore, mais la conversion du maire de Chicago va se révéler capitale car, dans quelques semaines, à l'issue d'un scrutin serré, c'est l'Illinois qui fera la différence en faveur de Kennedy !

On peut l'affirmer : c'est seulement au lendemain du débat que le charme de Kennedy opère pleinement ; au-delà même de ses plus folles espérances. Un vent de folie souffle sur sa campagne, dans la dernière ligne droite, au moment le plus opportun. Déferle alors la première grande vague de Kennedymania. À son passage dans les villes, le long des routes qui y mènent, sur les ponts, aux carrefours, sur le moindre monticule, la foule qui s'amasse est comme prise de frénésie. On se bouscule, on se presse jusqu'à étouffer le voisin, on veut croiser le regard de Kennedy, le toucher, lui serrer la main, lui dire son amour. Son chauffeur a toutes les peines du monde à se frayer un chemin, car les supporters s'agrippent aux portières, montent sur le capot, tambourinent à la vitre. Le candidat est accueilli par des hordes d'adolescentes, sourires béats, qui sautent sur place, bondissent, gesticulent, hurlent en chœur dans des cris d'extase. Après les adolescentes, ce sont des jeunes filles et, après les jeunes filles, leurs mères. On ne veut plus uniquement l'approcher, on veut se faire remarquer par lui. « Jack, je vous aime, je vous aime ! » Comme le note alors un sénateur démocrate, Kennedy est en train de devenir « quelque chose » entre Franklin Roosevelt et Elvis Presley. Même les hommes succombent. « Jack, je vous aime ! » devient le cri de ralliement de tous les kennedymaniaques qui paraissent se multiplier à la vitesse de l'éclair. Le candidat lui-même est emporté par l'enthousiasme. S'il ne bouleverse pas son comportement, il sait désormais prononcer les mots qui, à coup sûr, feront vibrer ses fans. Il lui suffit de commencer par « Mon nom est Kennedy et je suis venu vous demander de m'aider », pour qu'aussitôt explose un premier tonnerre d'acclamations. La presse elle-même se laisse impressionner par la fièvre des supporters de Kennedy, prédisant son large succès. Il gagne, en effet, mais sur le fil, avec seulement 112 881 voix d'avance sur Nixon et seulement 56 % des grands électeurs.

Média-séducteur

Quand on veut devenir président, il faut toujours commencer par séduire les journalistes. Cette règle, Kennedy, qui lui-même pratiqua un peu le reportage, l'a très bien comprise. Il n'ignore pas non plus la méfiance de Nixon pour les médias et souhaite, par son comportement, marquer sa différence. Dans le camp démocrate, qu'ils appartiennent à un prestigieux titre national ou à une feuille de chou, les journalistes sont sûrs d'être reçus avec le sourire. L'équipe leur affrète des avions, leur réserve des chambres d'hôtel, s'assure que leurs bagages sont bien arrivés dans leurs chambres. Une vingtaine en début de campagne, en janvier 1960, ils sont près de quatre cents à entourer quotidiennement le candidat démocrate, dix mois plus tard, à la veille du scrutin : Kennedy commande un, puis deux et finalement trois avions pour les journalistes. Sous la conduite de Pierre Salinger, chargé de la presse, tout est étudié pour leur faciliter la tâche. Que veulent-ils d'abord ? Des informations et des moyens de transmission. On les couvre de documentation, biographies de Kennedy et de ses collaborateurs, photos en abondance, numéros de téléphone de l'équipe de campagne, et surtout, textes des discours transcrits instantanément. Un quart d'heure après l'intervention, les journalistes reçoivent la copie du discours. Lorsqu'ils remontent dans l'avion, machines à écrire et ronéo les attendent. Pour ses tournées, Kennedy a prévu un car spécial pour la presse et une voiture équipée d'un poste émetteur-récepteur qui leur permet de rendre compte à leur rédaction du moindre fait et geste du candidat. Le soir, dans leur hôtel, une salle de presse est aménagée avec lignes téléphoniques et télégraphiques.

Tout cela met les journalistes dans de bonnes dispositions, mais c'est bien Kennedy lui-même qui, par son charme et son savoir-faire, se les attire définivement. En campagne, le sénateur démocrate est toujours disponible pour une interview. Il connaît chaque journaliste, les appelle souvent par leur prénom, prend des nouvelles de leur famille, fait mine de leur demander conseil. Il sait aussi manier les petits gestes complices, leur empruntant un peigne ou un stylo, échangeant avec eux une confiserie contre une tablette de chocolat. Dans les cars ou les avions, l'ambiance décontractée porte à rire. On lance des plaisanteries antirépublicaines, on hurle des chansons qui brocardent Nixon. La séduction de Kennedy est telle que les journalistes sont, à leur insu souvent, devenus des supporters.

À la Maison Blanche, les choses sont plus compliquées. À un journaliste qui, en 1962, lui demande ce qu'il pense de la presse, Kennedy répond, avec le sourire : « Je la lis de plus en plus et elle m'amuse de moins en moins. » Un chef d'État en exercice a toujours tendance à épouser un comportement schizophrénique, hostile à la presse qui serait naturellement contre lui, mais entretenant des relations conviviales avec les journalistes qu'il croit pouvoir charmer un à un. Kennedy n'échappe pas à la règle. Mieux : plus un journaliste lui semble critique, plus il s'applique à le séduire, en l'accueillant dans son bureau, en le couvrant d'amabilités, en discutant pied à pied avec lui. Le président est particulièrement attentionné à l'égard de ceux qu'il considère comme des chroniqueurs influents, tel James Reston, du *New York Times*, Walter Lippmann, Marquis Child et quelques autres. Qu'ils demandent à le voir, et aussitôt ils obtiennent un rendez-vous. Lorsqu'une crise éclate, c'est Kennedy qui décroche son téléphone et les invite à le rencontrer. Le président ne néglige pas non plus les rubriques mondaines du *Washington Post* ou du *Washington Star*, souvent tenues par des femmes. Il sait que les Américains les lisent avec appétit, et n'ignore pas que son sourire lui sera d'un grand secours durant l'interview.

Un jour, un reporter subjugué par sa compétence et sa franchise lance à Kennedy : « C'est comme cela que vous devriez parler aux Américains. » Avec un petit sourire, le président lui répond aussitôt : « Mais que croyez-vous que je suis en train de faire ? » Quand Kennedy charme les journalistes, il vise d'abord l'opinion. Et si l'on en doutait, il suffit de se rappeler la première initiative sensationnelle du nouveau président : désormais, les conférences de presse seront télévisées en direct. « C'est l'idée la plus loufoque depuis l'invention du hula hoop », s'exclame le journaliste James Reston quand il apprend la nouvelle. Pourquoi ? Parce que le chef de l'État n'est désormais plus à l'abri d'une gaffe ou d'un dérapage. C'est mal connaître Kennedy qui maîtrise parfaitement la télévision et en connaît la finalité : produire du spectacle. Les Américains aiment les shows et la conférence en est un, avec, pour vedette, « Jack », qui donne du rythme à l'émission, tour à tour grave, brillant, drôle, toujours à son avantage. Régulièrement, Kennedy accorde des interviews télévisées, laisse les caméras se promener dans les couloirs du palais présidentiel, favorise les reportages sur les coulisses du pouvoir : « Une journée comme les autres à la Maison Blanche », « Le président au travail », « Comment on prend une décision »... Mais la plus spectaculaire émission dont Kennedy est la star reste « Conversations avec le président », le 17 décembre 1962, diffusée sur les trois plus grands réseaux américains, ABC, CBS, NBC. Depuis son bureau, assis dans une chaise à bascule, il répond aux questions de trois journalistes avec une sincérité et une familiarité qui émeut l'Amérique. Il parle de sa fonction, de ses difficultés, de ses échecs : « Quand on s'engage dans une mauvaise direction, et cela m'est arrivé, c'est le président qui, fort justement, assume tout le poids de la responsabilité. » C'est aussi en parlant vrai, du fond du cœur, qu'on séduit les foules.

La maison du bonheur

Les petites filles en sont folles : elles serrent contre leur cœur Jack, Jackie et Caroline, les poupées que leur parents viennent de leur offrir, grâce au génie des marchands américains. Il y en a, du reste, pour toutes les bourses, grossièrement ressemblantes ou finement terminées à la façon des figurines Barbie qui viennent juste d'apparaître sur le marché (mars 1959) et connaissent déjà un franc succès. Les objets à l'effigie des Kennedy sont si nombreux, l'invention des industriels si foisonnante et le mauvais goût si répandu que les services de la Maison Blanche, aidés par le Better Business Bureau (dédié à l'amélioration commerciale), s'appliquent à contrôler tous les articles qui s'emparent de l'image de la famille présidentielle.

Il faut dire que Kennedy lui-même excite l'imagination des marchands du Temple, en ouvrant à la presse son espace privé : suffisamment, pour toucher le cœur des Américains ; pas trop, pour éviter les fâcheuses indiscrétions. Moderne, le président tient néanmoins à s'inscrire dans l'idéal familial qui plaît aux États-Unis : un mari fidèle et un père attentionné ; une épouse active et une mère aussi tendre que disponible ; des enfants heureux, plutôt dociles et gentiment espiègles. Les lecteurs des magazines, les habitués des journaux télévisés sont invités à suivre l'histoire d'une famille attachante, où tout le monde est beau, où le ciel est toujours bleu, où règne le bonheur simple d'être ensemble. On voit Caroline grandir, jouer dans le jardin de la Maison Blanche, bondir sur les genoux de sa maman, grimper sur les épaules de son papa, jaillir, lors d'une cérémonie officielle (en novembre 1961), habillée d'une robe et chaussée de souliers dérobés à Jackie ! N'est-elle pas amusante ? On assiste aux premiers pas de John-John. On finit même par tout savoir sur les six chiens des Kennedy. À chaque retour de voyage officiel à l'étranger, maman et les enfants sont là, à l'atterrissage de l'avion, attendant impatiemment que papa descende de la passerelle. Comment ne pas s'identifier à eux ? Comment ne pas les aimer ? Les plus téméraires écriront à la présidence pour obtenir un portrait ; les plus chanceux recevront une carte postale représentant toute la famille, avec l'autographe de Jackie et de Jack. Délicatement déposée sur le buffet, elle rejoindra le cliché encadré du petit dernier, saisi par son papa, le jour où, pour la première fois, il prit en mains une batte de base-ball. Qu'il était mignon, et que papa était fier de lui...

La photographie de Stanley Tetrick, prise en 1962, montrant John-John jouant sous la table présidentielle du Bureau ovale, tandis que son père, assis, en costume cravate, traite un dossier, a fait le tour du monde. Émouvante spontanéité ! Toutefois, le léger sourire complice de

Kennedy évitant soigneusement l'œil du photographe tendrait à prouver le contraire. Surtout, elle n'est pas isolée. Combien de clichés parus dans la presse où, en joyeuse promenade sous les arcades de la Maison Blanche, Jack sourit à John-John qu'il tient par la main, où devant son fils déguisé, le visage couvert d'un masque et le crâne d'un long chapeau pointu rouge, il éclate de rire, où Jackie, le soir de Noël, s'amuse avec ses enfants en pyjama devant la cheminée où sont alignées les chaussettes qui recueilleront bientôt les jouets tant attendus… Les Kennedy, une famille comme les autres, qui aime à se retrouver, au calme, le week-end ou en vacances, dans une maison de campagne ou au bord de la mer… Les Kennedy, un couple qui fait aussi rêver lorsqu'il navigue sur son yacht, s'accorde une partie de ski nautique ou dîne à bord en compagnie du héros de l'expédition spatiale « Friendship 7 », John Glenn, devenu un ami proche. Le tout sous l'œil attentif de la caméra des actualités télévisées.

Dix jours avant l'assassinat de Dallas, évoquant Pierre Salinger, devenu responsable des relations avec la presse du président, Jacqueline Kennedy écrit à une amie : « Si Pierre me demande de paraître avec les enfants en couverture de *Look* dans un bain de mousse, il faudra bien que je le fasse ! » Au fil des années, plus qu'un modèle, le bonheur intime des Kennedy est devenu une image de marque. Âgée de 30 ans à l'élection de son mari, Jackie, la belle et douce Jackie, l'élégante Jackie, qui porte à la perfection Dior, Chanel, Givenchy ou Cassini, est une pièce maîtresse dans le dispositif de séduction. Qui, en une du numéro de *Life* consacré à l'intronisation du nouveau chef de l'État américain (27 janvier 1961), apparaît au premier plan, dans la voiture présidentielle décapotable ?

John ? Pas du tout : Jacqueline, vêtue d'une veste et d'un chapeau crème, souriant à la foule.

Sa présence à la Maison Blanche contraste avec celle de Mamie Eisenhower, qui en dit le plus grand mal, d'autant que Jackie s'est mis en tête de réaménager la résidence présidentielle de fond en comble. En février 1962, à la fin des travaux, elle invite les téléspectateurs de CBS à une visite guidée, en compagnie du journaliste Charles Collingwood. L'émission bat un record d'audience. La brochure qu'elle publie à l'issue de la rénovation et qui doit en couvrir une partie des frais, *Guide de rénovation de la Maison Blanche*, est vendue à plus de 600 000 exemplaires. Un véritable best-seller !

Contrairement à ce qu'on pourrait croire, la conquête de l'opinion américaine n'était pas gagnée d'avance. Le pays profond reprochait un peu tout à Jackie : trop jeune, trop jolie, trop portée sur les belles toilettes et la cuisine française… bref, pas assez Américaine moyenne, pas assez Mamie Eisenhower ! Trois ans plus tard, non seulement tous ces reproches sont balayés, mais ses défauts sont devenus des qualités. Jackie a séduit au profit de Jack. Ses voyages à l'étranger contribuent à ce retournement d'image. Elle se déplace avec son mari, mais aussi seule, notamment en 1962 où elle se rend en Inde, en Angleterre puis en vacances en Italie. À chaque étape, elle fait un triomphe et les couvertures des magazines. Un succès qui rejaillit sur l'orgueil national. Elle attire tellement la curiosité que John, venu à Paris avec elle, en mai 1961, fait rire les journalistes, en ouverture du déjeuner de presse : « Je ne crois pas tout à fait inutile de me présenter à vous. Je suis le type qui a accompagné Jackie Kennedy à Paris, et j'adore cela ! » Ce que confirme le *Time Magazine* avec le même humour : « Son mari est également venu avec elle. »

Steinbeck, Malraux et les autres...

Pendant la campagne présidentielle, Kennedy s'était affiché avec des célébrités du cinéma et de la musique, amenées à lui notamment par son beau-frère Peter Lawford. Parmi les plus engagés auprès du sénateur du Massachusetts figuraient Henry Fonda, Nat King Cole, Frank Sinatra, Dean Martin, Sammy Davis Jr et Harry Belafonte qui avait même tourné un clip publicitaire où, regard face à la caméra, il vantait les mérites du candidat démocrate, en sa présence. C'est ce qu'on appellera séduire par procuration. Impossible de dire si de tels soutiens proclamés apportent des voix, mais lorsqu'on veut charmer l'électorat noir, faire appel à Belafonte n'est peut-être pas vain. C'est, en tout cas, ce que pense l'entourage du sénateur. Devenu président, Kennedy n'éprouve pas trop de difficulté à conquérir Hollywood qui fête avec lui son quarante-cinquième anniversaire, le 29 mai 1962. Sa mère est là, son fils aussi, mais pas Jackie qui refuse de croiser sa rivale, Marilyn Monroe.

Homme de culture, Kennedy s'applique aussi à séduire les artistes et les intellectuels. Cela commence dès son investiture où, après avoir invité Robert Frost (86 ans) à lire un poème, il convie à la tribune une cinquantaine d'écrivains et philosophes, dont John Hersey, Paul Tillich, W.H. Auden, Robert Lowell, Saint-John Perse, Jacques Maritain ou John Steinbeck qui, se rappelant les heures noires du maccarthysme, déclare : « Quelle joie que la culture ne soit plus une preuve évidente de trahison. » D'autres, ne pouvant se rendre à Washington, envoient un petit mot reconnaissant : « Merci pour vos paroles nobles et courageuses, écrit E.B. White. Ce discours m'a rendu très fier d'être américain et m'a rempli d'espérance. » Quant à Hemingway, contraint de suivre la cérémonie à la télévision depuis son lit d'hôpital, à Rochester, il témoigne au nouveau président toute son admiration.

L'affaire ne s'arrête pas là, et sa suite doit beaucoup à Jackie. Car, dès l'automne, Kennedy organise une série de dîners à la Maison Blanche où défilent les plus dignes représentants de l'intelligence et de la création contemporaines. Le 13 novembre 1961, le violoncelliste espagnol Pablo Casals, qui s'était promis de ne plus jouer en public pour protester contre la dictature franquiste, accepte de se produire devant le couple présidentiel. « Je n'ai jamais connu quelqu'un qui écoute plus attentivement que lui », s'émeut Casals. Après Casals, il y a Stravinsky, puis cinquante prix Nobel, puis André Malraux, grâce à qui la Joconde vient à New York.

Kennedy aura finalement accompli un exploit que seul Franklin Roosevelt avait approché : séduire l'Amérique d'en haut sans contrarier l'Amérique d'en bas, l'Amérique des élites et celle des cols bleus, charmer à l'intérieur mais aussi à l'étranger. On sent bien, alors, confusément, qu'un tournant s'opère dans la manière de faire de la politique, que s'ouvre une ère nouvelle : dans la société de l'image, en voie d'hégémonie, les qualités personnelles et les apparences compteront au moins autant que les idées. Impossible de convaincre l'opinion sans d'abord séduire le téléspectateur.

6

Planète Kennedy

« Kennedy vivant ! » Le 9 avril 1971, *Ici-Paris* publie un scoop ou, en tout cas, le présente comme tel à ses lecteurs. Alors qu'en une apparaît un immense portrait du président assassiné, le journal précise dans sa titraille : « Fou et défiguré, il vivrait caché dans l'île d'Onassis. » Alors, tout s'explique. L'idylle de Jackie avec l'armateur grec, de vingt-trois ans son aîné, ne serait qu'un leurre pour protéger l'homme de sa vie : « Pour le sauver, Jackie a fait un mariage blanc. » Bien sûr, « cette révélation bouleverse l'Amérique ». Néanmoins, prudent, *Ici-Paris* ajoute un petit carré jaune au bas de sa couverture, qui déborde sur la photographie de l'ex-First Lady, en promenade sur une plage : « Et si c'était vrai ? » Amis du bobard, bonsoir…

Huit ans après son assassinat, Kennedy fait toujours rêver et vendre. Il n'a pas seulement séduit les Américains, mais a également conquis les cœurs d'une large partie de l'opinion internationale. Certes, les circonstances de sa disparition tragique ont ajouté à l'émotion collective. Cependant, le charme d'un des plus jeunes présidents que les États-Unis aient connus avait opéré bien avant l'événement de Dallas, et les hommes politiques, dans les démocraties occidentales, cherchent désormais à lui ressembler. Sous prétexte de dépoussiérer la vie politique, de l'extirper des convenances d'un autre âge, d'imposer à la tête des États une nouvelle génération, moderne, dynamique, accessible, regardant résolument vers l'avenir, ils s'emploient à parler, à sourire, à se comporter comme Kennedy. Celui-ci, ils en sont certains, a triomphé par la télévision. C'est par elle qu'ils séduiront les citoyens. La politique est pleinement devenue une affaire d'image, à tous les sens du mot. Les hommes dont s'entourent désormais les candidats ne sont plus seulement des militants, mais également des communicants, venus de la publicité ou des médias. Leur mission est claire : transformer le leader, par nature terne et ennuyeux, en produit désirable. Vous en avez assez des sempiternels discours des hommes politiques ? Regardez-le bien : nous l'avons rénové, relooké, tonifié. Il va vous plaire ! Et ce qui est valable pour les jeunes pur-sang fougueux l'est aussi, parfois, pour les chevaux de retour lesquels, pour qu'on les adopte, soignent leur pelage et recoiffent leur crinière…

Nixon : sourire comme Kennedy ?

« Un homme, au Texas, avait entendu Pat [*l'épouse de Nixon*], à la radio, dire que nos deux enfants aimeraient avoir un chien. Croyez-le ou non, la veille de notre départ pour Baltimore, nous avons reçu un message disant qu'il y avait là-bas un paquet pour nous. Savez-vous ce que c'était ? Un petit épagneul dans une cage, arrivé du Texas : blanc et noir, avec des taches. Notre petite fille Tricia, celle qui a six ans, l'a baptisé Checkers. » Nous sommes le 23 septembre 1952 et, devant les millions de téléspectateurs branchés sur NBC, Richard Nixon, le candidat à la vice-présidence des États-Unis, dévoile, l'œil humide, l'émouvant secret qui va faire pleurer l'Amérique. Propos étonnants, mais savamment calculés.

Il faut dire que l'heure est grave : la carrière politique de Nixon ne tient plus qu'à un fil. Tout semblait pourtant bien parti. Profitant de la popularité d'Eisenhower, avec lequel il forme le ticket républicain de la présidentielle, le sénateur de Californie, à 39 ans, était promis à une fulgurante ascension. Et puis, patatras : le *New York Times* a révélé, cinq jours plus tôt, que, pour son train de vie, il puisait régulièrement dans une caisse noire, alimentée par des financiers véreux ! Depuis, le *Herald Tribune* et le *Washington Post* réclament en chœur sa démission. Il y a le feu à la maison. Alors, Nixon a décidé de réagir vite. Il a acheté trente minutes d'antenne sur NBC pour tenter de retourner l'opinion en sa faveur. Trente minutes où il va jouer son va-tout.

À 18 h 30, le sénateur de Californie apparaît à l'écran, assis à une table, dans le décor d'un bureau-bibliothèque, habituel pour une allocution. Il tient son discours à la main. Regard sombre, il commence : « Mes chers compatriotes, je viens devant vous comme un candidat à la vice-présidence et comme un homme dont l'honnêteté et l'intégrité ont été mises en cause… » Encore un discours conventionnel, où l'homme politique, la main sur le cœur, clame sa probité ? Pas tout à fait car, première surprise, Nixon annonce d'emblée qu'il va étaler devant les Américains toutes les données de sa situation financière. Et le moins qu'on puisse dire, c'est qu'il entre dans les détails : « Je possède une Oldsmobile de 1950 ; 3 000 dollars sur ma maison de Californie où vivent mes parents ; 20 000 dollars sur ma maison de Washington ; une assurance vie de 4 000 dollars. Je dois : 10 000 dollars sur ma maison de Californie ; 20 000 dollars sur ma maison de Washington ; 4 500 dollars à la Riggs National Bank ; 3 500 dollars à mes parents ; 500 dollars sur mon assurance vie. » Face à une telle transparence, les téléspectateurs ont le souffle coupé. Mais ils n'ont pas encore tout entendu, car Nixon poursuit : non, Pat n'a pas de manteau de vison, comme le prétend la calomnieuse rumeur ; non, je ne reçois pas de cadeaux ; non… C'est là que se situe le fameux épisode de l'épagneul aux yeux tendres, qui donne son nom au discours, resté célèbre comme le *Checkers Speech*.

Puis, seconde surprise : Nixon se lève. Parlant sans papier, désormais, le poing serré, la voix ferme, l'homme blessé se dresse et contre-attaque. « J'aime mon pays », lance-t-il, avant de dessiner un portrait flatteur du candidat Eisenhower. Mais tout cela ne serait rien sans la note affective. Soudain, la caméra pivote, et le téléspectateur découvre Pat Nixon, assise dans un canapé à fleurs, semblable à celui de milliers d'Américains. Les yeux emplis de tendresse, elle boit chaque parole, suit chaque geste de son mari. Elle est là, dans l'épreuve, fidèle et courageuse, stoïque et amoureuse. Comment voulez-vous, alors, qu'après tant de témoignages de sincérité, l'Amérique ne fonde pas en larmes ? Bien joué ! On applaudit l'artiste qui, en une demi-heure, a sauvé son élection à la vice-présidence. La télévision vient de montrer ce qu'elle est fondamentalement : le média du spectacle et de l'émotion. Le nez collé sur son poste, le prestigieux producteur de cinéma Darryl Zanuck est subjugué par le numéro de Nixon : « C'est le plus extraordinaire spectacle que j'ai jamais vu », avoue-t-il, admiratif. Ce que ne savent pas les Américains, alors, c'est que le sénateur de Californie et son équipe ont minutieusement répété chaque mot, chaque geste de l'émission, pour la rendre… la plus spontanée possible !

Richard Nixon a prouvé ce soir-là qu'il est une bête de télévision. Huit ans plus tard, candidat à la présidence face à Kennedy, il s'en souvient, comme en attestent les spots publicitaires de sa campagne où il tente de se rapprocher de l'Américain moyen, en faisant valoir ses origines modestes. Lui, contrairement à son concurrent, n'est pas né « avec une cuillère d'argent dans la bouche ». Son père, un homme « honnête et simple », était fermier. Il élevait des vaches et, lui qui n'avait guère le temps et l'argent pour profiter des salles obscures, donnait à chaque bête le nom d'une star de cinéma, Loretta Young, Dorothy Lamour et même Gary Cooper ! Le genre de détail, signe d'authenticité, dont les Américains sont friands… Richard a bataillé pour obtenir une bourse pour Harvard. Hélas, il n'a pu en profiter, car ses parents ne pouvaient subvenir à ses besoins, loin de la maison familiale. Il a dû alors se rabattre sur une école quaker (le Whittier College) où, sorti deuxième de sa promotion, il a obtenu une bourse qui lui a permis de poursuivre des études de droit à l'université de Duke, en Caroline du Nord. Tout cela n'est pas faux, mais le film s'applique scrupuleusement à colorer la vie de Nixon d'une touche soutenue de misérabilisme qui permet d'exalter le rêve américain : « Son histoire est la preuve vivante que l'Amérique est une terre d'opportunités pour les gens d'origine modeste. » Braves électeurs, identifiez-vous à moi !

Ce déploiement d'artifices, comme on le sait, ne suffit pas à le faire élire face à Kennedy. La bête de télévision trouve son maître un soir de septembre 1960, et l'exemplarité du parcours de Nixon ne parvient pas à faire oublier que, dans le contact avec le citoyen ordinaire, le fortuné Kennedy apparaît plus simple, plus chaleureux, plus sympathique que lui. Battu en 1960, Nixon l'est aussi en 1962, dans la conquête du poste de gouverneur de Californie. Il annonce qu'il se retire de la vie politique et commence une carrière d'avocat à New York. Mais les vibrations du barreau ne peuvent effacer en lui les souvenirs fiévreux des tréteaux électoraux. En 1968, il revient, investi par les républicains dans la course présidentielle. Son équipe le clame sur tous les tons : ce n'est pas Nixon que vous allez voir, mais le « nouveau Nixon » ! Les apparences du « nouveau Nixon » rappellent confusément celles de l'homme qui l'avait gommé de la mémoire des Américains, John Kennedy.

La séduction, cela s'organise. C'est pourquoi Nixon, pour sa campagne, s'entoure de conseillers en communication venus d'horizons différents. L'équipe de choc est pilotée par trois fortes personnalités. D'abord William Gavin, un jeune enseignant audacieux qui avait écrit à Nixon pour lui dire : soyez vous-même, montrez aux Américains le « vrai Nixon » et misez tout sur la télévision. L'ancien vice-président ne savait pas encore que celui qui prétendait être professeur à l'université de Pennsylvanie dispensait des cours d'anglais dans un lycée. Il l'avait fait venir et, épaté par son cran, l'avait engagé. Ensuite Nixon se paie les services de Henry Treleaven. Publicitaire, il est considéré comme un gourou de la communication. En 1966, il a totalement transformé l'image de George Bush : donné perdant pour le poste de gouverneur du Texas, le candidat républicain l'a finalement emporté haut la main. Depuis, les républicains ne peuvent plus se passer de lui. Enfin, le trio est complété par un ancien éditorialiste du *New York Herald Tribune*, Ray Price, qui écrit les discours du candidat, mais dont l'influence va bien au-delà de cette seule contribution. À eux trois, ils remodèlent l'image du candidat républicain. Leur défi :

transformer le « perdant » en « gagnant » ; faire oublier l'« ancien Nixon » et créer un « nouveau Nixon » qui, irrésistiblement, attirera à lui une majorité d'Américains.

Le modèle de la réussite ? Kennedy, répond Gavin dans une note de synthèse destinée à orienter la campagne. « Souvenons-nous de John F. Kennedy : un prince, auquel chacun voulait – et pouvait – s'identifier, écrit-il. L'idéal Kennedy. Propre, net, beau, spirituel, brillant, riche, fort, sûr de lui, réconciliateur, courageux, inventeur d'un style nouveau. Ne forçant personne mais entraînant tout le monde derrière lui... » Kennedy avait su créer un personnage en qui chacun pouvait se retrouver. Il faut faire de même avec l'ancien vice-président : « Richard Nixon doit apparaître comme un être plus grand que la vie, comme une légende en train de naître. Les gens sont sensibles aux légendes, y compris les légendes vivantes, beaucoup plus qu'aux individus eux-mêmes. À nous de susciter cette indispensable aura. » De l'émotion, de l'émotion, toujours de l'émotion... C'est ce que recommande également Ray Price car, selon lui, tout est question d'image : « L'électeur réagit à l'image du candidat, et non à l'homme, avec lequel 99 % de la population n'a jamais eu et n'aura jamais de contact direct. Ce n'est pas ce qui existe qui compte, mais ce qui est projeté et, pour aller au fond des choses, ce n'est pas ce que le candidat projette, mais ce que l'électeur reçoit. Nous n'avons pas à changer l'homme, mais l'impression reçue. Et cette impression, souvent, dépend beaucoup plus du média utilisé que du candidat lui-même. La politique joue à un niveau émotionnel bien plus que rationnel, et cela est particulièrement vrai quand il s'agit d'une élection présidentielle. » Ce que confirme Gavin : « Raisonner exige un haut degré de discipline et de concentration ; faire impression est plus facile. » Belle leçon de communication ou admirable leçon de cynisme ? On jugera selon son humeur.

En attendant, il y a une élection à remporter et une stratégie d'image à définir. Cela, c'est l'affaire de Treleaven. Dans une note préparatoire à la campagne, il dresse un bilan. Nixon a d'indéniables atouts. Les Américains le jugent expérimenté, solide, travailleur, consciencieux, énergique, et même intègre... Mais il est urgent d'améliorer les choses sur certains aspects capitaux. Il manque, par exemple, de chaleur humaine : là, il va falloir conduire un travail intensif pour qu'il aille au contact des gens, pour qu'il apprenne à sourire, à dire des mots aimables aux personnes qui lui sont parfaitement indifférentes... Pas très drôle, non plus, Nixon. Il a bien essayé de lancer quelques blagues en public, mais elles tombent toujours à plat. On fera appel à un vrai professionnel qui lui écrira des mots d'esprit. Un candidat sans humour qui accéderait à la Maison Blanche ? C'est tout bonnement inimaginable. Reste la « séduction physique ». Treleaven a conscience du handicap, mais lui qui, d'ordinaire, a réponse à tout, paraît brusquement démuni. Même un publicitaire capable de vendre à peu près n'importe quoi à n'importe qui ne peut accomplir de miracle...

Les stratèges de Nixon s'accordent très vite sur un point : pour construire son image, le candidat doit tout miser sur la télévision. Non seulement parce que, grâce à l'audience, le message sera démultiplié, mais surtout parce qu'en achetant de l'espace sur les grandes chaînes, l'équipe Nixon pourra fournir des produits conformes aux objectifs recherchés. La télévision, de surcroît, est le seul véritable outil pour toucher les jeunes. Et Gavin, à cet égard, prend l'exemple du plus jeune frère de John Kennedy, Robert, assassiné en juin 1968. Peu avant sa mort, le conseiller de Nixon écrit à propos de celui qui aurait pu être l'adversaire de Nixon : « La séduction qu'il exerce, à un niveau hystérique, sur la *TV generation*, c'est une expérience tactile. Des milliers de gamines veulent qu'il devienne président car ainsi elles pourront l'avoir souvent sur leur écran de télévision, caresser mentalement avec leurs doigts l'image de sa chevelure. » Bien sûr, Nixon n'a pas le sex-appeal de Bob Kennedy. Néanmoins, il faut qu'il parvienne à se faire aimer : « Faites en sorte que les électeurs aiment votre candidat, et la bataille sera aux deux tiers gagnée. »

Comment attirer les téléspectateurs ? Les allocutions les ennuient, les face-à-face avec les journalistes les endorment. La télévision, c'est du spectacle : on leur donnera des shows. Le candidat républicain en sera la vedette. Il dialoguera avec d'authentiques Américains, représentatifs de la population, ce qui favorisera l'identification des auditeurs. Il faudra un décor coloré, des jeux de lumières, des paillettes, un public qui applaudira... Un show, quoi ! Pour être sûr qu'il sera parfaitement réussi, on fait appel au meilleur spécialiste, Roger Ailes, le jeune directeur de production du célèbre « Mike Douglas Show » (il a 28 ans). C'est lui qui apporte les idées. Il imagine très vite l'émission : Nixon debout sur une plate-forme circulaire ; ses interlocuteurs, assis en demi-cercle devant lui ; tout autour, le public. Le candidat sera l'« homme dans l'arène ». Mais il ne se fera pas dévorer par les lions : au contraire, c'est lui qui les domptera.

« Trente secondes... » Après l'effervescence, le silence emplit le studio. L'émission débute avec une séquence tournée le matin même où, au milieu de la foule, Nixon lève les bras, tout sourire. « Envoyez les applaudissements. En avant, caméra 1. » Image du plateau : le candidat républicain jaillit dans l'attitude où on vient juste de le quitter. Mais il est là, en chair et en os ; en direct. Face à lui, des interlocuteurs triés sur le volet, des hommes, des femmes, une ménagère, un businessman, un magistrat juif, un Noir (pas deux, pour ne pas provoquer les Blancs !), deux journalistes…. Mais pas de fermier ! Ailes n'en veut pas, au prétexte que les paysans, obtus par nature, posent toujours les mêmes questions stupides ! On s'est renseigné sur les invités : il y a des républicains, bien sûr, mais aussi des démocrates, choisis pour leur modération (pas de militants vindicatifs !). Durant une heure, Nixon répond, argumente, ferraille, sourit. À la fin, tout le monde se lève et vient l'entourer : comme on a fait entrer trois cents personnes dans le public, on a là une belle image d'un candidat porté par les Américains. « Lancez le générique de fin… »

La première émission est plutôt réussie. L'équipe fait alors le point. Nixon est apparu décontracté et solide. Les mains sur les hanches, les bras croisés ? Très bien ! Il sait regarder ses interlocuteurs dans les yeux, mais il pourrait jouer davantage avec eux. Il est un peu pâlot : on l'exposera au soleil pour lui donner bonne mine. Il est indispensable de baisser la température dans le studio, car Nixon a tendance à transpirer. Ses réponses sont parfois un peu longues ; y remédier d'urgence. Bien demander aux invités de ne jamais poser des questions en deux parties, c'est mauvais pour le rythme. Ah, et puis autre chose : Nixon a un tic de langage, dont il devra se débarrasser. Il ne peut s'empêcher de ponctuer ses phrases par un « Je tiens à ce que cela soit très clair », très vite agaçant. Pour la prochaine fois, il serait bon de trouver un interlocuteur un peu pugnace, par exemple un chauffeur de taxi qui épouserait les idées ultra-conservatrices de Wallace. Voici une bonne idée pour donner du spectacle et valoriser l'esprit de repartie de notre champion.

Richard Nixon emporte l'élection présidentielle de 1968, face à Humphrey. La stratégie de séduction a-t-elle payé ? Sans doute, si on en juge par l'évolution de son image dans l'opinion. Reste que le candidat n'est vainqueur que d'une courte tête. Président, les Américains reconnaissent sa compétence, mais n'entretiennent aucun lien affectif avec lui. Il a beau s'appliquer à sourire comme Kennedy, il ne déclenche pas, comme lui, un élan du cœur. Ses conseillers s'en inquiètent en 1971, à un an de la nouvelle élection présidentielle. Comment rendre l'hôte de la Maison Blanche sympathique ? Ils se mettent dans la tête de rassembler une dizaine d'anecdotes sur la vie de Nixon. Complaisamment colportées, elles témoigneront de ses immenses qualités : son courage comme sa gentillesse, son sens de la repartie comme sa force devant l'adversité. On se creuse parfois beaucoup pour réunir la matière. On fouille fiévreusement dans son passé et, souvent, on ne trouve pas grand-chose. Comment, par exemple, illustrer sa force devant l'adversité ? Les conseillers sélectionnent une série de petites histoires, aussi pauvres les unes que les autres et, au bout du compte, en choisissent une. Elle tient en peu de mots : un jour, le jeune député téméraire serra très fort contre lui sa fille de deux ans, Tricia, tandis… qu'il chutait sur un trottoir verglacé ! C'est tout. Il faudra se contenter de cela. Pas toujours facile la vie de communicant…

Trudeaumania

Il s'appelle Pierre Elliott Trudeau et, pour les Canadiens, il est le nouveau Kennedy. Ils ne sont d'ailleurs pas les seuls à le penser. En juin 1968, lorsqu'il devient à 48 ans Premier ministre du Canada, l'*Evening Standard* de Londres écrit : « Pour la première fois, depuis l'assassinat de Kennedy à Dallas, un chef politique d'envergure nationale se lève. C'est actuellement l'homme politique le plus exaltant de l'autre côté de l'Atlantique. » Il ne s'est lancé en politique que trois ans plus tôt, candidat à la députation pour le Parti libéral dans la très anglophone circonscription de Mont Royal, aux portes de Montréal. S'il parle parfaitement l'anglais, ce natif de la métropole québécoise reste, aux yeux de tous, un représentant de la communauté francophone. On ne donne aucune chance à Trudeau dans un comté qui, depuis des décennies, élit des candidats anglophobes. Pourtant, le néophyte en politique emporte l'élection à la surprise générale. Comment expliquer son surprenant succès ? La clé en est peut-être donnée par le témoignage de William Tetley, avocat, vice-président du Parti libéral en 1968 et futur ministre. Durant la campagne, il organise pour Trudeau une *coffee party* qui réunit une trentaine de dames très respectables, plutôt âgées et à cheval sur les bonnes manières. Premier bon point : il arrive à l'heure exacte. Mais les regards se fixent sur sa tenue : il porte des sandales, une veste de cuir, et sa chemise, dépourvue de cravate, est négligemment ouverte. Le sourcil se fronce dans l'assistance. Heureusement, sa voix chaude, son large sourire et sa déférente politesse apaisent les craintes. Vient alors le feu roulant des questions : « Qu'allez-vous faire pour les aveugles ? » demande une dame, elle-même aveugle ; « Qu'allez-vous faire pour les professeurs ? » interroge une autre, qui enseigne au college Sir George Williams. Chaque fois, calme et empathique, éloquent et spirituel, Trudeau répond avec précision. Il sait tout sur la loi sur les aveugles, n'ignore rien de la situation des enseignants, étant lui-même professeur à l'Université de Montréal… L'assistance se détend, les auditrices s'animent et tombent vite sous l'enchantement du candidat. À la fin de la soirée, il a toutes les peines du monde à remonter dans sa Mercedes décapotable qui l'attend devant la porte. Les dames se pressent pour le retenir. Et s'il avait dit : « Qui veut m'accompagner dans ma voiture ? », on aurait frisé l'émeute. Le secret de Pierre Elliott Trudeau ? Son charme irrésistible.

On note bien des similitudes entre le parcours de Trudeau et celui de Kennedy. Comme lui, il est issu d'un milieu fortuné. Son père, brasseur d'affaires, a bâti un empire financier, en développant particulièrement des intérêts dans la distribution du pétrole. Comme lui, il a fréquenté les meilleures écoles et les plus prestigieuses universités, notamment étrangères : Harvard aux États-Unis, Sciences-Po et la Sorbonne à Paris, la London School of Economics, comme Kennedy ! Certes, il n'a pas fait la guerre, mais ses biographes exaltent auprès des Canadiens son passé d'aventurier. En 1947, il quitte Londres avec quelques dollars en poche pour faire le tour du monde. Première destination : Israël, récemment indépendant et alors en guerre. Puis, se laissant pousser la barbe, se coiffant d'un turban, il pénètre en territoire arabe. Arrêté, soupçonné d'espionnage, il est interrogé, avant d'être libéré. Près des ruines d'Ur, en Chaldée, il est encerclé par des bandits et simule la folie pour sauver sa vie. Quelque temps plus tard, on le retrouve au Pakistan puis en Afghanistan, parmi les combattants du col de Khyber. Il se nourrit de miel sauvage et de lait de chèvre, et se fraie un chemin au milieu des tirs des francs-tireurs. Le voici plus tard en Indochine, voyageant dans un convoi militaire, puis en Chine, tandis que s'achève la Longue Marche. À Shanghaï, avant que ne surgissent les troupes de Mao Tsé-Toung, il s'embarque dans le dernier bateau vers les États-Unis. Bref, une épopée de nature à échauffer l'imagination des plus jeunes et à colorer le portrait d'un personnage dont la vie tranche avec la grisaille ordinaire proposée par ses homologues canadiens.

L'attirance pour Trudeau s'amorce bien avant sa nomination à la tête du gouvernement d'Ottawa. Car, dès 1967, l'homme qui, par le passé, avait été l'ardent avocat des ouvriers en grève contre l'amiante au Québec (1949), devient ministre de la Justice dans le cabinet Pearson. Et là, il étonne par des projets proprement révolutionnaires. Dans un Canada dominé depuis un siècle par la collusion entre l'État et le clergé, il propose une loi sur le divorce et le fameux *bill omnibus* légalisant l'avortement thérapeutique et protégeant l'homosexualité. Trudeau déclarera : « Nous n'enverrons pas de police dans les chambres à coucher pour voir ce qui s'y passe. Ce qui se fait en privé entre deux adultes, que ce soit un homme et une femme ou pas, cela les regarde, cela ne regarde pas la police. » Bousculant les préjugés, le ministre se retrouve brusquement sous les feux des projecteurs. Sa médiatisation est aussi fulgurante que son ascension politique. Le pays le découvre, étonné, et les jeunes, déjà, s'enthousiasment pour un homme politique qui, enfin, semble parler le même langage qu'eux.

Bouffée d'air frais, vague de folie, adulation collective, la Trudeaumania qui commence est tout cela à la fois. Elle se répand dès avril 1968 lorsque Pierre Trudeau est élu chef du Parti libéral, en perspective du prochain scrutin législatif. Partout où il passe, les jeunes filles se pâment et des adolescentes, émues comme si elles rencontraient Paul McCartney ou John Lennon, au bord de l'hystérie, lui offrent des fleurs, lui chantent des chansons d'amour, lui tendent leur carnet d'autographes, le touchent, le couvrent de baisers. Tout en conservant le sourire, il est obligé d'employer des ruses pour se dégager de la foule de ses supportrices, s'enfuyant à toutes jambes, comme un jour sur la colline du Parlement. Peine perdue, elles le poursuivent ! De bien belles images pour les journaux télévisés du soir… Incroyable : les sondages indiquent qu'il séduit partout et tout le monde dans le pays, en territoire anglophone comme au Québec, les femmes comme les hommes, les générations montantes du baby-boom mais aussi les vieux. Ses adversaires sont furieux, à commencer par Réal Caouette, l'ancien garagiste devenu chef du Ralliement créditiste, mouvement conservateur et nationaliste québécois, qui s'exclame devant ses troupes, avec l'élégance qu'on appréciera : « On endort le peuple canadien, les femmes, les hommes et les jeunes, en montrant M. Trudeau qui se fait embrasser par des petites filles de 12 ans. Je pense que je les prendrais plutôt à 18 ans, moi toujours, hein ? »

Malgré de telles attaques, Trudeau permet aux libéraux de balayer leurs adversaires, en remportant 55 sièges sur 76. Les Canadiens anglophones sont particulièrement heureux. Ils tiennent leur revanche sur les États-Unis : ils ont « leur » Kennedy. Cette victoire, c'est d'abord celle de l'image. De toutes les images. Car les électeurs ne se sont pas déterminés uniquement en voyant à la télévision des adolescentes sautiller et lancer des petits cris de joie ridicules. Ils ont aussi assisté, la veille du scrutin, à une scène d'une grande violence qui les a impressionnés. Tous les ans, à la Saint-Jean-Baptiste, a lieu un défilé à Montréal. Trudeau est dans la tribune officielle, aux côtés du Premier ministre du Québec, Daniel Johnson, et du maire de la ville, Jean Drapeau. Soudain, les militants radicaux du Rassemblement pour l'indépendance nationale surgissent. Au cri de « Le Québec aux Québécois » et « Trudeau au poteau », ils commencent à lancer des bouteilles et autres projectiles sur la tribune d'honneur. Très vite, c'est l'affolement. Tous les dignitaires s'enfuient, sauf un : Pierre

Trudeau. Olympien, il ne bouge pas. Et, tandis que l'émeute se poursuit (elle dure cinq heures !), la caméra de la télévision tourne. Le soir que voient les Canadiens ? Le courage du candidat libéral, acclamé par les spectateurs et même les policiers, la preuve attendue que la détermination ne lui fera pas défaut, une fois arrivé aux affaires. Il ne cédera pas à l'intimidation. C'est cela, aussi, qui plaît en Trudeau.

La vague a donc porté Trudeau. Mais on ne sera pas naïf au point de le décrire comme l'involontaire bénéficiaire de l'élan d'exaltation. Par exemple, il joue avec habileté de ses apparitions. Suivi par les caméras, il choisit scrupuleusement des lieux et des moments qui feront de belles images pour les informations télévisées, jaillissant dans une rue fréquentée à l'heure de pointe, s'invitant dans un centre commercial lorsque le plus grand nombre fait ses emplettes. Quelle simplicité ! Quelle proximité avec les gens ! Avec Trudeau, on ne s'ennuie pas. Il fait l'événement, et les médias adorent cela. Ce faisant, c'est lui qui fixe leur agenda, ne leur laissant aucun moment pour souffler… et réfléchir ! Il est au moins aussi doué que Kennedy pour jouer avec les caméras : ce sont elles, il le sait, qui forgeront son image et entretiendront le lien avec l'opinion.

Trudeau cultive son style. Excentrique, pouvant arriver au Parlement en veste de sport, chemise Lacoste et sandales, Trudeau, s'il prend la politique au sérieux, ne se prend pas lui-même au sérieux. Et cela se voit. En 1974, lors du pique-nique de son parti à Vancouver, il avise un trampoline et s'y livre à des figures inattendues sous l'œil des caméras. En 1982, à Ottawa, un photographe immortalise l'impertinent Trudeau esquissant une pirouette dans le dos de la reine d'Angleterre.

L'anticonformiste Trudeau, qui aime porter blue-jeans et chemises à fleurs, est aussi un infatigable sportif. Ceinture marron de judo, skieur et nageur hors pair, il pilote lui-même l'hélicoptère qui l'emmène en tournée électorale, pratique la plongée sous-marine et la course automobile, conduit en ville de belles et puissantes cylindrées (Jaguar ou Mercedes). Bref, il choisit des sports individuels qui mettent en valeur son goût pour la performance et l'identifient personnellement à la modernité. Trudeau est « le premier homme politique véritablement moderne de l'Ouest », s'enthousiasme Jean-Jacques Servan-Schreiber dans *L'Express*. Il n'a guère que quatre ans de moins que le chef de l'opposition, Robert Stanfield. Mais son allure « cool », sa jeunesse apparente, son style débarrassé de la pesanteur des convenances donnent l'impression qu'il appartient à une autre génération. C'est cela qui plaît.

Et puis, détail qu'on ne saurait assez mettre en relief : il est un cœur à prendre ! Car Pierre Trudeau est un célibataire. Attention : pas un célibataire qui se cache, mais un célibataire qui s'affiche. Au volant de ses voitures de sport comme dans les boîtes de nuit, entouré de jolies femmes, il est devenu le *playboy* (pour reprendre le mot de Raymond Aron) qui fait le plus parler dans les dîners mondains. Ses aventures amoureuses avec l'actrice Margot Kidder ou la chanteuse Barbra Streisand sont des secrets de polichinelle. En janvier 1970, Trudeau fait la manchette des journaux, au bras de Barbra Streisand, lors de la présentation de *A Salute to Manitoba*, au Centre national des arts de Vancouver. On voit même l'actrice assister aux séances des Communes, ce qui scandalise l'opposition, d'autant que Trudeau lui lance de petits signes complices. Et la liste des conquêtes féminines de Trudeau s'allonge. On note, parmi d'autres, les noms de Liona

Boyd, Gale Zoe Garnett, Louise Merleau ou Kim Cattrall, plus tard célèbre avec *Sex and the City*.

Le 4 mars 1971, se déverse sur le Canada un torrent de larmes. On vient d'apprendre la terrible nouvelle : Pierre Trudeau s'est marié, en secret, à Vancouver, avec une jeune fille de 22 ans, rencontrée quatre ans plus tôt à Tahiti, Margaret Joan Sinclair, fille de James Sinclair, ex-ministre des Pêcheries dans le gouvernement Saint-Laurent. Est-ce un signe ? Lorsque l'information est connue, s'abat sur Montréal la pire tempête de neige que la ville ait connue en un siècle ! En tout cas, le mariage du Premier ministre annonce le reflux des dernières manifestations fiévreuses de la Trudeaumania.

Les Trudeau occupent la rubrique de la presse du cœur, car bientôt naît un enfant (Justin), puis un deuxième (Alexandre), puis un troisième (Michel). Ils savent donner l'image d'un couple heureux auxquels les Canadiens peuvent, de près ou de loin, s'identifier. C'en devient même un argument électoral. En 1974, lors d'une réunion publique, Margaret s'exclame : « Pierre est un type merveilleux, un être adorable qui m'a beaucoup appris de l'amour. » Entendez-vous les violons de la comédie romantique hollywoodienne ? Mais l'opposition prend cela très au sérieux. Du coup, on voit même fleurir dans les meetings des pancartes qui proclament : « Stanfield aussi est un amoureux. » Patience, car bientôt, les adversaires de Trudeau auront leur revanche. Quelques années plus tard, en effet, le mariage, ruiné par les infidélités réciproques, tourne au fiasco. En 1977, Margaret rompt pour s'enfuir avec Mick Jagger !

Ce jour-là, le Premier ministre se serait bien passé des médias. Il s'est servi de sa vie privée pour séduire l'opinion et, à l'heure où éclatent au grand jour ses déboires conjugaux, il ne peut empêcher les micros et les caméras de violer son intimité. Les relations se raidissent entre Trudeau et les journalistes. La tension se manifeste par l'arrogance, le mépris, la colère du Premier ministre qui le conduisent un jour à adresser un doigt d'honneur à la meute des reporters. Ce climat s'ajoute au désenchantement de l'opinion qui ne croit plus guère à la « société juste » que promettait Trudeau en 1968. Son assise populaire s'effrite, devant les coups de boutoir des séparatistes, les difficultés économiques, l'usure du pouvoir. Il aura pourtant marqué la vie politique canadienne, en dirigeant le pays près d'une quinzaine d'années (1968-1979 ; 1980-1984).

Plus Kennedy que moi, tu meurs

« Qui ?... Moi ? » Le ministre de l'Intérieur italien, Mario Scelba, sursaute, regarde à gauche, à droite, hésitant entre la peur et l'indignation. Les visages de ceux qui l'entourent ne lui laissent aucun espoir. Oui, le premier flic d'Italie, l'homme qui a forgé sa réputation sur la rudesse et l'intransigeance, va devoir accepter le pire outrage : se faire maquiller pour passer à la télévision ! Quelques jours plus tard, *L'Unità*, le quotidien communiste, se moquera de son adversaire politique, que les Italiens ont vu couvert de « fard rose ».

Nous sommes le 1er octobre 1960, quelques jours après le débat Kennedy-Nixon. Pour la première fois en Italie, à l'occasion de la campagne électorale pour les municipales de novembre, les hommes politiques défilent sur le petit écran, en direct, dans le cadre de l'émission « Tribuna elettorale ». Mario Scelba a ouvert le feu, paralysé par l'outil qu'il découvrait. Quelques jours plus tard, c'est au tour d'Aldo Moro, le leader démocrate-chrétien, de se livrer à l'exercice. Le moins qu'on puisse dire est qu'il ne s'embarrasse pas de précautions pour parler aux téléspectateurs. On lui explique qu'il faut s'exprimer sans notes, paraître décontracté, spontané. Un de ses fidèles, Corrado Guerzoni, se propose même de lui donner des conseils. Il n'en a cure. Il est venu avec un texte, soigné jusqu'à la moindre virgule, et il a bien l'intention de le lire. Ce qu'il fait, sans même saluer préalablement ses auditeurs. Le verdict des journaux est sévère : Moro ? Quel ennui ! En revanche, Giovanni Malagodi, le chef du parti libéral, fait l'admiration de la presse. Quelle simplicité, quelle aisance ! Lui s'est préparé et a écouté les recommandations de ceux qui, dans son entourage, connaissent bien la télévision : regarder l'objectif, comme si on s'adressait à un interlocuteur, droit dans les yeux ; tenir ses mains près de soi, ne pas les agiter, ne pas les lancer vers la caméra, sans quoi elles paraîtront énormes ; se vêtir d'une chemise bleue, bien adaptée à la télévision en noir et blanc, et d'une cravate en laine qui ne brille pas à l'image ; éloigner son regard de la petite lumière rouge au-dessus de la caméra qui finirait par hypnotiser l'orateur, etc. Malagodi se laisse convaincre sans peine. Il sait que la télévision est une technique qu'il faut maîtriser, car il suit au plus près ce qui se passe de l'autre côté de l'Atlantique. Il sait aussi que, grâce à elle, le candidat démocrate a subjugué les Américains. Il sait surtout qu'on ne séduit pas les électeurs uniquement avec des mots : à l'heure du petit écran, c'est d'abord l'apparence qui compte. Malagodi n'a ni l'âge (56 ans), ni le sex-appeal, ni l'aisance naturelle de Kennedy, mais il a en tête son modèle lorsqu'il se présente aux Italiens, un soir d'octobre 1960.

En Italie aussi, le mythe Kennedy pénètre tout doucement l'espace public. Cependant, la vie politique est dominée par l'appareil du parti démocrate-chrétien, ses réseaux, ses amitiés, ses solidarités et son inertie, et les leaders se distinguent surtout par leur fadeur. Bref, les stratégies séductrices à l'américaine paraissent lointaines, pour ne pas dire exotiques. Il en va différemment en France, au moins pour deux raisons. D'abord, la Ve République, en plaçant au sommet de la pyramide de l'État un président de la République tout-puissant, et bientôt élu directement par les Français, a favorisé la personnalisation de la vie publique. La politique est, certes, une affaire de partis, mais aussi de personnes qui cherchent à sortir du lot pour capter les suffrages des citoyens. De ce point de vue, la France se rapproche des États-Unis, où l'élection présidentielle se construit sur le dialogue entre un individu et la masse des électeurs. Ensuite, la France des années 1960 est dominée, pour ne pas dire écrasée, par la figure du général de Gaulle, dont la légitimité se fonde sur l'histoire. Il est un héros et ceux qui lui succèderont ne seront plus que des hommes ordinaires. Admiré, de Gaulle n'a guère à pousser ses avantages de séducteur pour emporter l'adhésion. Mais ceux qui prétendent en hériter ou s'en démarquer doivent, au contraire, user de toutes les armes du vulgaire mortel, y compris celles de l'apparence. Quel qu'il soit, le successeur de de Gaulle devra projeter l'électeur dans un autre imaginaire, où le vieux Général incarne la France archaïque, et soi-même la jeunesse, l'avenir, la modernité, toutes qualités portées alors par Kennedy.

À la recherche du Kennedy français... Dans les années 1960-1970, on ne manque pas de prétendants au centre et à droite de l'échiquier politique : Jean Lecanuet, Jacques Chaban-Delmas, Valéry Giscard d'Estaing, Jean-Jacques Servan-Schreiber... Le premier n'a pas eu la chance de rencontrer le président américain assassiné, mais les trois autres ont été reçus dans le Bureau ovale :

Servan-Schreiber (alors patron de *L'Express*) dès 1960, Chaban-Delmas (président de l'Assemblée nationale) en 1961, Giscard d'Estaing (ministre de l'Économie et des Finances) en 1962. Ils en parlent, en font parler et, au moment opportun, transforment leur photo-souvenir en outil de propagande, à l'instar de Chaban-Delmas qui, candidat à la présidentielle de 1974, propose une affiche où on le voit en conversation avec Kennedy. Deux amis ? Deux complices ? On hésite sur l'impression donnée par l'image. Mais un détail attire l'attention : c'est bien le chef d'État américain qui écoute le leader gaulliste. Kennedy, fasciné par Chaban-Delmas ? Voici qui assoit l'autorité de l'homme qui prétend diriger la France !

Rendons à César ce qui appartient à César. Le premier leader politique français à affirmer sa parenté avec Kennedy s'appelle Jean Lecanuet, candidat centriste à l'élection présidentielle de décembre 1965, où il se présente contre de Gaulle. À lire *Le Courrier des démocrates*, sa brochure de campagne (2 millions d'exemplaires), on pourrait même croire qu'il en est le frère jumeau. « Incontestablement jeune [...], il porte ses 45 ans avec la vigueur et la forme physique d'un sportif. » Vous n'avez pas compris ? Alors, on va vous mettre les points sur les *i* : « Par l'âge, l'étiquette démocratique, l'humanisme chrétien, les idées et le regard posé sur les affaires du monde, voilà bien le style Kennedy. » Toujours pas convaincu ? Alors, écoutez cela : « Entre eux, que d'étonnants points communs. Il y a la culture, l'héroïsme devant l'ennemi, l'expérience de la souffrance physique la plus aiguë, la hardiesse, l'acceptation du risque utile. Il y a une vitalité de feu, l'intelligence vivace et hardie, un sens politique hallucinant, une éthique semblable et cette stature jeune, sportive, pareille à un grand signe en *V*, vers l'avenir. Il y a chez l'un et chez l'autre le don du style : une écriture pure et directe, pleine de variété, d'images, de raccourcis saisissants. » Puisqu'on vous dit que Lecanuet, c'est Kennedy réincarné !

Jean Lecanuet a une marque de fabrique ; son sourire. Il sourit sur les affiches qui envahissent les panneaux commerciaux et font connaître un homme dont les Français ignoraient le visage, deux mois avant le scrutin. Il sourit à la télévision, dans les émissions officielles de la campagne, très suivies par les électeurs. Il sourit en une de *Paris-Match*, le 27 novembre 1965, où le sportif se distingue en ciré jaune de marin. Il sourit, le lendemain, lorsque, sur la pelouse du stade de Nice, où se pressent les photographes, il donne le coup d'envoi d'un match de football. Et ce sourire séducteur qu'il arbore en toutes circonstances agace ses adversaires et les amis de ses adversaires. Lecanuet ? Pour Jean Cau, dans *Le Monde*, c'est « dents blanches et haleine fraîche super-dentifrice Johnson ». Les gaullistes le surnomment « Kennedylett », un Kennedy à la mode « Gillette ». D'une impatience ironique, Philippe Robert renchérit, dans *Combat* : « Ce n'est pas un président, c'est une idole qu'on nous demande d'élire. »

Vu de Paris, Jean Lecanuet mène une « campagne à l'américaine », c'est-à-dire une campagne où les idées s'effacent devant les apparences et le clinquant. Pour ses relations publiques, il a recruté un spécialiste en marketing et publicité, Michel Bongrand, de Services et Méthodes, agence connue pour avoir commercialisé en France les produits James Bond. Aux portes des meetings, ses supporters sont accueillis par une nuée de jeunes filles enjouées qui distribuent mille gadgets à sa gloire : porte-clés, insignes, crayons, foulards « Je vote Lecanuet »... Dans la salle résonnent les flonflons d'une fanfare qui rappellent la fête à l'américaine. Mais ce qui irrite surtout ses adversaires, c'est que les sondages révèlent une incroyable percée en quelques semaines : parti de 3 % d'intentions de vote, le voici bientôt à 15 %. De Gaulle devait logiquement l'emporter dès le premier tour de scrutin : mais, avec Lecanuet dans les jambes, il risque d'être mis en ballottage ; ce qui va être effectivement le cas.

« Un homme neuf », disent ses affiches. C'est d'abord cela qui intéresse les médias, alors que tout semble joué en faveur de de Gaulle. La nouveauté fixe l'attention et le personnage séduit les journalistes que Lecanuet, fort de l'expérience de Kennedy, sait amadouer. Le revers de la médaille est qu'on retient davantage son apparence que ses idées. Il surprend par son audace et son charme. Jamais, avant lui, un candidat briguant les plus hautes fonctions ne s'était permis de sourire sur une affiche ! Lecanuet brise un tabou, et les journaux aiment cela. C'est vrai, aussi, que, face à une caméra, il paraît à l'aise. « Je ne croyais pas qu'il pouvait y avoir quelqu'un qui parle aussi bien que le général de Gaulle », avoue une dame au journaliste Claude Angéli (*Le Nouvel Observateur*, 1er décembre 1965). Formule révélatrice, dans *L'Express* (29 novembre), Françoise Giroud dit de Lecanuet qu'il est train de « faire des ravages ». La journaliste puise à dessein dans le vocabulaire du donjuanisme, ce qui est très nouveau. Aurait-on dit de Herriot, de Blum, de Mendès France ou de de Gaulle qu'ils « faisaient des ravages » ?

VGE : Si le charme joue...

« Ferez-vous une campagne de charme ? » demande un journaliste à Valéry Giscard d'Estaing, qui vient de se porter candidat à l'élection présidentielle de 1974. « Je veux faire une campagne d'idées. Mais si le charme joue, tant mieux », répond-il. Au milieu des années 1970, la stratégie séductrice relève déjà de l'évidence. « J'attache une grande importance au style », dit encore l'ancien ministre de l'Économie et des Finances. Que faut-il entendre par style, sinon les apparences qui fixent la personnalité du candidat dans l'imaginaire commun, et nourrissent notamment le lien affectif avec l'opinion ? Fait caractéristique, en 1974, pour la première fois dans une campagne électorale, les sondeurs ne se contentent plus d'interroger les Français sur leurs intentions de vote, ni même sur la confiance qu'ils portent à tel ou tel candidat. Ils leur demandent non seulement de jauger leur compétence, mais aussi d'évaluer leur proximité affective avec eux : dites-nous si vous les trouvez sympathiques.

Giscard d'Estaing est fasciné par Kennedy et ses méthodes. Avant même d'être candidat, il envoie aux États-Unis deux de ses proches, Roger Chinaud et le préfet Charles-Noël Hardy, pour étudier au plus près les secrets du marketing politique. En tout début de campagne, grâce à son ami Jean-Jacques Servan-Schreiber, député de Nancy et fin connaisseur des États-Unis, il fait venir discrètement à Paris Joseph Napolitan, l'ex-conseiller de Kennedy en communication, auteur, en 1972, de *The Election Game*. Il s'en doutait mais, à l'issue de la rencontre, il en est persuadé : une élection est une bataille d'images et, pour l'aider à modeler la sienne, il s'entourera des conseils de communicants, conduits par Jacques Hintzy, de Havas Conseil, qui prendra un congé professionnel pour l'occasion. Ce faisant, Giscard d'Estaing fait définitivement entrer la communication dans la stratégie politique. Mais il ne le crie pas sur les toits, pour éviter qu'on le confonde avec une marionnette ou une savonnette.

Beau garçon, d'une subtile intelligence, issu d'un milieu aisé, sorti d'une grande école (Polytechnique), député à 30 ans, secrétaire d'État à 32, ministre à 35, passé maître dans l'art de parler à la télévision, bien des éléments rapprochent son parcours de celui de Kennedy. Comme lui, il est un charmeur, très porté sur les femmes. En 1988, dans *Le Pouvoir et la Vie*, il avouera avoir un « secret pour les femmes ». « J'ai été amoureux de 17 millions de Françaises », écrira-t-il, révélant même son attirance pour la secrétaire d'État aux Universités, Alice Saunier-Seïté, dans des termes peu conformes aux convenances républicaines : « Son corps est musclé… une aisance féline… quand elle faisait l'amour, elle devait y mettre la même véhémence. »

En 1974, il a 48 ans, à peine cinq ans de plus que Kennedy lorsque celui-ci arriva à la Maison Blanche. Sa jeunesse, qui lui permet d'incarner l'avenir, est même un argument qu'il assène sans cesse : « Si vous m'élisez, ce sera la France qui, de tous les grands pays du monde, aura le président le plus jeune. » Pourtant, il a un problème car, si on lui reconnaît de la compétence, il ne provoque aucun élan affectif.

L'opinion serait-elle injuste ? Depuis des années, Giscard d'Estaing déploie des efforts titanesques pour ressembler à Kennedy, pour se montrer simple, naturel, sportif, comme lui, bref pour se débarrasser de son image de technocrate. On l'a vu, dès 1964, se faire interviewer en pull-over, regagner en métro son bureau de la rue de Rivoli, descendre le Mont-Blanc à ski avec Maurice Herzog, sourire à la foire de Metz devant le gros cochon en pain d'épices offert en cadeau, répondre torse nu aux questions d'un journaliste en sortant de la douche, après un match de football dans sa ville de Chamalières et, bien sûr, jouer à plusieurs reprises son tube à l'accordéon, *Je cherche fortune*, en compagnie d'Yvette Horner et d'André Verchuren. « Si tous les hommes politiques jouaient de l'accordéon, confie-t-il en 1973 à *L'Express*, on s'entendrait mieux. » Un aveu qui émeut peut-être quelques amateurs de bals musettes, mais ne change pas fondamentalement son image. Pas facile d'incarner à la fois la modernité à l'américaine (il faut décrisper la vie politique) et la tradition populaire authentiquement française !

« Dans cette campagne, j'ai dit que je voulais regarder la France au fond des yeux, mais je voudrais aussi atteindre son cœur », déclare Giscard d'Estaing à la télévision, le 22 mars 1974. Jamais un candidat n'avait autant affiché son désir de plaire et d'émouvoir. Pour y parvenir, tous les moyens sont bons. Il choisit une affiche de campagne où, dans un jardin public, il converse avec sa fille Jacinte. Sa femme, Anne-Aymone, et ses enfants l'accompagnent dans ses meetings. Avec ses fils Henri et Louis-Joachim, il se rend au Parc des Princes pour assister au match de rugby Béziers-Narbonne. Il s'exhibe avec les stars qui le soutiennent, tels Charles Aznavour, Michel Sardou, Mireille Mathieu ou Johnny Hallyday qui, timide comme un communiant, vient apporter un brin de muguet à Anne-Aymone, le 1er mai 1974. Plus subtil : fort des sondages qualitatifs qu'il fait régulièrement commander, il cible son discours à destination des couches d'électeurs qui lui font défaut. Ainsi, finit-il par citer plus souvent les ouvriers que son adversaire de gauche, François Mitterrand lui-même.

Au bout du compte, il est élu. Mais est-il parvenu à séduire suffisamment l'électorat pour qu'il lui reste attaché ? Pas sûr. Quand, en fin de campagne, dans un sondage, on demande aux Français « Quel candidat préféreriez-vous comme ami ? », Valéry Giscard d'Estaing est précédé d'une courte tête par François Mitterrand. Il a gagné sur son image de compétence mais n'a pas déclenché l'enthousiasme qui accompagna la victoire de Kennedy. Il le sait, ce qui explique les gestes spectaculaires qu'il accomplit au début de son septennat. Sportif, on le voit skier à Courchevel, nager à la Martinique avec Ford et Kissinger, piloter un hélicoptère. Se voulant proche des gens, il invite les éboueurs de l'Élysée au petit déjeuner et médiatise ses « dîners chez les Français ». Ces gestes sont restés célèbres. D'autres, oubliés par la postérité, restent symboliques de l'image qu'il veut donner. Par exemple, en septembre 1974, il se rend, avec sa fille Valérie-Anne, dans un cinéma des Champs-Élysées pour assister à la projection de *Malher*, de Ken Russell, « comme n'importe quel Français » et, l'année suivante, fête son anniversaire en famille en allant voir *Le Tube*, pièce à succès de Françoise Dorin. Les Noël à l'Élysée, parce qu'ils le mettent en scène avec les enfants, sont aussi de grands moments de communication. En 1974, il apparaît dans le cadre d'un faux téléviseur en compagnie de Nounours, tandis que des bouts de chou scandent « Giscard ! » et battent des mains, comme à Guignol. En 1975, le président fredonne *La Pêche aux moules* puis accompagne au piano Claude François qui chante *Douce Nuit*. En 1976, Giscard d'Estaing a trouvé deux nouveaux amis, Annie Cordy et Casimir, la grosse peluche de « L'Île aux enfants ».

Anne-Aymone n'a pas l'aisance de Jackie : Giscard d'Estaing a bien essayé de la mettre en avant, lors des vœux aux Français, le 31 décembre 1974. Mais en la voyant réciter péniblement son texte, eux comme son mari ont vite compris qu'elle ne serait jamais Jackie Kennedy. Quant aux enfants du président, ils sont trop grands pour que leur père les promène dans les jardins de l'Élysée, en les guidant par la main. Toutefois, il peut compter sur le zèle de certains journaux qui invitent les Français à suivre les « exploits équestres » de Jacinte, cavalière émérite, ou couvrent le voyage « botanique » de Valérie-Anne aux États-Unis, « reine des Azalées », selon

Paris-Match (10 mai 1975). Et puis vient le temps du mariage, Valérie-Anne d'abord (1977), Jacinte ensuite (1978). *France-Dimanche* fait pleurer la France, en titrant, à propos des noces de Jacinte et de Philippe : « Ils préparent leur nid d'amour en Charente. »

En 1976, en visite officielle aux États-Unis, le chef de l'État français s'incline sur la tombe de John Kennedy, un bouquet de violettes à la main : « Sa tentative d'amener de la spontanéité et de la gaieté dans la vie publique fut, et est toujours, ce que le public attend. » En prononçant ces mots, il plaide pour lui-même, cherchant à faire passer pour naturels des gestes mûrement réfléchis.

Giscard d'Estaing n'ignore pas que Kennedy, son modèle, disposait d'une arme absolue pour séduire l'opinion : la télévision. Comme lui, il maîtrise parfaitement l'outil, jusqu'à risquer la surexposition médiatique. En mai 1975, TF1 lui consacre un portrait d'une heure vingt dont les dernières images donnent le ton : la famille Giscard d'Estaing est attablée pour le dîner. On est détendu, on sourit beaucoup, on rit de bon cœur chez les Giscard ! Et, tandis qu'en fond sonore résonnent les notes d'un concerto de Beethoven, on entend, en off, la voix du président qui avoue, avec émotion : « Ce qu'on peut attendre d'un groupe d'êtres, c'est de sentir que ce groupe d'êtres est heureux. » Dernier plan et générique de fin ! Entre-temps, le téléspectateur l'aura vu jouer du piano, siffler ses chiens, parler tulipes, narcisses et charmilles. Il aura aussi entendu sa secrétaire, qui le suit depuis dix-sept ans, dire à quel point son patron est simple et bienveillant : « Il ne manifeste jamais son impatience de manière désobligeante. Il laisse une large partie d'initiative à la personne à qui il confie l'affaire. » La plus belle réponse à ceux qui affirment combien l'ego démesuré de Giscard d'Estaing l'aveugle et le rend dédaigneux à l'égard de ceux qui l'entourent.

Le ton est donné. La télévision est aussi, pour Giscard d'Estaing, un outil pour montrer son sens de la modernité. Dans les premières années de son mandat, il innove en concevant de véritables shows à l'américaine. En janvier 1976, invité de l'émission « L'Événement », il dialogue avec quatorze femmes qui parlent de leur vie quotidienne. Giscard est donc féministe. L'année suivante, dans un numéro spécial des « Dossiers de l'écran », on le voit se déplacer de table en table pour répondre aux questions de Français choisis par la SOFRES pour représenter les différentes catégories de la population. Giscard est aussi proche des préoccupations de tous les Français. Quelques mois plus tard, c'est au tour des lycéens d'interpeller le président de la République. Giscard, ami des jeunes ? Le problème avec les jeunes, c'est qu'ils sont incontrôlables ! Le dialogue sera libre, direct, sans tabou, a annoncé le président. Les lycéens ont bien entendu le message. L'un d'entre eux lui demande : « Vous, chef de l'État, pouvez-vous gouverner sans mentir ? » Bien calé dans son fauteuil Louis-XV (faute de goût qu'il regrettera !), le président répond : « Ma réponse est oui. On peut gouverner sans mentir et quand je réfléchis à ce que j'ai pu dire depuis maintenant trois ans, je crois que je n'ai jamais menti. » Le regard impertinent et la moue dubitative des lycéens sur le plateau font, à l'image, office de sérum de vérité. Non, ce soir-là, Giscard d'Estaing ne séduit pas les jeunes.

Malgré cette belle énergie médiatique, Giscard ne suscite aucun engouement. Tout au plus de la curiosité. L'opinion, selon les sondages, le trouve toujours compétent, mais jamais vraiment sympathique. À l'heure où se profilent les difficultés économiques et sociales (1978) puis l'affaire des diamants (1979-1980), ce sentiment pèse, d'autant que le président se replie, s'enferme à l'Élysée et n'en sort plus que pour des émissions télévisées où des journalistes révérencieux sont réduits à l'état de porte-micros. Non seulement Giscard d'Estaing ne séduit plus, mais on l'accuse d'arrogance. La presse, volontiers charmée par le président jeune et innovant de 1974, se retourne. Fini les dîners chez les Français et les qualités du Kennedy français. On relève maintenant la morgue giscardienne et la dérive monarchique du régime conduit par un homme caricaturé en Louis XV, oubliant que les réceptions guindées à Chambord ou le cérémonial du repas à l'Élysée, où Giscard, maître de maison, exige d'être servi avant ses invités (même ses hôtes étrangers), ont été inaugurés dès les débuts du septennat.

À l'heure de son éventuelle réélection, l'image de Giscard d'Estaing comptera autant que son bilan. En 1981, le président sortant est, certes, défait par François Mitterrand, mais il échoue aussi parce qu'il s'est montré impuissant à s'attirer la sympathie et l'affection des Français. Le charme fut éphémère, et l'identification à Kennedy, un cruel mirage.

7

Les promesses de la com'

« Avec Jonathan Bleue, votez pour le fun. » L'affiche, signée « Parti Bleue », montre un jeune homme blond, sourire complice, qui désigne du doigt celui qu'elle interpelle, le passant, vous, moi. En mai 2004, à quelques semaines de l'élection fédérale, le Québec découvre le visage d'un candidat, chef d'un parti que personne ne connaît. Mais Jonathan Bleue n'a pas fini de faire parler de lui, tant son programme est révolutionnaire : bourses d'excellence dans le plaisir, création d'emplois de rêve pour les jeunes adultes, week-end de trois jours obligatoire, tournées générales dans les bars déductibles d'impôts, remaniement du système d'éducation avec de nouveaux enseignements, comme « Méthodologie du karaoké »... Parmi les mesures phares préconisées, la fermeture des bars une heure plus tard chaque soir qui, selon le comité d'experts du parti, permettrait d'augmenter de 3 % les emplois « dans le salage et l'écalage des arachides, sans parler de la sauvegarde d'un village entier du Guatemala ».

Vous l'aurez deviné, le Parti Bleue n'existe pas, et tout cela n'est qu'un vaste canular. Jonathan Bleue lui-même est un comédien de 28 ans, de son vrai nom François

Maranda, qui, jusqu'ici, avait tenu de petits rôles dans des films de télévision. L'opération est pilotée par la brasserie Labatt, implantée au Québec depuis 1878 et qui fabrique notamment la Labatt Bleue, lancée en 1979. L'entreprise, qui se porte mal et ne parvient plus à séduire les jeunes générations, a vu dans la campagne électorale qui s'ouvre un levier pour se relancer. Elle y a mis les moyens : services de l'agence BBDO Montréal ; cours de communication pour le comédien qui aura à répondre aux questions des médias ; spots télévisés et affiches conçus sur le même modèle que ceux des vrais partis candidats ; préparation d'interviews, avec la complicité de Radio Énergie ; réservation de pleines pages dans les quotidiens québécois. La marque a même monté un site Internet, où l'internaute dispose de multiples informations : biographie de Jonathan Bleue, programme détaillé décliné en trois volets (Loisirs, Argent, Avenir), vidéos avec messages du candidat, chanson de campagne à télécharger, pétition pour « la grasse matinée chaque lundi », etc.

Le 19 mai, le parti imaginaire diffuse son premier communiqué de presse et, pendant plus d'un mois, Jonathan Bleue mime une campagne électorale. Le plus intéressant, ici, n'est pas tant l'ampleur du gag, qui capte l'attention des médias, ni même qu'une opération promotionnelle, visant à conquérir la clientèle des jeunes, se fonde sur le geste politique, mais bien plutôt les raisons qui ont rendu la chose possible, et même crédible. Certes, Labatt détourne les codes de la séduction politique, avec des promesses absurdes et des slogans qui cachent le vide sidéral derrière l'enflure des mots : « En adhérant au Parti Bleue, vous posez un geste concret pour la collectivité, pour l'avenir et pour le fun. » Toutefois, le brasseur prend surtout le politique à son propre jeu, lui qui, depuis plus de vingt ans, s'est saisi des méthodes de la publicité et du marketing pour charmer l'électeur. Jusqu'à l'absurde. La campagne de Labatt repose sur les ambiguïtés du vraisemblable. C'est pourquoi elle trouble le public, le renvoie à sa propre crédulité, crée aussi avec lui une forme de connivence souriante. Ces images, il lui semble les avoir déjà vues ; ces mots, il lui paraît qu'il les a déjà entendus. Ce sont les images et les mots de la « com' » politique, des promesses les plus douces, des émotions et du désir, de la publicité qui, depuis les années 1980, ont envahi le discours des candidats. Les images et les mots qui charment et suscitent aussi, pour les citoyens séduits, des désillusions telles qu'ils ne croient plus à la parole politique.

La campagne de Jonathan Bleue est si révélatrice des dérives démocratiques qu'elle provoque des réactions violentes de la part des hommes politiques. « Cynique », « indécente », elle « contribue au malaise démocratique », s'insurge ainsi Bernard Landry, chef du Parti québécois. Pour condamner l'opération publicitaire, Mario Dumont, leader de l'Action démocratique du Québec, déclare, dépité : « J'ai l'impression qu'on est rendu au point où tout est marketing. » Doit-on y voir un aveu ? La politique n'échappe pas à la critique ; c'est bien pourquoi le spectacle donné par Labatt est aussi efficace et instructif.

Comme le notait déjà Louis Angé en 1930, dans son *Manuel de la publicité*, la publicité repose sur deux ressorts, le besoin et le désir. Si elle répond à l'un, elle doit surtout susciter l'autre : faire du désir un besoin. Trente ans plus tard, l'Américain Ernest Dichter, psychiatre de formation, publie un livre très remarqué, *La Stratégie du désir*, où il explique que le consommateur est un être irrationnel qui n'a pas conscience de ses besoins. Tout le travail du publicitaire consiste alors à les révéler en suscitant en lui le désir. Pour y parvenir et garantir l'efficacité du message qui lui sera délivré, il convient préalablement de bien connaître ses mobiles psychologiques. Ainsi naissent les études de marché. Mais peut-on étendre cette théorie à d'autres domaines que les produits commerciaux ? Oui, dit Dichter, qui évoque aussi la politique. Du coup, l'électorat devient un marché et l'homme politique un produit. Certes, un candidat ne se vend pas comme un vulgaire paquet de lessive ou un parfum de luxe. Mais la dynamique reste la même, celle de la séduction.

Direction Madison Avenue

En 1956, John Schneider, un ancien publicitaire, publie *The Golden Kazoo*, qu'évoque Vance Packard dans son livre à charge contre le marketing, *La Persuasion clandestine*. Avec férocité, il construit un récit d'anticipation sur la prochaine campagne présidentielle, prévue en 1960. Les agences de publicité de Madison Avenue ont pris le pouvoir, et les candidats sont devenus de pures marionnettes qu'ils manipulent. Du reste, on ne les entend même plus. Ils sont les vedettes de parades, de spectacles et de shows télévisés où sont soigneusement bannis les discours, même les plus courts. L'un d'entre eux, pourtant, murmure à l'oreille du patron de l'agence son souhait de parler aux Américains de la menace nucléaire. La réponse est cinglante : « Écoutez, si vous désirez impressionner les savants aux cheveux longs, les intellectuels, les étudiants de Columbia, faites votre discours à l'heure que vous voudrez, mais pas à celle que j'ai retenue à la télévision. » Et le publicitaire ajoute : « Songez à votre marché, voyons !... Votre marché, c'est quarante à cinquante millions de crétins assis chez eux en train d'écouter votre publicité à la radio ou à la télévision. Ces types-là se soucient-ils de l'âge atomique ?

Pensez-vous ! Ils se soucient de la note d'épicerie du vendredi suivant ! » Le candidat baisse les yeux. À la télévision, il se contentera de sourire.

L'histoire que raconte Schneider est délibérément caricaturale. Mais il connaît bien les hommes de Madison Avenue, là où, à New York, se concentrent les agences de publicité. Il sait que, depuis les années 1950, sur le modèle de firmes comme BBDO (Batten, Barston, Durstin et Osborne), qui a contribué au double succès d'Eisenhower à la Maison Blanche (1952 et 1956), elles ont renforcé leur influence, en offrant aux candidats nationaux ou locaux, des campagnes « clé en mains ». Elles ont des spécialistes en tout genre, des conseils en relations publiques aux sondeurs, des conseils en médias ou producteurs de films aux politologues ou virtuoses en mailings... En 1970, les agences en conseil assurent déjà cent cinquante campagnes pour le Congrès, plus de trois cents pour la Chambre des représentants. Elles orientent ou infléchissent l'offre politique.

En 1966, le démocrate Milton Shapp est candidat au siège de gouverneur de Pennsylvanie. C'est un proche de Kennedy, mais l'aura du président assassiné risque de ne pas suffire. Pour mettre toutes les chances de son côté, il fait alors appel à Joseph Napolitan pour le conseiller. Comment faire pour séduire l'électeur ? Le mieux, lui explique Napolitan, c'est de trouver une bonne proposition, celle qui lui plaira à coup sûr et, pour ne pas se tromper, on effectuera un sondage préalable. Après de multiples discussions, on décide d'en tester deux : l'abaissement de la majorité de 21 à 18 ans et l'élévation de l'âge du permis de conduire de 16 à 18 ans. Blanc ou noir, eau et feu, mieux ou pire, en matière de jeunesse, Shapp est prêt à soutenir tout et son contraire. Le verdict tombe : les électeurs rejettent la première proposition, mais plébiscitent la seconde. Très bien : on est trop jeune pour conduire à 16 ans, vive le permis à 18 ans ! Il faut croire qu'on ne gagne pas à tous les coups : Shapp devra attendre encore cinq ans pour conquérir le siège de Pennsylvanie.

Pour autant, la magie de Napolitan n'est pas mise en cause. En matière d'autopromotion, on peut faire confiance à un publicitaire. Trois ans plus tard, il se place au service de Ferdinand Marcos, le populiste président philippin qui brigue un nouveau mandat. Napolitan en fait le chef « chaleureux et progressiste » dont le pays a tellement besoin. Pour être sûr que le message passe dans un pays où seul un foyer sur cinq possède un téléviseur, il fait affréter une quarantaine de camions qui iront, dans chaque village, projeter un film à la gloire de Marcos. Napolitan y est-il pour quelque chose ? En tout cas, le président sortant est réélu. Peu de temps plus tard, il fait proclamer la loi martiale et instaure la dictature.

Aux Philippines, on utilise le cinéma pour toucher le cœur des électeurs. Aux États-Unis, depuis longtemps, on fabrique des spots télévisés pour les émouvoir. Certains provoquent la colère (contre l'adversaire), d'autres attirent les larmes, d'autres encore suscitent un rire complice. Le rire : voici un bon outil de conquête. *A fortiori* si le candidat pratique l'autodérision, vertu qui fait chavirer les Américains. C'est le pari gagné par Robert Squier qui, en 1978, conçoit un spot fort remarqué à l'époque pour le démocrate Bob Graham, candidat au poste de gouverneur de Floride. Graham est mis lui-même en scène. On le voit laver frénétiquement la vaisselle, vendre des légumes avec la même énergie, ouvrir et fermer la porte d'un hôtel cinq étoiles en tenue de groom ou remuer son corps en cadence à la manière d'un disc-jockey. Un résumé des « petits boulots » effectués par Graham, bien avant de se lancer en politique et de devenir député (1966). Tout cela pour arriver au slogan : « Il a tout fait dans sa vie. Il continuera à durement travailler si vous votez pour lui ! »

Faire rire, c'est bien ; émouvoir jusqu'aux larmes, c'est encore mieux. En 1976, Jimmy Carter est le candidat du Parti démocrate à l'élection présidentielle. Les États-Unis sont encore sous le coup du scandale du Watergate et des mensonges de Nixon qui l'ont conduit à démissionner en janvier 1974 et à laisser sa place à son vice-président, Gerald Ford, lui-même candidat. Les Américains aspirent à la vérité et Carter, qui l'a bien compris, déclare durant les primaires démocrates, la main sur le cœur : « Je ne vous mentirai jamais [...]. Et s'il m'arrivait d'être pris en défaut, vous seriez en droit de ne pas me soutenir ! »

Pour construire son image, il fait appel à l'ancien directeur de publicité de la Twentieth Century Fox, Gerald Rafshoon. Les deux hommes se connaissent bien : Rafshoon a participé à la campagne victorieuse de Carter pour le poste de gouverneur de Géorgie, en 1970. Les Américains veulent un candidat sincère et authentique ? On va leur offrir la belle histoire d'un brave petit qui, après la mort de son père, dut renoncer à ses études pour reprendre la ferme familiale et cultiver les champs d'arachide, laissés en héritage. Et on va leur expliquer tout cela dans un clip de quatre minutes. On y feuillettera l'album de famille, avec Jimmy, haut comme trois pommes sur son cheval à bascule, maman, papa, les frères. Maman dira tout le bien qu'elle pense de son fils. Rosalynn, l'épouse, montrera à quel point elle est une femme modeste et généreuse. On apercevra Jimmy en photo jouant avec le petit dernier ; quel chou ! Bien sûr, on entendra le candidat répondre à une interview. Sur fond de paysage bucolique, il sera accoudé à la balustrade en bois de la maison familiale et aura revêtu la chemise à carreaux des rudes fermiers géorgiens. On multipliera les plans sur les magnifiques paysages de la région, à l'heure magique où le soleil se couche. Le tout au son d'une musique qui rappellera celle des vieux westerns où les cow-boys, fatigués mais heureux, se rassemblent, le soir, autour du feu, et parlent de leur passé, dans une ambiance de tendre et franche camaraderie. On terminera sur le mont Rushmore, qui, à coup sûr, fera vibrer la fierté américaine et donnera de la hauteur à la candidature démocrate, tandis qu'une voix off indiquera au public le bon chemin à prendre : « Vote for Jimmy Carter. »

De bien belles images sur un type ordinaire, honnête et simple. Si simple que les Américains commencent à le trouver un peu fade. Si simple que les humoristes l'affublent d'un sobriquet : « Jimmy cacahuète ». Rafshoon tente alors de redresser la barre en concevant des clips plus courts (30 secondes) où Carter apparaît seul. On le voit marcher à travers les champs, fixer l'horizon d'un œil volontaire, et même délivrer un message politique. Fini aussi la musique douce et romantique. Carter est un gagnant, un vrai symbole du rêve américain. Rien de tel qu'une ballade country. Pas très moderne, mais tellement dynamique et si typiquement américaine ! Le 12 janvier 1977, James Earl Carter Jr, natif de Plains, en Géorgie, devient le 39e président des États-Unis.

Mon ami John Wayne

« Communicateur en chef. » C'est ainsi que, à l'automne 1981, dans le *New York Times Magazine*, Sidney Blumenthal surnomme le nouveau président américain, Ronald Reagan. La formule, qui fera le tour du monde, n'est pas précisément un compliment sous la plume d'un journaliste proche des démocrates (il deviendra conseiller de Bill Clinton). Mais elle décrit la réalité d'un chef de l'État dont l'image est façonnée par un « brain-trust en marketing » et la popularité fondée sur des coups médiatiques, spectaculaires parfois, efficaces toujours.

La publicité, l'ancien acteur d'Hollywood la connaît bien. Ce beau garçon, choisi à 23 ans (1940) par la classe de sculpture d'une université californienne pour représenter l'« Adonis du XXe siècle », vantait les mérites des cigarettes Chesterfield dans les placards publicitaires, à la fin des années 1940. Son sourire irrésistible fut mis aussi au service d'autres marques, comme les chemises Van Heusen Century, à la blancheur immaculée. « Le cadeau le plus impeccable pour Noël ! », assurait Reagan, en fixant son col.

Lorsqu'il se présente à l'élection présidentielle de 1980, il a depuis longtemps abandonné le cinéma, laissant derrière lui une quarantaine de films, dont aucun vraiment marquant. « J'étais l'Errol Flynn des séries B », reconnaît-il. Gouverneur de Californie depuis 1966, il a déjà tenté par deux fois d'être le candidat républicain à la présidence (1968 et 1976). En 1980, la troisième tentative est la bonne. Héraut du conservatisme et du retour aux vraies valeurs de l'Amérique, il a surtout un atout pour séduire l'opinion : lui-même. C'est ce que lui fait comprendre son conseiller en communication, Elliott Curson. Les caméras ne lui font pas peur : c'est sur elles qu'il devra tout miser. À Hollywood, il jouait plutôt les séducteurs déçus. Sur la scène de la campagne électorale, il charmera l'orgueil des Américains (« L'Amérique est de retour »), parlera à leurs sentiments et cherchera à établir avec eux une amicale connivence. Il achète ainsi trente minutes d'antenne sur CBS, NBC et ABC pour s'adresser aux électeurs. Il leur parle d'un avenir radieux et puis, soudain, fixant le téléspectateur, l'œil humide, il se livre : « L'an dernier, j'ai perdu un ami qui était plus qu'un symbole pour l'industrie du rêve et pour Hollywood. Pour des millions de gens, il était un symbole de notre pays tout entier. Le prince John Wayne ne voulait pas croire que notre nation pourrait un jour sombrer dans la poubelle de l'Histoire. Juste avant sa mort, à sa façon à lui, directe et crue, il m'a dit : "Donne à l'Amérique une raison de vivre, et elle triomphera de tout !" » Puis, brusquement, la voix de Reagan se fait plus ferme : « Le temps du changement est venu, pour une gestion énergique des affaires. » Dans les yeux de chacun s'élève, haut dans le ciel, la bannière étoilée… John Wayne ! Idée géniale ! Tout le monde aime John Wayne, la conquête de l'Ouest et les cow-boys. Il est l'emblème de l'Amérique profonde, authentique, l'Amérique des racines. Mais qui peut dire : John Wayne était mon ami ? Ronald Reagan, lui, peut l'affirmer, donner un parfum de vérité à des paroles peut-être apocryphes, et s'attribuer, au passage, une part de légende.

Reagan sait réveiller la fierté nationale qui sommeillait en chaque Américain. Mais sa force séductrice ne se réduit pas à cela. Son secret, c'est son apparente spontanéité, sa simplicité, son naturel, sa totale absence de sophistication. Il attire la sympathie des Américains parce qu'ils retrouvent en lui leurs qualités et leurs défauts, leur émotivité et leur rudesse, et même leur grossièreté, lorsqu'ils lancent avec délectation la plaisanterie la plus choquante. C'est bien pourquoi les communicants rassemblent des petites anecdotes croustillantes que leur champion lancera au bon moment, de préférence en présence de la presse. Comme l'écrit le *Time*, en février 1982 : « Les gens, la plupart du temps, aiment le bonhomme. Il raconte de bonnes histoires irlandaises. » « Les gens », entendez les hommes. C'est précisément son déficit de popularité auprès des femmes (38 % contre

53 % chez les hommes, fin 1983) qui poussera le président Reagan à nommer Jane Kirkpatrick à l'ONU et Sandra O'Connor à la Cour suprême, à mettre en avant son épouse Nancy (elle-même ex-actrice hollywoodienne) et à solliciter sa fille Maureen pour porter sa bonne parole. Si les femmes n'existaient pas, explique-t-il devant le parterre d'une association de femmes républicaines, « nous, pauvres hommes, serions toujours habillés de peaux de bêtes, la massue à la main ». Ce n'est pas avec ce genre de saillie que Reagan effacera l'image du misogyne qui lui colle à la peau. Du reste, ce jour-là, l'assistance le regarde, interloquée.

« Alors qu'il était acteur, Reagan a appris que le box-office était plus important que les critiques », note le *Time*, en août 1982. Pourtant, c'est bien la presse qu'il cherche à séduire, riant avec les journalistes, jouant sur le clin d'œil amical et la complicité virile, en toutes circonstances. Vraiment sympa, ce Reagan ! C'est pourquoi aussi il multiplie les apparitions télévisées, pas nécessairement pour y dire des choses importantes, mais pour occuper le terrain. Reagan a le sens de la parole ou du geste qui capteront l'attention des journalistes. En septembre 1983, par exemple, il reçoit à la Maison Blanche l'équipe olympique américaine de hockey. Un autre que lui aurait, un large sourire aux lèvres, serré chaleureusement la main des joueurs, et peut-être même lancé un mot d'esprit qui aurait provoqué l'hilarité générale. Mais le Grand Communicateur, aidé par ses conseillers, a imaginé une scène autrement plus télégénique. Il a fait installer une cage de but dans le jardin et demandé à Bob Mason, le gardien de l'équipe, de revêtir sa tenue de compétition. Tout l'après-midi, Michael Evans, photographe personnel du président, l'a entraîné à manier la crosse. Le moment venu, en présence du vice-président George Bush et des officiels tout sourire, sous le regard de dizaines de journalistes, de cameramen et de photographes, Ronald Reagan marque un but au champion olympique. Belles images détendues pour les journaux télévisés du soir et la presse du lendemain.

« C'est à nouveau le matin en Amérique ! » Le slogan publicitaire domine la campagne de Reagan pour sa réélection. BBDO, Ogilvy, Young et Rubicam, toutes les grosses agences sont mobilisées à son service. Mais le président sortant n'a même plus vraiment besoin de concevoir des spots pour parler à la *Real America*, à l'Amérique profonde. Elle lui est acquise. Il lui suffit juste de conforter son image. Celle de l'époux aimant qui, tenant Nancy par la main, tandis qu'ils se promènent dans le parc de la Maison Blanche, affirme, la gorge serrée : « Je ne pourrais pas imaginer la vie sans elle. » Celle du dépositaire de l'héroïsme américain : la scène où, le 6 juin 1984, dans un cimetière américain de Normandie, Ronald et Nancy s'inclinent devant des rangées de croix blanches, surpasse, par sa charge émotive, tous les clips qu'auraient pu fabriquer ses publicitaires les plus imaginatifs. Celle, enfin, de Reagan, père de la nation, réconciliateur du peuple qui parvient même à attirer l'Amérique noire. En octobre 1984, le boxeur Mohamed Ali, pourtant connu pour ses préférences démocrates, appelle à voter pour lui devant les caméras de la télévision : « Reagan veut que l'on garde Dieu à l'école et que l'on prie pour lui. Cela me suffit. » Qui, dans ces conditions, peut le battre ? Personne. Avec 59 % des voix et la quasi-totalité des grands électeurs, il balaie son adversaire démocrate, Walter Mondale.

« Fais-moi l'Europe ! »

Dans les années 1960, les États-Unis avaient leurs Joseph Napolitan, Harry Treleaven, Clifton White, Robert Squier, gourous de la publicité politique. Vingt ans plus tard, la France a ses Jacques Séguéla, Bernard Brochand, Jacques Hintzy, Thierry Saussez. Aux États-Unis, leur arme est le spot politique. En France, où il est interdit, l'affiche est le principal outil de séduction. Naguère encore intrus, les publicitaires des années 1980 sont adulés comme des faiseurs de miracles. C'est qu'en un peu plus d'une décennie, le socle même sur lequel s'appuyait la politique a bougé, en France, mais plus généralement en Europe occidentale. C'est un temps où l'on change de génération, où les clivages idéologiques s'émoussent, où la personnalisation de la vie politique s'affirme. Les héros d'hier (les de Gaulle, Churchill, Adenauer) ont fait place à des hommes plus ordinaires (Valéry Giscard d'Estaing, Edward Heath, Helmut Schmidt). Les partis communistes s'effondrent. La télévision nécessite, dans les partis, l'émergence de leaders, capables d'incarner leur famille politique aux yeux de l'opinion. La société se transforme aussi. Les frontières entre les groupes sociaux se font plus floues, et les vieilles fidélités fondées, ici sur l'appartenance à la classe ouvrière, là sur la foi religieuse, pèsent moins qu'autrefois au moment du vote. Ajoutez à cela l'argent incontrôlé qui coule à flots dans les partis, la fascination pour tout de qui vient des États-Unis et la naïveté généralisée devant les prodiges du marketing, et vous comprendrez pourquoi les années 1980 constituent l'âge d'or de la publicité politique.

Symbole de la révolution en marche, la brusque conversion de François Mitterrand. En 1965, il s'indignait des artifices américains de la campagne Lecanuet. Mais d'où vient l'argent, interrogeait-il ? En 1974, il attaquait les affiches de Giscard d'Estaing qui, conçues par une équipe de publicitaires, envahissaient les panneaux commerciaux. Mais d'où vient l'argent, renchérissait-il ? Pour lui, pas question de céder aux sirènes du marketing qui représentait tout ce que la gauche abhorrait, le capitalisme conquérant, la société du mensonge et du fric. Et puis, en 1976, c'est la volte-face. Sur les conseils de ses proches, rompus aux techniques de communication, comme Jean-Pierre Audour ou Gérard Colé, il recourt aux services de Jacques Séguéla. On est proche des futures élections municipales, prévues au printemps 1977. Au PS, les amis de Michel Rocard se disent qu'à 60 ans, Mitterrand a fait son temps et qu'il doit passer la main. Mais les sondages lui sont favorables : avec 60 % d'opinions favorables, il devance d'au moins vingt points son rival socialiste. C'est le moment de profiter de l'embellie pour, dans la perspective des législatives de 1978 puis de la présidentielle de 1981, se débarrasser définitivement des stigmates de l'image que lui attribuent depuis longtemps ses adversaires, celle d'un homme politique ambitieux pour ne pas dire arriviste, manœuvrier pour ne pas dire machiavélique. Avec Mitterrand, ce sera l'aventure, le désordre, le chaos, clamait Giscard d'Estaing, en 1974. Le leader socialiste doit pouvoir incarner tout le contraire, ne plus effrayer, rassurer au contraire, faire de son expérience un outil de séduction… une force tranquille ! La publicité vend le rêve. C'est ce rêve d'un Mitterrand apaisé et qui a pris de l'épaisseur avec le temps qu'elle offrira aux Français.

Avec le petit budget dégagé par André Rousselet, l'équipe de Séguéla sort, à la rentrée 1976, une affiche qui annonce le tournant : « Le socialisme, une idée qui fait son chemin », avec une simple signature : « François Mitterrand ». La photo, choisie par le premier secrétaire lui-même (aidé de sa femme, Danielle, et de Roger Hanin !), représente un paysage de plage des Landes au coucher du soleil (le cliché a été pris près de Latché). Mitterrand, le visage serein, esquissant un sourire, apparaît au premier plan, en manteau beige, une écharpe rouge autour du cou. L'image de l'humaniste, qui, sûr de son destin, prend son temps, de l'homme de réflexion qui se projette dans l'avenir, est collée sur six cents panneaux publicitaires. C'est peu, quand on sait qu'une campagne nationale en mobilise sept mille ; mais c'est beaucoup quand on se rappelle le haut-le-cœur que provoquaient jusqu'ici, chez lui, les méthodes du marketing politique.

Mitterrand au bord de la mer, comme un promoteur vantant les mérites de ses résidences de vacances, « les pieds dans l'eau » ? Il ne peut éviter les quolibets. Mais l'affiche de Jacques Séguéla annonce l'image nouvelle qu'il va patiemment s'appliquer à répandre, notamment grâce à la télévision. Car, au moment même où son visage surgit sur les panneaux commerciaux, Mitterrand apparaît aussi sur le petit écran. Il répugnait jusqu'ici à parler de lui ; désormais il se laisse suivre par les caméras de TF1. De la rencontre, sort un portrait pour le moins flatteur, diffusé en septembre 1976. On y découvre Mitterrand dans l'intimité, en phase avec la nature, qui connaît chaque essence d'arbre, qui vit entouré d'animaux, qui sait parler d'autre chose que de politique ! Vient alors le grand moment, celui où le téléspectateur voit l'homme sage grimpant en silence la roche de Solutré, tandis que retentit la voix du comédien Michel Piccoli lisant des extraits de *La Paille et le Grain*, le livre du chef aimé, paru l'année précédente. Le personnage prend de la hauteur, s'élève vers l'Olympe tout en restant profondément humain. C'est beau comme du Victor Hugo…

1976 : la date est importante, car le geste de Mitterrand désinhibe toute la gauche. Au PS, le mot « communication » n'est plus tabou. Le marketing n'y fait plus figure d'épouvantail. En 1974, le leader socialiste se cachait dans un coin de son affiche, sourire crispé, comme s'il n'assumait pas la personnalisation imposée par le scrutin. Sept ans plus tard, il y apparaît plein cadre, le regard plongé dans l'avenir, portant les valeurs de la France éternelle que symbolise le clocher du village de Sermages (Nièvre), qu'on aperçoit au loin, dans la brume d'un matin printanier. L'électeur doit être pris et presque envoûté par le charme apaisant de l'homme tranquille. Le 10 mai 1981, Mitterrand gagne ; le 11, Jacques Séguéla se répand dans les médias, et triomphe au journal d'Antenne 2-Midi. Monsieur Séguéla, n'est-ce pas vous et votre « force tranquille » qui avez permis au candidat de vaincre ? Mais non, mais non… Le communicant se fait modeste pour mieux délivrer son message : « Je crois que les publicitaires de France, aujourd'hui, peuvent être fiers : leur métier va entrer dans l'histoire de France. Car c'est la première fois en France qu'un candidat à la présidence de la République appelle une agence publicitaire pour l'aider à mieux communiquer et qu'il le reconnaît publiquement. » Bon prince, Mitterrand laisse dire.

La « force tranquille » mitterrandienne a le même effet que la supposée victoire de Kennedy face à Nixon dans le débat télévisé de 1960. On a trouvé la recette de la victoire ! Une bonne campagne marketing, accompagnée d'une belle affiche 4 x 3 collée sur des milliers de panneaux publicitaires, et c'est bien le diable si l'opinion ne succombe pas ! Du coup, dans les années 1980, politique et publicité fusionnent ; jusqu'à l'excès. Tout ce qui fait le succès de la publicité, toutes les émotions qu'elle agite, toutes ses thématiques ordinaires, et même ses vieux poncifs sont mobilisés. Hier, la femme, jeune, sexy, aguicheuse, ne vendait que des voitures ou des parfums pour hommes ; désormais, elle vend aussi de la politique. En 1986, au moment des élections législatives (annoncées désastreuses pour la gauche au pouvoir), sous prétexte, sans doute, que la femme est l'avenir de l'homme et que seuls les socialistes comprennent les femmes, le PS va chercher un mannequin néerlandais – une superbe blonde qui plonge ses yeux bleus dans ceux du passant – pour poser sur l'une de ses affiches (« Je veux récolter ce que j'ai semé à gauche »). À peu près à la même époque, le RPR opte, lui, pour de sympathiques préadolescents, garçonnet et fillette qui se pendent au cou de leur papa Chirac, dans une ambiance de fête où l'on sourit à s'en décrocher la mâchoire et où on clame en chœur « Vivement demain ! » (que la droite revienne au pouvoir). Du bébé « Génération Mitterrand » aux petites filles qui rêvent de construire l'Europe, les enfants, dans les années 1980, vendent le message politique comme les crèmes glacées ou les yaourts « avec de vrais morceaux dedans ».

L'Europe, justement, est un thème intéressant, parce que, lointain pour l'opinion, il pose autant de problèmes aux politiques qu'aux publicitaires. Comment en susciter l'envie chez l'électeur ? Comment provoquer le désir d'Europe ? À force de creuser ce genre de questions, on arrive parfois à de curieuses aberrations, comme cette affiche des Jeunes de l'UDF, en 1984, en soutien à leur candidate, Simone Veil. Elle est d'autant plus remarquable qu'elle n'émane pas directement d'un cabinet de publicitaires. Du coup, elle souligne à quel point leur manière de penser a fini par déteindre sur toute la communication politique. On y voit un jeune couple – il est beau ; elle est belle ! – sur un pont parisien, un jour d'été ensoleillé. Elle, légèrement vêtue, est assise sur le rebord ; lui, debout, bras de chemises relevés, l'enlace et s'apprête à l'embrasser dans le cou. Ils rient, elle surtout, les yeux fixés vers le ciel. L'image est pleine de vitalité. Publicité pour un parfum ? Pour un produit de beauté ? Pour une marque de cosmétiques ? Non, car le slogan qui barre l'affiche, écrit avec un bâton de rouge à lèvres, nous rappelle qu'il s'agit de politique : « Fais-moi l'Europe ! » Fais-moi l'Europe, comme fais-moi l'amour… Bien sûr, dira-t-on, c'est un message pour la jeunesse, un message de liberté, un message de bonheur, que sais-je encore ? Mais, là, on atteint surtout le degré zéro du message politique…

La séduction coûte cher, les dépenses des campagnes électorales consacrées au marketing explosent, et les publicitaires se frottent les mains. En 1981, le marketing électoral représente déjà 40 % des dépenses des candidats à la présidentielle. Il faut bien les couvrir, ce qui explique en partie les finances occultes des partis politiques, mais aussi l'opération « moralisation de vie publique » visant à endiguer les scandales qui les éclaboussent. La loi de 1987 limite à 100 millions de francs (23 millions d'euros) les dépenses d'un candidat au scrutin présidentiel. Miraculeusement, en 1988, Mitterrand et Chirac déclarent 99,8 millions pour l'un, 95,8 millions pour l'autre. Ces chiffres font sourire, car, par exemple, on peut évaluer la seule campagne marketing du candidat socialiste (affiches, *Lettre à tous les français*, clip télévisé, frais d'agence…) à 112 millions de francs, au moins, soit l'équivalent de 26 millions d'euros. Les abus dissimulant des financements secrets, eux-mêmes sources de scandales, le Premier ministre Michel Rocard, en 1990, fait voter des dispositions législatives qui changent la donne, limitant les dépenses électorales, renforçant drastiquement le contrôle et mettant un coup d'arrêt aux dérives du marketing le plus spectaculaire. Pourquoi ? Parce que, désormais, aucun candidat ne pourra faire coller des affiches sur des panneaux commerciaux moins de trois mois avant le début de la campagne officielle. Séguéla, Saussez et les autres trépignent et se lamentent. Ils ont raison : la loi vient de tuer la publicité politique. L'homme politique ne pourra plus compter sur son sourire de star pour accrocher le passant à chaque coin de rue.

Munster, camembert et grenouillère

Mais, heureusement, il y a la télévision ! Mission de l'homme politique : y passer le plus souvent possible. Et de préférence là où on ne l'attend pas, là où il touchera un autre public que les habitués des émissions politiques, là où il pourra faire valoir combien il est proche des citoyens ordinaires : les émissions de divertissement. Montrez à quel point vous êtes sympathique, leur recommandent les communicants, montrez combien vous avez de l'humour, combien vous savez rire, combien l'autodérision ne vous fait pas peur ! Et surtout, ne parlez pas de politique ! Et voici les hommes politiques qui, brusquement, se bousculent dans les émissions les plus surprenantes.

Pour être exact, ils ne les découvrent pas complètement. En septembre 1971, on avait vu ainsi Valéry Giscard d'Estaing participer à « Un rire un jour ». Il avait préparé quelques anecdotes destinées à montrer que l'austère ministre de l'Économie et des Finances savait rire de lui-même. Devant un public ravi, il avait notamment raconté cette gaffe. Comme tout député attentif, Giscard d'Estaing avait l'habitude d'adresser ses condoléances à un administré ayant perdu son conjoint. Un jour, il envoie un petit mot affligé à un homme dont l'épouse venait de mourir. Terrible bévue : c'est lui qui l'avait tuée !

À la fin des années 1970, « L'Oreille en coin » ou « Le Tribunal des flagrants délires », sur France Inter, accueillent régulièrement des hommes politiques. Mais, dans les années 1980, la démarche, systématisée, relève de la stratégie publicitaire pour les hommes de l'opposition comme pour ceux de la majorité, mis sur la touche. Tout commence vraiment avec Jacques Chirac qui, le 20 janvier 1984, surgit un samedi soir dans l'émission « Carnaval », de Patrick Sébastien. On le disait impatient, rigide, brutal : on le découvre souriant, plaisantant et, par sa présence même dans une émission populaire, proche des plaisirs ordinaires du peuple. Si Chirac le fait, pourquoi ne le ferions-nous pas ? Place, alors, aux chanteurs : Lionel Jospin, d'abord, interprète *Les Feuilles mortes* (décembre 1984), François Léotard, ensuite, artiste d'un soir avec *L'Ajaccienne* (mai 1985). À vouloir devenir sympathique, on finit par faire à peu près n'importe quoi. En avril 1986, le gaulliste Jacques Toubon se fait ainsi transpercer l'avant-bras par une aiguille de fakir. « Je crois que ça s'applaudit bien fort, hurle Patrick Sébastien ! Eh bien, cela, c'est du courage ! » Quelques mois plus tard, en janvier 1987, le socialiste Jack Lang vient se déhancher, à la manière de Guy Bedos, dans son célèbre sketch, *La Drague.*

Jusqu'où doit-on s'exhiber pour séduire les Français ? À la fin des années 1980, ce type de formule commence à s'épuiser. Il reste tout de même quelques irréductibles. En juin 2001, sur le plateau de « Thé ou café », on voit Nicolas Sarkozy chanter (ou plutôt fredonner) *Gabrielle*, de Johnny Hallyday, en suivant une vidéo-karaoké. Trois ans plus tôt, en décembre 1998, Jack Lang avait accepté de répondre au très politique questionnaire de Valérie Expert (« Parole d'expert ») :

Valérie Expert : Fromage ou dessert ?

Jack Lang : Quel déchirement… Je dirais plutôt fromage !

V.E. : Munster ou camembert ?

J.L. : Alors là, le munster ! Et bien fait ! Pas des munsters hygiéniques qu'on trouve partout ! Bien fort ! Odorant !

Chanter du Johnny Hallyday dans une séance de karaoké ou parler munster à une heure de faible audience, les hommes politiques, même poussés par leurs communicants, ne veulent bientôt plus le faire. Tout simplement parce qu'ils s'aperçoivent combien de telles interventions sont finalement improductives. L'opinion a d'abord regardé ces scories de marketing avec un œil amusé, puis elle s'en est lassée. Si Sarkozy ou Lang se plient à l'exercice, c'est qu'en pleine traversée du désert, ils ne voient pas d'autre moyen de passer à la télévision. Dans les années 1990, et *a fortiori* dans les années 2000, l'euphorie du marketing est retombée et la télévision propose des espaces singulièrement plus profitables pour se mettre en valeur.

Ce qui est vrai pour la France ne l'est pas nécessairement ailleurs ; en Grande-Bretagne, par exemple. Le fantasque député George Galloway, exclu du Parti travailliste en 2005 pour son bruyant antiblairisme et son hostilité non moins sonore à l'égard de Bush et à l'expédition irakienne, en fournit le cas le plus spectaculaire. En 2006, il accepte d'entrer dans le loft du fameux « Celebrity Big Brother » de Channel Four, sûr d'être vu chaque soir par trois, quatre voire cinq millions de téléspectateurs. « Tony Blair va avoir un dilemme, explique-t-il fièrement. Une part de lui-même va souhaiter que je sois éliminé pour que je ne puisse pas remporter une nouvelle victoire, mais aussi longtemps que je serai ici, je le laisserai tranquille. »

Le moins qu'on puisse dire, c'est que Galloway n'est pas venu pour rien. Les producteurs du reality-show voulaient du spectacle, ils vont en avoir. Les citoyens de

Tower Hamlets (dans la banlieue est de Londres), qui ont élu Galloway, ont le plaisir de voir leur député moulé dans une grenouillère écarlate, esquissant un improbable pas de danse en compagnie d'un transsexuel torse à moitié nu. Ils peuvent aussi l'admirer à quatre pattes, en train de mimer un chat qui lape du lait, lèche goulûment les mains d'une actrice de seconde zone et ronronne sous ses caresses. Il faut croire que les téléspectateurs comme les électeurs sont ingrats devant une telle opération de charme sincère : non seulement les premiers le sortent du loft, mais les seconds ne le réélisent pas en 2010.

8

De Mitterrand à Obama. Petite revue de grands séducteurs

L'équipe de « Zoom » l'a choisie parce qu'elle n'est pas une journaliste politique, et sans doute aussi parce qu'elle est une femme. En octobre 1966, Josette Barellis, accompagnée d'une équipe de télévision, assiste à un dîner entre amis, chez les Mitterrand. Après le repas, on se retrouve au salon. François est assis sur le canapé, où trône également le teckel de la famille qui, apparemment, fait à peu près ce qu'il veut dans la maison et n'hésite pas à grimper sur la table de la salle à manger pour engloutir les reliefs abandonnés au bord des assiettes. Danielle, son épouse, et Gilbert, son fils (17 ans), sont venus rejoindre le leader de la gauche, candidat malheureux à l'élection présidentielle, dix mois plus tôt. L'interview peut commencer.

Êtes-vous dans la vie privée comme dans la vie publique, lui demande Josette Barellis ? « Je ne vois pas pourquoi je prendrais un masque », répond calmement Mitterrand. La remarque encourage la journaliste à lui poser la question qui lui brûle les lèvres. Elle connaît son ambition et n'ignore pas non plus sa réputation de séducteur. Alors, elle se lance timidement : « Je voulais vous demander si le fait d'avoir, qu'on le veuille ou non, à amener des gens à penser comme soi ne vous obligeait pas à essayer toujours de séduire ? » Mitterrand hésite et tente de contourner la question : « Un homme politique doit toujours, oui, essayer de convaincre. » La réponse ne satisfait cependant pas Josette Barellis qui, d'une voix douce, choisit une nouvelle tactique : « Pour convaincre, est-ce qu'il ne faut pas toujours essayer de donner la meilleure image de soi-même ? » « On essaie... », commence Mitterrand. Que voit-il à ce moment-là dans les yeux de la journaliste ? Quelle flamme y décèle-t-il ? Toujours est-il que, brusquement, l'homme politique à la langue de bois très affûtée cède la place à l'ineffable séducteur. « Pourquoi ? Je ne vous fais pas bonne impression ? » Il marque une pause puis, tandis qu'il fixe son interlocutrice, son visage s'éclaire d'un sourire. L'œil soudain pétillant, il avoue : « J'essaie de vous séduire... J'essaie de vous séduire... » Josette Barellis rit, comme une jeune fille rougissante, conquise, gênée par ses propres sentiments : « J'ai une très bonne impression », dit-elle, d'une petite voix. Sans se méfier, elle vient de succomber au charme de François Mitterrand qui, désormais, triomphe : « Alors, vous voyez bien, cela a réussi. »

Mitterrand, charmeur à l'ancienne ?

François Mitterrand a toujours su parfaitement cloisonner, aux yeux de l'opinion, sa vie privée et sa vie publique. Mais, dans un cas comme dans l'autre, il s'est toujours comporté comme un exceptionnel séducteur. Il plaît aux femmes, et ses aventures amoureuses, pour discrètes qu'elles soient, n'en restent pas moins des secrets de Polichinelle auprès des journalistes parisiens comme auprès de ses amis – ou adversaires – politiques. On ferme les yeux devant ces jeunes femmes, jamais les mêmes, qui l'accompagnent au siège du Parti socialiste ou avec lesquelles il dîne dans les meilleurs restaurants. On feint d'ignorer ses absences inexpliquées, lorsqu'on le cherche et que personne n'est en mesure de dire où il est. On dit aussi qu'il rentre rarement seul après un meeting. Oui, il plaît aux femmes, et il en a toujours été ainsi. En octobre 1951, alors qu'il est ministre de la France d'outre-mer (il a alors 35 ans), le magazine *Elle* organise un sondage auprès de ses lectrices, appelées à désigner les quatorze personnalités masculines les plus séduisantes, en dehors des acteurs ou des célébrités de la scène. Parmi les cent noms qu'on leur soumet, celui de François Mitterrand émerge naturellement, aux côtés de ceux d'Albert Camus, de Jacques Chaban-Delmas, de Louison Bobet ou de Maurice Druon. On comprend mieux, alors, sa fureur et sa déception lorsqu'en 1965, l'électorat féminin lui préfère majoritairement le général de Gaulle. Dans l'émission de 1966 que je viens d'évoquer, il ne peut s'empêcher de dire à Josette Barellis : « Ce sont les femmes qui m'ont battu », ajoutant, avec un sourire empreint de désenchantement : « Et pourtant, j'ai beaucoup d'amitié pour elles et, au surplus, je crois qu'elles se trompent. »

Cette puissance séductrice auprès des femmes, Mitterrand la met aussi au service de son ambition politique. Tous ceux qui l'approchent subissent la force de son attraction. Qui peut se vanter d'être proche de lui, à part quelques vieux amis, ceux qui l'ont accompagné dans la souffrance de la guerre ou lui sont restés fidèles durant ses traversées du désert ? Mitterrand ne joue pas la fausse proximité et considère la promiscuité avec horreur. On ne le verra pas taper dans le dos de ses interlocuteurs ou les tutoyer spontanément. En 1981, à un jeune ministre qui, sans doute transporté par l'euphorie de la victoire, lui proposait de le tutoyer, Mitterrand répondit froidement : « Faites comme vous voulez. » Les deux hommes continuèrent à se vouvoyer. Le magnétisme mitterrandien se situe ailleurs, dans le plaisir qu'on éprouve à écouter un homme dont la culture touche à tous les domaines – la littérature bien sûr, mais aussi la philosophie, l'histoire, l'art ou la botanique –, subjugue les intellectuels, les journalistes, et plus généralement tous ses visiteurs. Parler roman ou évoquer une exposition est même souvent, dans une entrevue, une entrée en matière qui peut se prolonger jusqu'à marginaliser le sujet central de la rencontre. Goût pour les choses de la pensée et de la création ou tactique habile pour désarçonner son interlocuteur ? Sans doute un peu des deux, l'important étant que le charme opère. Et il opère effectivement. Certains font même figure de victimes, comme Jean-Edern Hallier.

Journaliste et talentueux écrivain, Hallier est de vingt ans le cadet de François Mitterrand. D'abord proche du nouveau roman, l'ancien animateur de *Tel Quel* rêve de redonner vie au génie épique de son modèle, Chateaubriand. Il arrive au leader socialiste, qui partage avec lui, depuis l'enfance, l'admiration pour l'auteur des *Mémoires d'outre-tombe*, de dire du jeune auteur : « Il est le meilleur écrivain de sa génération. » La flatterie touche le narcissisme naturel de l'homme de lettres qui se prend de passion pour l'auteur de la louange. Un soir de juin 1973, il fait partie des intervieweurs de Mitterrand, dans l'émission « Actuel 2 ». La gorge serrée, il lui demande, avec une certaine emphase : « Vous sentez-vous l'homme du renouveau socialiste ? François Mitterrand, vous sentez-vous un homme du destin ? » La question donne au premier secrétaire l'occasion d'une admirable saillie d'éloquence, où, avec exaltation, on l'entend s'adresser à la jeunesse, seule capable de changer la civilisation. Mais le plus intéressant est peut-être ailleurs, dans l'attitude de Jean-Edern Hallier, dans la soumission admirative qu'exprime son attention, lorsque Mitterrand parle, dans l'ébahissement passionné qui semble soudain l'étreindre. Hallier boit les paroles de François Mitterrand et veut partager une part de son destin. La désillusion n'en est que plus amère lorsque, devenu président, en 1981, le chef socialiste ne lui manifeste pas le moindre égard. Il imaginait devenir pour Mitterrand ce que Malraux avait été pour de Gaulle et, ingrat, l'homme aimé le rejette, appelant même à ses côtés le rival honni, Régis Debray, nommé conseiller à l'Élysée. Comme un amant éconduit, Jean-Edern Hallier transforme sa douleur en colère, et sa colère en vengeance. Il devient incontrôlable. On le soupçonne d'avoir organisé un attentat dans l'immeuble de Régis Debray (1982), mais surtout de vouloir révéler l'existence de Mazarine. L'Élysée l'espionne, et lui réunit les pièces d'un dossier à charge, d'où sortira, en 1996, *L'Honneur perdu de François Mitterrand* (1996). Hallier a brûlé ce qu'il adorait, victime consentante de l'irrésistible séduction mitterrandienne.

François Mitterrand est un homme du verbe. Orateur parlementaire remarqué, il n'est guère un habitué des grands meetings populaires avant de prendre la tête du Parti socialiste, en 1971. Dès lors, il endosse les habits de Jaurès et de Blum, et trouve un visible plaisir à faire vibrer les foules venues entendre la parole révolutionnaire. À 55 ans, le voici qui entame une carrière de tribun populaire. L'ancien avocat sait ce qui émeut et séduit son auditoire ; et il sait y faire. Parlant sans notes, variant le ton, tour à tour chuchotant ou explosant, parlant lentement ou accélérant brusquement le débit, accompagnant sa voix du geste, s'accoudant sur le pupitre pour parler près du micro comme s'il voulait faire une confidence à chaque auditeur, il déploie une énergie rare qui transporte la salle. On vient écouter Mitterrand, partager un moment d'intimité avec lui, et on est charmé d'avance. Enthousiasme, indignation, humour, tout y passera. L'orateur est particulièrement doué pour flatter la foule socialiste, comme ce jour de mars 1978 où, en meeting à Lille, il pratique une mordante ironie, sûr de son effet sur l'assistance. « Mes chers camarades, dit-il, j'ai commencé cet exposé en disant : "Nous sommes tous là, nous voici rassemblés…" » Soudain, son visage s'illumine d'un sourire qui annonce l'assaut. Il marque un temps, puis enchaîne : « Non, il manquait Raymond Barre… » Les rires éclatent. On se frotte les mains : on va passer un bon moment. Mitterrand reprend : « Parce qu'il disait aux petits jeunes gens du 16e – ils avaient l'air, d'ailleurs, un peu surpris – ; il leur disait : "Ah !… Jaurès et Blum !… [*rires*] Ah !… voilà des socialistes ! Ça, c'étaient des vrais !" [*rires*] Tous les Barre de l'époque de Jaurès, ils disaient de Jaurès ce que les Barre d'aujourd'hui disent de nous [*applaudissements*]. Et tous les Barre de l'époque de Blum – n'est-ce pas Augustin ? [*il se tourne vers Augustin Laurent, maire de Lille, chef historique du socialisme nordiste*] – qu'est-ce qu'ils leur disaient, hein ? Bah, ils disaient de Blum ce que tous les Barre d'aujourd'hui disent, eh bien, de nous, quoi ! [*rires/A. Laurent acquiesce/applaudissements*]. On le sait bien : ces gens de droite, ils nous adorent !… [*rires*]. Ils aiment les socialistes… quand ils sont morts ! » Rires et applaudissements explosent. Le plaisir confine à l'orgasme.

Mitterrand séduit par le verbe. Mais charme-t-il par l'image ? Il a un grand souci de son apparence. Il est un subtil comédien qui sait adapter ses tenues au personnage qu'il campe. Sa conversion au socialisme, par exemple, au début des années 1970, s'accompagne d'une métamorphose vestimentaire, de nature à rendre crédible, aux yeux de ses partisans, sa posture d'héritier des grandes figures du mouvement ouvrier. On ne connaissait guère Mitterrand qu'en costume sombre, chemise blanche et cravate sobre. Sa garde-robe s'éclaircit. Désormais, veste et pantalon sont souvent dépareillés. Le col roulé se substitue fréquemment à l'austère cravate, et Mitterrand adopte le velours côtelé. Bientôt, arrive le chapeau noir, qui lui donne des faux airs de Blum, et l'écharpe rouge, couleur judicieuse pour l'homme qui prétend rassembler la gauche.

C'est vrai qu'il n'est guère à l'aise à la télévision. Ses premières prestations, lors de la campagne de 1965, ont été une épreuve pour lui, pour son entourage et pour les techniciens en plateau. Le tournage durait des heures, incapable qu'il était de s'adapter à l'œil inquisiteur de la caméra. Pour séduire, Mitterrand a besoin de regarder son interlocuteur dans les yeux, de sentir la chaleur collective de la foule. Redoutable débatteur, il finit par domestiquer un outil qu'il n'aime pas et n'aimera jamais. Il consent à beaucoup d'efforts pour présenter aux téléspectateurs le visage d'un homme avenant, n'hésitant pas à se faire limer les incisives pour adoucir son sourire.

On a beaucoup glosé sur la métamorphose de Mitterrand, devenu président, à la télévision, sur l'aide apportée par les communicants de l'Élysée, Jacques Pilhan et Gérard Colé, dans la préparation des interventions télévisées, sur la fameuse émission « chébran » avec Yves Mourousi, sur TF1, en 1985. Le plus remarquable est peut-être ailleurs, dans cette façon indirecte dont Mitterrand use de la télévision pour regagner la sympathie des Français, au temps de la cohabitation, et asseoir son image de rassembleur durant la campagne de 1988. Pour le comprendre, on retiendra deux images. La première se situe en mars 1986, juste après la victoire de la droite aux législatives. Jacques Chirac compose son gouvernement, restant cependant en liaison permanente avec l'entourage proche du chef de l'État. L'annonce de la liste des ministres tarde, et les journalistes s'impatientent dans la cour de l'Élysée. Mitterrand a, alors, un coup de génie. Contrairement à l'usage, il les rejoint et, avec le sourire, leur dit : « Je suis comme vous, j'attends. » Ce n'est pas grand-chose, mais les médias évoquent et saluent cette aimable intervention qui, relayée dans les journaux télévisés, atteste la tranquillité d'un Mitterrand plein d'humour. La seconde image nous projette deux ans plus tard, le 30 avril 1988, en pleine campagne électorale. Ce jour-là, SOS Racisme organise une « Fête de l'Égalité », sur l'hippodrome de Vincennes. Le matin même, *Valeurs actuelles* a publié une interview de Charles Pasqua, dont tout le monde parle, où il affirme que « sur l'essentiel, le Front national se réclame des mêmes préoccupations, des mêmes valeurs que la majorité ». Appel du pied de Jacques Chirac au Front national ? À l'Élysée, on profite de l'aubaine. À 20 h 15, à la surprise générale, François Mitterrand monte sur la scène du chapiteau installé par SOS Racisme, où se sont succédé, tout l'après-midi, de nombreux chanteurs, comme Jacques Higelin, Charlélie Couture ou Yves Simon. Devant la foule en liesse, Mitterrand se lance : « Ô combien je préfère ces cris de joie aux cris de haine que j'entends ailleurs [...]. Je m'adresse à tous les Français et à ceux qui ne le sont pas mais qui sont nos amis. Certains veulent les séparer ;

nous, nous voulons les unir. » Les hurlements d'approbation et les applaudissements redoublent. Mitterrand ne sera resté qu'une demi-heure sur place : mais tous les médias couvrent son geste comme l'événement du jour. Mitterrand, ami des jeunes et protecteur de l'unité de la nation... Une opération de charme réussie de la part d'un vieux séducteur qui, finalement, montre ici combien il a su s'adapter aux méthodes nouvelles de la communication politique.

Tony, le *spin doctor*

Le témoignage de Cherie Blair, rapporté dans ses mémoires (*Speaking For Myself*, 2008), est accablant pour son époux, Tony. Nous sommes en 2002, et la rumeur bruisse d'une intervention américaine en Irak qui entraînerait aussitôt l'engagement britannique aux côtés des États-Unis. La famille Blair s'apprête à partir en vacances et, comme d'habitude en pareille circonstance, le 10 Downing Street l'a annoncé aux médias. Mais tout ne se passe comme prévu : Cherie, alors enceinte, est victime d'une fausse couche. Le voyage doit être annulé. Inquiet, Tony Blair fait immédiatement venir à son domicile son conseiller Alastair Campbell, et le conciliabule commence : que doit-on dire à la presse ? Si elle apprend le report des congés du Premier ministre, elle en déduira que l'invasion de l'Irak est imminente. Le drame intime risque de se transformer en bourrasque politique. Blair et Campbell tranchent : il faut rendre publique la nouvelle de la fausse couche. La vérité a tous les avantages : elle montrera que Tony Blair joue la transparence et suscitera une émotion dans les médias qui provoquera la compassion de l'opinion et fera oublier provisoirement les affaires irakiennes. « J'étais là, écrit Cherie Blair, je perdais du sang, et ils parlaient de ce qui allait faire les titres de la presse. » On est évidemment loin, très loin de l'image glamour que le Premier ministre et sa femme ont su, jusqu'ici, imposer aux tabloïds londoniens.

Blair arrive au pouvoir à 44 ans à peine, en mai 1997, porté par un raz-de-marée travailliste qui met fin à 18 ans de règne conservateur. École huppée dans son Écosse natale, études à Oxford, avocat dans le prestigieux cabinet Derry Irvine, chef du Parti travailliste à 41 ans, tout lui a réussi et son parcours a de quoi faire rêver. Mais que va-t-il faire de son triomphe ? On ne sait pas très bien, tant son programme paraît vague. Il l'est au point que ses adversaires l'ont surnommé « *Tony Blur* » (Flou). Mais rien n'a fait. Bien sûr, les tories subissent l'usure du pouvoir. Pourtant, le scrutin ne s'est pas uniquement joué sur le rejet. C'est la personne même de Tony Blair qui a séduit les Britanniques. Le candidat travailliste s'est imposé parce qu'il a gagné la bataille de l'imaginaire. Que voulait la Grande-Bretagne ? Du changement. Chacun met derrière ce mot des valeurs différentes, mais tout le monde souhaite que le changement touche sa propre vie. Alors, Tony Blair s'est approprié le mot « nouveau », en commençant par l'appliquer à son parti, qu'il débarrasse d'une image archaïque : il invente le « New Labour » et lui donne un slogan qui annonce, non la renaissance du vieux Labour, mais une nouvelle naissance, « *New Labour, new born* ». On reprend tout à zéro… En octobre 1996, au congrès travailliste de Blackpool lançant sa campagne, Blair parle devant le slogan qui lui sert de décor : « *New life for Britain* ». Nouveau, changement, moderne, modernisation, dynamisme… Tous ces mots qui font rêver, Blair les assène constamment, se les attribue, les impose dans les médias comme les siens. Il n'a cessé de le répéter : « Il faut changer ! » Mais changer quoi ?

William Hague dira de lui dans le *Guardian*, en avril 2002 : « Tony Blair a été élu parce qu'il disait croire en presque tout. » À ceux qui lui reprochent le flou de ses propositions, le leader travailliste répond : « Ce qui compte, c'est ce qui marche. » Plutôt que d'exposer longuement un programme lourd, source de querelles d'experts, et qui engage, Tony Blair donne des signes et délivre des messages. Lorsqu'il va en banlieue ouvrière, usée par près de vingt ans de thatchérisme, il n'annonce pas grand-chose de concret. Mais ce qui compte, c'est qu'il y soit venu, qu'il y ait dit « nous n'oublierons personne dans la Grande-Bretagne que nous voulons construire », et surtout que sa visite ait été couverte par les médias. Bref que le message soit passé, appuyé par une image forte, de nature à secouer l'émotion collective.

Car Tony Blair, c'est d'abord une image bâtie pour la presse populaire et la télévision, celle d'un homme jeune incarnant le changement, la modernité, la vitalité, celle d'un candidat chaleureux (*Sunny Blair*), mais aussi d'un époux amoureux de sa femme et d'un père exemplaire. Cette image ambivalente est nécessaire pour charmer les jeunes (qui accourent au Parti travailliste) mais aussi les classes moyennes, cœur de cible de sa campagne. Fatiguées par le long règne conservateur qui a brisé les lois sociales, la gauche et les couches populaires lui sont acquises. C'est le centre, et donc les couches intermédiaires qu'il faut désormais séduire. Alors, d'un côté, on a le Tony Blair qui raconte sa passion pour la guitare et le rock, lui qui anima un groupe lorsqu'il était étudiant, les Ugly Rumours (les « Rumeurs affreuses » : tout un programme...) ; le Tony Blair en campagne qui ne manque pas une occasion de se mêler à la foule enthousiaste, qui signe des autographes à ses supporters, qui, dans ses meetings, parle debout, au milieu de l'auditoire assis, après avoir tombé la veste, remonté délicatement les manches de sa chemise blanche et desserré son nœud de cravate. De l'autre, on a le Tony Blair qui se promène avec Cherie, salue le public d'un geste amical, pose avec sa femme pour les photographes, fait l'éloge de la morale et de la réussite individuelle. Un subtil mélange de décontraction et de respect des valeurs traditionnelles. Mais toujours, toujours, ce sourire charmeur, devenu bientôt sa marque de fabrique, au point que certains, pas toujours bien attentionnés, l'ont surnommé « Bambi ».

« C'est un grand acteur. Nous savions que c'était un acteur et nous voulions croire en lui. » L'aveu est éclairant, prononcé par le célèbre comédien britannique Rory Bremner : comme d'autres, il fut séduit, parce qu'il avait envie de succomber au charme. À vrai dire, tout le monde est conquis, y compris la presse la plus populaire comme le *Daily Mirror* qui, la veille du scrutin, titre : « Votre pays a besoin de lui. » Blair est peut-être un acteur. Il est surtout un redoutable communicant. La communication est même considérée par lui comme le fondement de sa conquête. C'est pourquoi, dès 1994, il appelle à ses côtés l'ancien journaliste Alastair Campbell, qui fréquenta les journaux pornographiques avant de rejoindre le *Daily Mirror*, le célèbre quotidien tabloïd, si enthousiaste à l'égard du candidat travailliste. Désigné *Press Secretary*, il assure toute la stratégie médiatique de Blair et contribue à ascension. En 1997, le Premier ministre le nomme *Chief Press Secretary*, autrement dit communicant en chef du gouvernement.

Campbell a une devise : « Il faut faire la météo. » En clair : fabriquer l'information des médias, créer l'événement en permanence, ne laisser aux journalistes aucun répit (et aucun temps de réflexion) et, bien entendu, faire en sorte qu'ils disent du bien de Tony Blair. Avec Alastair Campbell, fini le temps du marketing bruyant, du strass et des paillettes. Tout se joue en coulisses. Les communicants deviennent des stratèges, des *spin doctors*, des savants de l'« effet », comme on le dit d'une balle de tennis. Lorsqu'un joueur renvoie la balle, il anticipe sur sa trajectoire pour surprendre l'adversaire et marquer le point qui ravira le public. Pour imposer son agenda aux médias, Blair ne doit pas seulement créer une actualité ; il doit créer *la bonne* actualité, celle qui à la fois attire les journalistes par son spectacle et répond aux préoccupations du public, exprimées par les sondages. On comprend l'objectif de l'omniprésence médiatique : ne jamais rompre le lien affectif avec l'opinion. Et cela commence à l'instant même où Tony Blair met les pieds au 10 Downing Street. D'ordinaire, un Premier ministre qui débute se fait discret, prépare ses dossiers avec ses collaborateurs, réunit ses ministres à l'abri des caméras. Avec Blair, le show télévisé commence dès le premier jour, avec des séances d'autographes, faussement spontanées, une photo de famille devant sa résidence officielle, l'invitation des caméras à faire avec Tony et Cherie le tour du propriétaire. Il se poursuit le deuxième jour où le Premier ministre prend la pose devant Westminster avec les cent vingt députées travaillistes, soit un quart de la Chambre des communes, symbole évident du changement. Le troisième jour, le voici dans un quartier pauvre, pour y prononcer son premier grand discours, exclusivement nourri de bonnes intentions propres à émouvoir, mais sans engagement précis ; etc. Interviews, articles dans la presse (cent soixante en deux ans !), à la télévision, conférences de presse improvisées devant le 10 Downing Street…, Tony Blair pratique l'hypervisibilité en virtuose, au nom d'une proximité avec les Britanniques qui porte ses fruits : en 2001, les élections générales accentuent la majorité travailliste.

Quatre ans plus tard, en 2005, le Premier ministre britannique paraît davantage à la peine, désavoué par une partie de l'opinion – les jeunes, surtout – pour son engagement en Irak, en 2003, auprès de George Bush. Alastair Campbell a laissé la place à David Hill. Mais c'est surtout la stratégie médiatique qui s'est enrayée. Le charme semble s'émousser. La presse s'est émancipée. Les difficultés qui s'accumulent et la défiance d'une partie des Britanniques ne permettent plus au 10 Downing Street d'imposer son agenda aussi aisément que naguère. Alors, Tony Blair repart à l'assaut des médias car, dans quelques semaines, il tentera de convaincre les électeurs de lui accorder un troisième mandat. Le séducteur choisit son terrain privilégié : la télévision. Mais il surprend en se rendant là où on ne l'attend pas. On le découvre à « You Say, We Pay » (Channel Four), émission-jeu où il répond à des questions pour faire gagner de l'argent aux téléspectateurs. On le voit aussi sur le plateau du « Breakfast Show » (GMTV) et dans « Richard and Judy » (Channel Four), qui touchent les mères de famille et où il se montre attentif aux préoccupations de la vie quotidienne. Habile opération de charme, mais qui présente quelques risques. « Richard and Judy » comporte une séquence de jeu où l'invité doit identifier des situations ou des personnages sur le grand écran qui trône derrière lui. « Qui est-ce ? » lui demande-t-on. À l'image, apparaît une jolie blonde souriante que Tony Blair observe avec perplexité puis, ne trouvant pas la réponse, avec effarement. « Sharon Stone ? » s'aventure-t-il. Il s'agit en fait d'une vedette de téléréalité, et le Premier ministre ne l'a pas reconnue, tout comme il a été incapable de répondre aux autres questions touchant à l'univers familier des téléspectateurs. Ce n'est pas grand-chose, mais son ignorance invalide tout de même une partie de sa démarche qui consistait à affirmer sa proximité avec la culture populaire. De même

Tony Blair se fait-il bousculer par Ant et Dec, les deux insolents animateurs du « Saturday Night Takeaway » (ITV1) qui se moquent de lui, lorsqu'il se lance dans une laborieuse explication sur le mécanisme de l'inflation. Et puis, comme Cherie, paraît-il, s'est plainte du peu de cadeaux offerts par son mari, Tony reçoit pour elle, pêle-mêle, un boa de plumes roses, des fleurs, du chocolat et une culotte de golf taillée dans l'Union Jack. Tout cela n'est pas bien méchant et Blair conserve son célèbre sourire. Ces émissions le rendent-ils plus populaire ? Difficile de dire si elles contribuent à son troisième et dernier succès aux élections générales.

En juin 2007, Blair abandonne le pouvoir, battant le record de longévité au 10 Downing Street. Mais le charme n'est pas totalement éteint. Il devient même un personnage de fiction. Deux mois après son départ, dans la ville d'Édimbourg où il est né, il est la vedette involontaire du festival annuel. Avec *Tony ! The Blair Musical* et *Tony Blair-The Musical*, l'ex-Premier ministre entre dans le répertoire de la comédie musicale. « Pourquoi avoir choisi Tony Blair ? » demande un journaliste de l'AFP à Chris Bush, auteur du premier spectacle. « Il y a une certaine nostalgie, reconnaît-il, pas pour sa politique, mais pour son charisme et son charme. » Et le *Times* d'ajouter : « Le fait que l'on fasse ces comédies à propos de lui est la meilleure preuve que Tony Blair a transformé la politique en show-business. »

Le petit théâtre Koizumi

Un Premier ministre japonais qui, devant les caméras, se coiffe d'un chapeau de cow-boy, fredonne *Love me tender* et esquisse un pas de rock, sous l'œil amusé de George Bush, c'est ce qu'on appelle, d'un point de vue médiatique, un « événement ».

Le Premier ministre en question s'appelle Junichiro Koizumi et dirige le Japon depuis avril 2001. La scène se passe en juin 2006 dans la résidence-musée d'Elvis Presley à Graceland, en présence de la fille du chanteur disparu. Le président américain a voulu faire un cadeau à son hôte en le conduisant dans le temple elvisien, car il n'ignore pas la passion de son invité pour le King.

On mesure mal, en Occident, l'incroyable rupture suscitée par le « Blair japonais » dans la relation d'un chef de l'exécutif avec son peuple. Koizumi fonde sa façon de gouverner sur deux instruments jusqu'ici totalement étrangers à la culture politique japonaise, l'image et la séduction. Par le passé, toute la communication d'un responsable public s'exprimait par les articles de presse ou par les livres où il exposait minutieusement ses idées pour le pays. Koizumi, lui, choisit les tabloïds et la télévision ; pas seulement les émissions politiques, mais aussi les talk-shows, comme « Sunday Project », sur la chaîne Adashi. Par le passé, le pouvoir, contrôlé par le vieux Parti libéral démocrate (PLD), était l'objet de marchandages entre clans qui confiaient le poste de Premier ministre à des gérontes, souvent inconnus du public, précisément retenus pour leur fadeur et leur docilité. Koizumi, lui, impose sa personnalité, choisit ses ministres et s'applique à entretenir un contact direct et affectif avec l'opinion. Lorsqu'en 2001, il est nommé Premier ministre, après son écrasante victoire électorale, sa cote de popularité atteint un niveau inédit au Japon : 85 %.

Le nouveau maître du Japon, diplômé d'économie, connaît bien le monde occidental, et singulièrement la Grande-Bretagne où il a fait une partie de ses études. Il maîtrise à la perfection les rouages du PLD dont il fut l'un des apparatchiks. Député en 1978, plusieurs fois ministre à partir de 1988 (à la Santé et aux Affaires sociales), il a pris les commandes du parti en 1998. En 2001, vient enfin son heure. Les Japonais connaissent moins son itinéraire que sa vie privée. Ils savent notamment qu'il s'est marié en 1972 avec une étudiante, de quinze ans sa cadette, petite-fille du fondateur d'un important groupe pharmaceutique, Kayako Miyamoto. Ils n'ignorent pas non plus son divorce, intervenu dix ans plus tard. Père divorcé, il est un cœur à prendre. Si Tony Blair était souvent vu comme le frère ou le gendre rêvé, Koizumi, à 55 ans, fait figure d'amant idéal. Avec son abondante crinière argentée qui lui donne des faux airs de Richard Gere, il est surnommé « le lion ». Il aime les vêtements colorés, les cravates éclatantes, rouges, roses ou bleues, les tenues décontractées qui tranchent avec les costumes sinistres de ses prédécesseurs. Il ne déteste pas non plus le style « bobo chic », avec un penchant pour les pantalons Chinos ou les chemises Ralph Lauren. En 2005, il lancera même la mode « *coolbiz* » pour jeunes cadres dynamiques, vêtements légers et chemise à col ouvert remplaçant l'austère costume-cravate. Bref, Koizumi soigne son look et son image d'homme moderne. S'il ne cache pas son goût pour Elvis Presley, comme on l'a vu, il a aussi la réputation d'écouter de la musique techno et du hard rock. Mais comme rien ne dépasse Elvis, il ira jusqu'à faire imprimer un CD des chansons du rockeur, soigneusement choisies par ses soins. Cool, plein d'humour, le Premier ministre se fera aussi filmer sur un *Segway*, ce véhicule électrique à deux roues, digne des hypermarchés mais interdit au Japon – car jugé trop dangereux ; un cadeau de plus offert par son ami, le président Bush.

On ne sera pas suffisamment naïf pour penser que lorsque Koizumi se fait photographier aux côtés de Tom Cruise ou d'Arnold Schwarzenegger, il se contente d'obéir à ses goûts culturels. Junichiro Koizumi est un communicant hors pair qui cherche à séduire les Japonais, et notamment les plus jeunes, à nouer avec eux un lien si profond qu'il l'aidera à résister aux oppositions et coalitions au sein de son propre camp. En mai 2001, il ouvre son *fan site* et, dès le mois suivant, lance une *newsletter* titrée « Cœur de lion ». « Je suis comme un oiseau en cage 24 heures sur 24 », explique-t-il à ses supporters. « Avant, je me rendais seul à l'épicerie du coin ou je sortais lorsque je voulais. Mais, désormais, où que j'aille, il y a toujours des gardes du corps. Je ne peux sortir aussi facilement. » Le message est limpide : ne croyez pas aux apparences, je n'ai pas changé, je suis toujours parmi vous, comme vous. L'e-magazine du Premier ministre, où il évoque régulièrement ses lectures, ses goûts musicaux, son amour du sport, et même ses états d'âme lui permet d'établir un contact direct avec l'opinion, d'humaniser son personnage, mais aussi de contourner les obstacles habituels, parlementaires voire médiatiques. Trois jours après son lancement, la lettre électronique dispose déjà de 900 000 abonnés, encouragés à écrire à Koizumi, à lui faire part de leurs critiques et de leurs suggestions, de leurs doutes et leurs craintes.

On avait connu la Kennedymania, la Trudeaumania. Voici poindre la Koizumimania. La « tornade Koizumi », comme la nomme la presse, commence dès l'été 2001. Les Japonais – et surtout les jeunes Japonaises – s'arrachent Shishiro, un délicieux lion en peluche, un cœur rouge épinglé sur la poitrine, qui sourit comme le Premier ministre bien-aimé. Quelle jolie idée, quel élan d'affection spontanée ! Le seul hic est qu'il s'agit d'une opération pilotée par le PLD et Koizumi lui-même. Certes, le projet a été lancé par une jeune admiratrice, mais il a été vite repris par le parti majoritaire qui a même organisé un concours de la plus belle peluche. Du coup, c'est Koizumi en personne qui a choisi celle qui le représenterait, au milieu de deux cent vingt-six propositions. Reconnaissons-le, malgré tout : la crinière touffue de l'adorable petit lion a suscité un véritable vent de folie, au point que le PLD, en bon commerçant, a décidé de se lancer dans la production de produits dérivés Koizumi. Cela commence par des posters. On en imprime 250 000, écoulés en moins d'une semaine. Puis viennent, en désordre, les porte-clés à l'effigie du chef adoré, les tee-shirts, les housses de téléphones portables, les assiettes, les chopes, les tasses à thé, les cartes téléphoniques, et même les pains et pâtisseries. Des restaurants affichent des menus « *Junchan* », diminutif de l'idole, qui célèbrent sa popularité et son dynamisme au gouvernement. Il fallait s'y attendre : bientôt arrivent les *Koizumi goods*, des magasins spécialisés qui s'installent dans les gares ou les centres commerciaux et regroupent tous les objets de la Koizumimania. La vague se prolonge une bonne année avant de refluer. C'était inévitable : dans les *Koizumi goods*, on se résout aux rabais avant le déstockage puis la fermeture.

Tout cela n'inquiète pas Koizumi. Ses soucis sont ailleurs. En formant son gouvernement, il a voulu innover et envoyer un signe à l'électorat féminin, en confiant cinq portefeuilles à des femmes, dans un cabinet de dix-huit ministres. Du jamais vu au Japon ! Parmi elles, Makiko Tanaka, nommée ministre des Affaires étrangères. Un beau coup médiatique, car elle est la fille de l'ancien chef du gouvernement, Kakuei Tanaka, l'homme qui, longtemps, fit la pluie et le beau temps politiques au Japon. Mais son autorité, son franc-parler et, pour tout dire, ses prétentions commencent à faire de l'ombre à Koizumi. Début 2002, il décide de s'en séparer. Aussitôt, il perd trente points de popularité dans les sondages, singulièrement dans l'opinion féminine. Que faire ? Attendre que l'orage passe ? Non, Koizumi contre-attaque en usant de ses armes favorites, l'image et la télévision. Un autre que lui aurait risqué l'allocution ou l'interview, mais le Premier ministre cible l'électorat potentiellement perdu, celui des ménagères. On le verra donc dans une émission de cuisine évoquant ses goûts en matière de gastronomie japonaise, puis se prêter au jeu de la leçon civique aux enfants en contribuant à une importante campagne de sensibilisation aux dangers routiers. Comme les femmes ont aussi des maris, et qu'on n'est jamais trop prudent, Koizumi cajole aussi les hommes en allant, par exemple, donner le coup d'envoi d'un match de football amical entre le Japon et le Costa Rica…

Pour les Japonais, Koizumi est aussi un samouraï. Les médias le comparent volontiers à Nabunaga Oda, cruel seigneur de guerre du XVIe siècle. L'image est liée aux conséquences de son projet de privatisation des services postaux que le Premier ministre a eu toutes les peines du monde à faire accepter à ses propres troupes. Alors, quand se profilent les élections générales, il décide de se venger en envoyant des « tueurs » [*sic*] dans les circonscriptions des députés rebelles. Des hommes, mais aussi des femmes. Et pas n'importe quelles femmes : de préférence des vedettes du petit écran et du show-business, comme Koike Yuriko, ancienne présentatrice du journal télévisé (sur TV Tokyo), Fujino Makiko, célèbre pour ses émissions culinaires ou une ex-top model, Katayama Satsuki. Elles sont toutes les trois élues.

Dès 2001, Junichiro Koizumi l'avait promis : il ne briguerait pas de troisième mandat à la tête du PLD. Fidèle à son engagement, il se retire en septembre 2006 et confie le pouvoir à son successeur Shinzo Abe. Quand il part, son pouvoir d'attraction s'est érodé, mais sa cote de popularité atteint encore les 50 %. Situation inédite au Japon où les Premiers ministres ont plutôt l'habitude de démissionner sous l'effet d'une usure qui les broie. La « marque » Koizumi fait encore rêver. Il a plu et plaît encore.

Sarkozy, média-seducteur

Pour Nicolas Sarkozy, l'image est ravageuse. Le 3 septembre 2005, la plage de La Baule connaît une affluence inhabituelle de journalistes, venus couvrir l'université d'été de l'UMP, et surtout assister à la rivalité des deux successeurs putatifs du président Jacques Chirac, Dominique de Villepin, Premier ministre en exercice, et Nicolas Sarkozy, ministre de l'Intérieur. Avec délectation, ils suivent le numéro de charme déployé par Villepin : séance de jogging en short et tee-shirt, puis bain de mer sous l'œil des photographes et des cameramen. Pendant que le Premier ministre prend tout son temps et exhibe sa haute et fine silhouette d'un air faussement détaché, Nicolas Sarkozy l'attend pour déjeuner sur une terrasse de restaurant. Assis au milieu des plantes vertes, Ray-Ban sur le nez, la mine renfrognée, il s'impatiente et cela se voit. Villepin finit par le rejoindre. Les journalistes se sont bien amusés. Mais ils vont assister à une scène non moins plaisante car, à la fin du repas, les deux hommes, côte à côte, regagnent à pied l'espace des débats. Le contraste est saisissant : à droite Villepin, 1 m 93, allure athlétique, geste élégant, crinière au vent et sourire aux lèvres ; à gauche Sarkozy, 1 m 68, un rien enveloppé, agitant les bras et les épaules et esquissant un léger rictus, dû sans doute au rythme de marche qu'imposent les longues jambes du Premier ministre. Au concours de l'homme politique le plus séduisant de la plage des Flots bleus, Villepin vient de battre Sarkozy à plate couture[1] !

Une quinzaine d'années plus tôt, en octobre 1990, Nicolas Sarkozy, 35 ans, maire de Neuilly-sur-Seine, secrétaire national du RPR, était l'invité de l'émission « Sucrée, salée », destinée aux ménagères de moins de 50 ans, et co-animée par trois femmes, Catherine Ceylac, Fadila Semai et Nathalie Forteau. Ce jour-là, et selon une règle bien établie, on y parle de tout, sauf de politique, comme l'indique cette question de Nathalie Forteau : « Vous êtes député, vous êtes maire, vous êtes plutôt pas mal, pas trop fauché. Est-ce que tout ça, ça facilite votre position vis-à-vis des femmes ? C'est un mythe ou une réalité ? Les militantes du RPR disent que vous êtes un homme qui plaît… » Sarkozy, le sourire un peu embarrassé, tente l'évitement : « C'est un peu gênant ce que vous me demandez là… » Ricanements de plaisir chez les animatrices. Il poursuit : « J'ai eu la chance de savoir très jeune ce que je voulais faire… » Là, on ne ricane plus, on explose de rire. « C'est pas ça que je vous demandais… », reprend Nathalie Forteau, qui précise sa question : « Est-ce que ça facilite la tâche avec les femmes ? » Sourire toujours penaud, le maire de Neuilly tente de botter en touche : « Honnêtement, il vaut mieux être en bonne santé, avoir des responsabilités et être plutôt jeune… » Nouvelle salve de rires. On n'ira pas plus loin. Mais retenons tout de même cette évidence : Nicolas Sarkozy plaît, au moins aux militantes du RPR !

Sarkozy, alors, est-il oui ou non un séducteur ? Disons, qu'il a une certaine assurance et que cette assurance se voit. Si on n'en était pas convaincu, il suffirait de se reporter à l'une de ses toutes premières interventions télévisées, le 2 mars 1978, lors de la campagne officielle du RPR pour les élections législatives. Il intervient aux côtés de François Morice, « assistant en droit à l'université de Nanterre ». Les deux hommes sont interrogés par Anne

Sinclair et Olivier de Rincquesen qui présente ainsi Nicolas Sarkozy : « Il est étudiant. Il a 23 ans. » En fait, il est surtout délégué national des Jeunes du RPR où on l'admire pour son aplomb. À l'aîné, François Morice, on confie le soin de commencer l'émission. On ne peut pas dire qu'il soit totalement à l'aise. Mieux, lorsque Anne Sinclair lui demande « Vous êtes pour l'alternance ? », il bredouille : « L'alternance… est une procédure démocratique et qui doit… être… » Le visage se fige, l'œil s'affole ; il se tourne vers Nicolas Sarkozy et, comme un appel au secours, murmure : « Non, ça ne va pas… » Alors, tout à trac, Sarkozy embraye : « On peut être pour l'alternance et expliquer aux Français et aux Françaises qui votent les conséquences du choix qu'ils feraient… » La machine est lancée, et ce n'est pas le regard glacial d'Anne Sinclair qui peut l'arrêter. Il parle avec conviction, sans la moindre hésitation, glissant des formules aux allures de slogans (« C'est la volonté qui compte »), se payant de luxe d'éluder les questions : « Je ne crois pas que c'est ça qui est important et je préférerais, si vous le permettez… » L'interrogation portait sur l'affrontement Giscard/Chirac, et Sarkozy répond sur l'indépendance nationale. Il maîtrise tout, même la langue de bois. Ce 2 mars 1978, est née une bête de télévision qui, dans les années 1990, devient ce que les médias appellent un « bon client ». Les caméras ne lui font pas peur, bien au contraire. Lorsqu'il est né, la télévision avait cinq ans ; il a grandi avec elle ; il a la parole facile (il est lui-même avocat), prend plaisir à débattre et à contribuer au spectacle télévisuel. Surtout, peut-être, il connaît parfaitement le fonctionnement des médias qui l'attirent naturellement. Il sait notamment que, pour satisfaire son ambition présidentielle, il doit séduire les journalistes.

L'image a valu à Olivier Laban-Mattei, en avril 2007, le prix Georges-Bendrihem de la meilleure photographie politique de l'année. Elle a suscité la défense gênée des journalistes qui étaient présents, et l'ire ironique de leurs confrères absents. Prise le 2 septembre 2006, lors de l'université d'été de l'UMP, elle figure en couverture du livre de Philippe Ridet, *Le Président et moi*, qui consacre trois pages à en expliquer le sens. Qu'y voit-on ? Sarkozy, assis sur une table basse, souriant béatement, mains jointes, les yeux levés vers le ciel. Autour du prophète, les apôtres, debout ou posés à même le sol, fixant des yeux le ministre de l'Intérieur qu'ils serrent au plus prêt : Claude Guéant, Xavier Bertrand et la vingtaine de journalistes couvrant les déplacements du ministre de l'Intérieur et président de l'UMP. Le malaise ne vient pas du fait qu'ils prennent des notes, ni même qu'ils semblent boire ses paroles. Mais ils sourient, et ce sourire donne une troublante impression de complicité, indécente pour des hommes d'information. Ici, il manque naturellement l'essentiel : le son. Que dit Sarkozy pour provoquer le contentement des journalistes ? Philippe Ridet donne sa version : « Une question lui avait été adressée par l'un de nous – c'était moi – derrière son dos. À propos d'Alain Juppé, je crois et du rôle qu'il pourrait tenir dans la campagne. Et lui, joignant les mains comme un mage de comédie : “C'est bien Philippe Ridet qui me parle ? Je suis en communication avec vous.” »

D'où vient alors le soupçon ? Sans doute de la relation personnelle que Nicolas Sarkozy cherche alors à entretenir avec les journalistes. Empathique, il les tutoie (ou tente de le faire), plaisante avec eux, leur demande des nouvelles des leurs, les prend par le bras ou l'épaule (il est très tactile) pour leur parler sur le ton de la confidence, leur reproche parfois véhémentement un article à la manière d'un ami trahi. Bref, il joue sur l'affectivité et tous les registres du lien personnel. Sarkozy est ainsi, il ne peut s'empêcher de charmer son interlocuteur. Mitterrand s'y employait avec la force irrésistible de sa culture ; Sarkozy séduit par la proximité émotionnelle des sentiments simples. Ce qui vaut pour un électeur ordinaire, pour les ouvriers qu'il visite dans leurs usines, pour les employés qu'il rencontre dans leur entreprise, vaut aussi pour les journalistes. S'ils n'y prennent garde, ils succombent à l'enchantement. Le piège explique peut-être l'engouement médiatique pour le candidat Sarkozy, en 2007. La sensation et la honte d'avoir été piégé éclaire peut-être aussi la vague hostile qui l'a brusquement suivi, lorsque les sondages, dès l'automne 2007, ont révélé la chute brutale de la popularité présidentielle. Il faut également dire qu'appliquant soigneusement les leçons des *spin doctors* de Tony Blair, durant la campagne électorale d'abord, puis dans les premiers temps du pouvoir, Nicolas Sarkozy n'a laissé aucun répit aux journalistes. Ministre de l'Intérieur puis chef de l'État, il a dicté l'agenda médiatique, à tel point que, dans les premiers temps de son quinquennat, des journaux ont dû doubler les équipes chargées de suivre l'activité de l'hyperprésident.

Oui, Nicolas Sarkozy a très tôt plu aux médias. Les producteurs d'émissions politiques comme de talk-shows le savent : l'inviter sur un plateau de télévision est l'assurance d'une audience au zénith. Du reste, lui-même s'inquiète beaucoup de l'ampleur du public réuni lors de ses passages sur le petit écran, et, dès le lendemain matin, se fait fiévreusement communiquer les chiffres de l'audimat. « La télévision s'écoute avec les yeux », écrit Sarkozy, en 2001, dans *Libres*. Ce livre, il l'écrit dans une période néfaste pour lui, après son cuisant échec aux européennes de 1999 (12,8 % pour la liste RPR-Démocratie libérale) et la démission obligée de ses fonctions de secrétaire général du RPR. S'il y exprime des idées politiques, il offre aussi le mode d'emploi de sa reconquête, en évoquant la télévision. Une bonne émission politique, explique-t-il, doit dégager une forte intensité dramatique. Cela, c'est de la responsabilité de l'invité. Il lui faut parler de choses concrètes qui touchent à la vie quotidienne, se rapprocher de ceux qui regardent en employant les mots de tous les jours, ne pas hésiter à susciter l'émotion. Bref, un homme politique n'est crédible qu'à condition de créer un élan, non d'adhésion éphémère, mais de sympathie durable. C'est ce que tente de faire Nicolas Sarkozy, une fois devenu ministre de l'Intérieur, en parlant de l'insécurité, donnant l'impression à ceux qui l'entendent qu'il les comprend et agira.

N'imaginons pas, cependant, qu'il réussit tout de suite à intéresser l'opinion. Longtemps, elle fut indifférente à son égard. De 1993 à 2002, sa cote d'avenir, mesurée chaque mois par TNS-Sofres pour *Le Figaro magazine*, oscille autour de 25 % (avec un plafond de 37 % en juin 1993 et un seuil de 19 % en novembre 1996). En avril 2002, à veille de son arrivée place Beauvau, et bien qu'on prononce son nom pour Matignon, en cas de réélection de Jacques Chirac, elle plafonne à 26 %. C'est son action au ministère de l'Intérieur et son omniprésence médiatique qui changent tout. Dès mai 2002, sa cote bondit à 43 %, atteignant jusqu'à 59 %, douze mois plus tard. C'est bien l'insécurité, au centre du débat public, qui joue en faveur de Nicolas Sarkozy, omniprésent à la télévision.

Pourtant, le système Sarkozy comporte une faille : il n'a jamais pu établir un véritable lien affectif avec les Français. En avril 2007, une enquête de l'IFOP compare l'image de Ségolène Royal et de Nicolas Sarkozy. S'il paraît plus rassurant et même plus sincère que son adversaire, la candidate socialiste semble, aux yeux des Français, plus honnête, plus proche des gens et surtout plus sympathique. L'écart est même considérable : 61 % contre 38. Les Français élisent un président qu'ils n'aiment pas particulièrement, mais qui les rassure. C'est ce qui explique peut-être leur détachement rapide. Qu'ils aient été déçus par l'épisode « bling bling » de 2007, par les promesses non tenues ou les atteintes au modèle social, la défiance relève des mêmes ressorts : l'image d'un Sarkozy déstabilisant, inquiétant, voire, pour employer un mot à la mode, « anxiogène ». Dès lors, l'enjeu de la réélection de Nicolas Sarkozy repose sur sa capacité à resserrer son lien affectif avec les Français et à renouer avec sa posture d'homme rassurant. La leçon mitterrandienne est à méditer. On se fait élire sur un rêve. On se fait réélire sur un mythe, celui de l'incarnation de l'unité de la nation face à l'aventure.

Obamania

La jeune fille embrasse son fond d'écran Obama, puis pose en bikini rose, cheveux au vent, devant la photo de son idole qui court torse nu sur la plage. Elle se promène dans la rue en chantant, moulée dans un tee-shirt « *I got a crush on Obama* » (« J'ai eu le coup de foudre pour Obama »). Juste habillée d'une petite culotte rouge et d'un débardeur sexy, elle se trémousse lascivement, les seins collés sur le mur de sa chambre où sont fixés plusieurs posters à l'effigie du candidat démocrate. Elle fait partie des « Obamagirls ». Elles en pincent pour Barack et le font savoir en tournant des vidéos qui, diffusées sur le Web, sont vues par des millions d'internautes. En 1960, Kennedy recevait des lettres d'amour. En 2008, les femmes ne se contentent plus de déclarer leur flamme, elles s'exhibent sur Internet et offrent leur corps.

« *Yes we can* », « *Hope* », « *The change we need* », « *Obama's revolution* », « *Obama generation* »... David Axelrod et David Plouffe, les *spin doctors* de Barack Obama, vendent un rêve qui séduira les électeurs, notamment les plus jeunes, lassés par l'Amérique de Bush. Pour le comprendre, il suffit de regarder les 27 minutes du dernier spot télévisé du candidat démocrate, diffusé le 29 octobre 2008, sur six des principaux réseaux télévisés du pays (NBC, CBS, FOX, BET, TV One et Univision). Vu par plus de 26 millions d'électeurs, il a coûté la bagatelle de 4,5 millions de dollars. Il vise à charmer les électeurs encore indécis qu'on prend par les sentiments, ceux qui vous émeuvent et vous surprennent à écraser une larme. Pas de flonflons, pas de paillettes, pas de charges insultantes contre l'adversaire, et pas de musique rappelant confusément *La Guerre des étoiles* ou *Superman*. On choisit la douceur envoûtante d'accompagnements sonores qu'on croirait puisés dans les thèmes, tantôt de *La Petite Maison dans la prairie*, tantôt du célèbre feuilleton *À la Maison Blanche*. On joue surtout la carte de l'identification. Chacun doit se retrouver dans les histoires ordinaires qui défilent à l'écran, celles d'une famille blanche du Missouri, d'un couple de personnes âgées noires de l'Ohio, qui a élevé six enfants, d'une famille hispanique du Nouveau-Mexique, d'une autre une famille blanche, cette fois du Kentucky. Pas d'habitants des grandes villes (plutôt favorables à Obama), mais des gens du commun de l'Amérique profonde, qui témoignent simplement et douloureusement des difficultés de leur vie quotidienne, les produits indispensables qu'on ne peut plus acheter, le chômage qui guette, l'inquiétude pour l'éducation des enfants, l'impossibilité matérielle de se soigner. Des tranches de vie qui rejoignent celle de Barack Obama. Il aime sa mère, son père, sa grand-mère, sa femme Michelle, qui vient dire quelques mots, ses enfants, avec qui il se montre tendre. Barack est un Américain comme les autres, mais lui est candidat à la Maison Blanche et a des solutions pour changer la vie quotidienne. *American stories, American solutions*, c'est ainsi qu'est titré ce spot qui débute par l'image des blés qui se couchent au souffle du vent et se termine sur la photographie du candidat, en ombre chinoise, grimpant un escalier qui conduit sans doute vers la victoire, si les Américains le veulent bien. Entre-temps, on aura découvert un Obama d'une profonde humanité, attentif aux préoccupations des gens, consolant une vieille dame, l'œil humide, serrant très fort un enfant dans ses bras, un Obama chaleureux, généreux, empathique. Pas une vedette, pas une rock-star, mais un homme déterminé et sur qui on peut compter. Obama, c'est un peu Henry Fonda dans *Les Raisins de la colère*. « Je ne serai pas un président parfait, dit-il, mais je vous dirai toujours ce que je pense. » C'est beau, c'est terriblement touchant. Il faudrait être un monstre pour ne pas le comprendre. Surtout, si vous voulez en savoir davantage, n'hésitez pas à appeler le « 62262 », le numéro qui s'affiche périodiquement en bas de l'écran !

Cet accès de modestie contraste avec le bruit de la ferveur populaire qui s'empare alors des États-Unis. Tout le monde s'y met, les people, les artistes, les créateurs de mode. Pour la première fois, la « Fashion Avenue » (7e Avenue de New York) s'engage pour lever des fonds, Anna Wintour, directrice de *Vogue*, et Calvin Klein en tête. Directrice de publicité dans le *Elle* américain, Samantha Fennell quitte son poste pour rejoindre l'équipe d'Obama : « Jamais je n'ai été aussi inspirée et motivée par un candidat », avoue-t-elle. Les produits estampillés Barack Obama, vendus sur son site officiel, conçus par la fine fleur du design (Diane von Furstenberg, Zac Posen, Derek Lam, Marc

Jacobs...), se vendent comme des petits pains. Le tee-shirt Obama fait un tabac chez les stars du show-business, de Halle Berry à Sharon Stone, de Beyoncé à Spike Lee.

La force d'attraction du candidat démocrate concerne d'abord les jeunes : 70 % des 18-29 ans consultent régulièrement Myspace, Facebook et YouTube. Début novembre 2008, Obama compte 2 millions d'amis sur Facebook, quand McCain n'en rassemble que 600 000. Ses vidéos ont été vues par 17 millions d'internautes, dix fois plus que celles de son adversaire. Le site MoveOn.org, qui milite pour Obama, a lancé un concours pour réaliser un spot de 30 secondes avec, à la clé, une diffusion télévisée : il en a reçu plus de 1 000, sélectionnés ensuite par plus de 5 millions d'internautes. Les démocrates ont acheté de la publicité dans neuf jeux vidéo sur X-Box 360 et PS3. Vous pilotez une voiture sur *Burnout Paradise* et, soudain, vous découvrez sur la route virtuelle un panneau publicitaire à la gloire d'Obama ! Le candidat est devenu une marque, à tel point que le magazine *Advertising Age* l'a désigné « publicitaire de l'année », devant Apple et Nike.

La « marque » Obama touche aussi les enfants et, à travers eux, leurs parents. Il y a la figurine Barack, les Lego Obama (construisez les chantiers qu'il mettra en œuvre durant son mandat !), et bientôt, grâce à l'opportunisme de la société Ty, « Merveilleuse Malia » et « Sucrée Sasha », deux poupées aux traits des filles du candidat, célébrées par la télévision et les magazines sur papier glacé. Parents, vous voulez de la lecture pour les enfants ? La maison d'édition Simon and Schuster Books for Young Readers a pensé à eux, en adaptant l'autobiographie de Barack Obama (*Les Rêves de mon père*). Voici donc, *Obama, Son of Promises, Child of Hope* (Obama, fils prometteur, enfant de l'espoir), magnifique ouvrage illustré qui s'écoule à plus de 350 000 exemplaires. « Nous sommes dans la stratosphère », se réjouit Justin Chanda, l'heureux éditeur. On se demande parfois si le sympathique candidat et l'exemplaire nouveau président ne serait pas en train de se métamorphoser en Messie. Dans *Barack Obama*, de Jonah Winter, on lit ainsi : « Le président est arrivé dans les temps très difficiles pour l'Amérique. À travers le pays, les gens perdaient leur emploi, leur maison, leur sens de l'espoir. » Alléluia !

On ne compte plus les images d'Obama prenant dans les bras les bébés que lui tendent leurs mères, au bord de l'évanouissement. Des nouveau-nés sont même baptisés Barack. Donner le nom de son champion à un enfant n'est pas totalement nouveau (ce fut le cas au temps de Franklin Roosevelt), mais le phénomène prend brusquement une ampleur étonnante. L'idolâtrie confine tellement au grotesque qu'un étudiant en histoire de Californie crée Sendbarackyourbaby.com. Le site propose aux internautes qui n'auront pas la chance de voir le candidat démocrate de lui adresser leur bébé par la poste pour qu'il leur fasse un bisou. « Envoyez-le-lui, écrit-il, il l'embrassera et vous le renverra dans un délai de deux semaines » !

La vague Kennedy avait atteint la vieille Europe. Mais elle s'était déclenchée au moment de son élection. Ici, la mondialisation de l'image se fait sentir. Sur toute la planète, l'Obamania est perceptible avant la victoire du candidat démocrate. En fins commerçants, les Chinois ont très vite inondé le marché de produits dérivés (porte-clés, pendentifs, tee-shirts, cartables d'écolier, téléphones...), notamment en Afrique, où le Kenya fête l'enfant du pays. En France, où l'on n'est jamais à court d'idées pour une enquête d'opinion, on commande même des sondages. « Si vous étiez américain, pour qui voteriez-vous ? », interroge TNS-Sofres. À 80 %, les Français répondent « Obama ». À New York, on a Calvin Klein, à Paris, Jean-Charles de Castelbajac qui, en octobre 2008, dans son défilé de prêt-à-porter printemps/été 2009, présente une petite robe jaune et noir très seyante entièrement couverte, de la poitrine aux cuisses, du visage de Barack Obama tout sourire.

L'icône Obama provoque même une tempête politique en France. Le 6 juin 2009, le nouveau président américain est attendu sur les plages normandes pour le 65e anniversaire du débarquement. L'événement est d'importance, comme l'indique l'astucieuse affiche du député-maire de Caen, Philippe Duron, apposée sur tous les panneaux commerciaux de sa ville : « Yes, we Ca(e)n. Welcome to President Obama. » Or, nous sommes à la veille des élections européennes, et Nicolas Sarkozy a décidé qu'il poserait en photo à côté de la nouvelle gloire planétaire. La gauche s'insurge, le centre proteste et, au nom des écologistes, Daniel Cohn-Bendit remarque : « C'est incroyable que Sarkozy le Grand veuille utiliser ça un jour avant les européennes. » Dans cette affaire, l'important n'est pas la controverse, mais l'idée même que l'image d'Obama puisse peser sur l'opinion des Français. Ce qui est incroyable, c'est qu'on croie, à droite comme à gauche, à la magie irrésistible du plus grand séducteur de la planète, jusqu'à prendre les électeurs pour de parfaits gogos. Je serai là à côté de toi, je te toucherai et, par ma seule présence, je te transmettrai mon fluide enchanteur… Évidemment, si Nicolas Sarkozy avait invité la reine d'Angleterre, on aurait évité la polémique !

9

Humain, plus humain

Saint-Privat : canton de Corrèze, arrondissement de Tulle, 3 799 habitants, altitude moyenne 548 mètres. Et savez-vous quoi ? C'est là que sont élevées « les plus belles Salers » de France. Parole d'expert, celle de Jacques Chirac, chef de l'État et ex-député de Corrèze ! Nous sommes le 7 mars 1999, jour de clôture du Salon de l'agriculture, et le président de la République est venu prendre un bain de foule, serrer des mains, embrasser des enfants, parler aux paysans sur un ton incomparable de complicité, comme tous les ans. Cette année, il n'aura arpenté les allées que durant trois heures, soit deux heures de moins qu'en 1996, où il battit son record de présence. Il aura tout de même eu le temps de goûter un cocktail de lait glacé à la fraise, un morceau de pont-lévêque bien coulant, une tranche de jambon de Savoie, un verre de sancerre, un autre de chiroubles, et bien d'autres encore ; une bonne dizaine au total. Il aura poussé un cri d'admiration en découvrant la meilleure laitière normande, montré son enthousiasme en caressant l'arrière-train d'une magnifique blonde d'Aquitaine et déclaré aux éleveurs de porcs : « Vous pouvez être rassuré que tout sera fait au mieux pour soutenir l'élevage français porcin qui est un élevage de qualité. » Affirmation d'autant plus savoureuse qu'il n'a plus la main sur le dossier agricole depuis la défaite de la droite en 1997 et l'arrivée d'un gouvernement de gauche, conduit par Lionel Jospin.

Tous les ans, la même scène se répète. Sous le regard des photographes et des cameramen, les hommes politiques se pressent au Salon de l'agriculture pour dire leur amour des terroirs et leur attachement à la France des traditions, du camembert et des bons vins de pays. On exhibe ses racines, on réveille la fierté de ses électeurs en vantant les mérites des produits de sa région, on montre combien on est proche des « vrais gens » en se mêlant joyeusement à eux. Mais à ce jeu-là, Jacques Chirac, qui fut ministre de l'Agriculture sous Pompidou, est, de loin, le meilleur. Car, pour tout le monde, journalistes, exploitants agricoles, électeurs des villes et des champs, il est l'ami passionné des paysans ; mieux : il est un des leurs !

Dès 1970, le magazine *Panorama* lui consacre un long portrait. Trois ans plus tôt, envoyé en Corrèze par Pompidou pour conquérir une terre de gauche, il a été élu député d'Ussel. « Monsieur Roger, comment allez-vous ? », « Bonjour Marcel », « Comment il va monsieur Couderc, la santé, ça se maintient ? »... Lorsque Chirac arrive dans un village corrézien, il semble connaître intimement tout le monde. Il faut dire qu'il ne ménage pas son temps pour conquérir les cœurs. À Paris, il s'occupe de son ministère toute la semaine. Mais, le vendredi soir, de nuit, il part au volant de sa 403, rejoint Ussel à toute vitesse, préside, décide, visite, inaugure tout le week-end, invite des élus locaux dans un restaurant gastronomique d'Ussel, et rejoint son ministère lundi matin, souvent sans avoir dormi la veille. « Bonjour monsieur, vous habitez un bien beau pays ! » Chirac flatte, écoute, plaisante, trinque et serre des mains, au point qu'il en attrape des ampoules, dont il se soigne en recouvrant ses doigts d'un sparadrap. « Serre-la-louche », comme l'ont surnommé les Corréziens, charme tout particulièrement les vieux (Chirac, homme de cœur) et les paysans (Chirac, élu de terrain). Ses poches sont remplies de papiers où sont notées des demandes d'électeurs qui viennent le solliciter pour un « plassou », une bonne petite place tranquille dans l'administration. Chirac ne se contente pas de promettre. De retour dans la capitale, il envoie un petit mot à un élu de son camp, avec pour consigne « Merci de t'en occuper ». De telles demandes se multiplient à mesure qu'il grandit dans la vie politique, Premier ministre, maire de Paris, chef du RPR… Subventions, places, décorations se déversent sur la Corrèze. Les Corréziens de Paris peuplent les emplois subalternes qui dépendent de l'Hôtel de Ville. Alors, à Ussel, on ne lui en veut pas de partager son cœur avec les rives de la Seine. Et à Paris même, on l'aime, notamment les petits vieux qui lui savent gré de l'envoi, à Noël, d'une boîte de chocolats qui montre à quel point Chirac pense à eux. Chirac, si attentionné, si efficace, si charmant…

Jacques Chirac a bien retenu la leçon de son mentor, Georges Pompidou. « Je voudrais être un président le plus près possible des hommes et le plus semblable, si je puis dire, à tous les Français », disait-il à Jacqueline Baudrier, le 6 juin 1969, lors de la campagne télévisée. Succédant au géant de Gaulle, Pompidou inaugure une nouvelle forme de séduction pour un président, celle de la simplicité et de la proximité. Vous pouvez me faire confiance, parce que je suis comme vous, et donc je connais vos préoccupations. Pompidou, c'est l'enfant du Cantal qui a réussi, mais n'a pas oublié ses racines, qui aime à s'attabler avec des paysans, boire un verre avec eux, poser les coudes sur la nappe cirée. Pompidou, c'est le président qui, en 1970, reçoit les caméras de la télévision chez lui, dans sa ferme de Cajarc, en veste de laine et pull-over à col roulé, qui se promène dans la campagne des alentours, pauvre, rude et pourtant si belle, et va chercher une bûche en compagnie de son chien pour raviver le feu. La distance qu'impose la fonction présidentielle, est-ce qu'on en souffre, lui demande Pierre Desgraupes ? « Moi, j'en souffre », répond Georges Pompidou, sans hésiter.

Pour amener le citoyen à vous, les belles promesses qui font rêver ne suffisent pas. Il faut qu'il croie en vous, qu'il s'identifie à vous, qu'il se sente proche de vous. Il faut qu'il soit relié à vous par un lien affectif que rien ne pourra briser, qui survivra aux épreuves de la contingence politique. La recherche de la proximité avec l'électeur ne naît pas dans les années 1970. Mais, désormais, et de façon toujours plus prégnante, elle devient la condition de la longévité politique. Les leaders l'inscrivent au cœur de leur stratégie séductrice, n'hésitant plus à se raconter et à ouvrir leur sphère privée au regard curieux de l'opinion. Tu es comme moi ? Prouve-le ! Le risque est considérable, mais si on y parvient, on entre dans le cercle étroit de la famille ou des meilleurs amis. Quand on apparaît sur le petit écran, dans la salle à manger, c'est un peu comme si on partageait le repas du foyer. Car si on se dévoile devant des millions de personnes en même temps, il convient de donner l'impression à celui qui écoute que, pour vous, il est seul au monde. Quand la politique paraît lointaine, abstraite, froide, le politique, lui, s'applique à s'humaniser. L'exposition de l'intimité s'inscrit alors dans une stratégie de « peopolisation » aux multiples facettes.

Mon histoire est votre histoire

Le président du Brésil, Luiz Inácio Lula da Silva, pleure. Le 2 octobre 2009, Rio de Janeiro vient d'être désignée comme la ville qui accueillera les jeux Olympiques 2016 et, lors de la conférence de presse qui suit l'élection, tandis que parle Carlos Nuzman, le président du comité olympique brésilien, Lula fond soudain en sanglots. L'image fait le tour du monde. « J'ai 63 ans, dit-il pour se justifier, j'ai vu beaucoup de choses dans ma vie et je pensais que je ne pourrais jamais devenir émotif mais là, je pleure plus qu'aucune autre personne présente. C'est le jour le plus émouvant de ma vie. » Lula pleure de joie, et tout le Brésil avec lui.

Sa sincérité n'est pas en cause, mais il faut bien avouer que Lula a la larme facile, comme le rire, du reste. Loin de l'affaiblir, ses émotions, qui soulignent en lui l'épaisseur humaine, constituent un atout. Elles lui ont permis de vaincre ses adversaires aux présidentielles de 2002 puis de 2006, José Serra d'abord, Geraldo Alckmin ensuite. Ces froids technocrates n'ont pu résister à l'élan des Brésiliens pour les qualités de cœur, la générosité, la bonté, la cordialité, la simplicité, la spontanéité de Lula. Le président brésilien est à l'image de ses compatriotes qui rient devant les choses ordinaires de la vie et pleurent devant un feuilleton télévisé comme après une défaite de la *Seleção*. Si le peuple aime Lula, c'est qu'il lui ressemble.

Ils connaissent par cœur son histoire et s'y reconnaissent. Né en 1945, Lula est un enfant du Nordeste qui dut fuir la famine dans un camion bondé de réfugiés, abandonner sa ville natale (Garanhuns), voyager treize jours dans des conditions épouvantables pour rejoindre São Paulo. Élevé par sa seule mère (illettrée), obligé de quitter l'école à 10 ans, il travailla très jeune, d'abord comme vendeur de rue et cireur de chaussures, puis comme mécanicien-tourneur chez Volkswagen. Son passé d'ouvrier métallurgiste, il en porte les stigmates à la main gauche, où il lui manque le petit doigt, arraché par une machine. Révolté contre la misère, il se lance dans le syndicalisme, conduit des grèves qui le mènent dans les prisons du régime militaire, en voie d'effondrement. Libéré, il fonde le Parti des travailleurs, devient député, se présente trois fois à l'élection présidentielle : la quatrième, en 2002, est la bonne.

Son histoire est sa force. Lorsqu'il parle de pauvreté, de famine, d'analphabétisme, il semble puiser dans ses propres souvenirs et ce qu'il en dit séduit l'auditoire par son authenticité. Même son langage paraît vrai. Il maltraite les mots, accumule les fautes grammaticales, mais ces travers ne donnent que plus de spontanéité à son discours. Le ton a changé, cependant, entre 1989 et 2002, moins véhément, plus policé, plus bonhomme, ce qui lui a permis de conquérir une partie des classes moyennes. Mais ses goûts ressemblent toujours à ceux des Brésiliens. Comme eux, par exemple, il affiche sa passion du football et soutient le club très prolétaire des Corinthians de São Paulo, surnommé l'« équipe du petit peuple ».

Lula fonde sa popularité sur l'ordinaire d'une histoire à laquelle une large majorité de Brésiliens s'identifient. On l'aime, mais on ne lui voue pas un culte. C'est un ami, un familier, qu'on appelle par son prénom et avec qui on plaisante volontiers, lorsqu'on a la chance de le croiser. Habilement, il sait en tirer parti, y compris pour faire oublier son recentrage politique. Le charme opère, d'ailleurs, bien au-delà des frontières brésiliennes. Lula ? C'est « l'homme le plus populaire sur la terre », affirme Barack Obama, au G20, en avril 2009.

Le parcours de Lula est, bien sûr, exceptionnel. Ce qui l'est moins, en revanche, c'est la manière dont les hommes et les femmes politiques instrumentalisent leur histoire personnelle à des fins de communication politique, notamment à la télévision. Prenons l'exemple de la France. En 1984, renouvelant le genre de l'émission politique, est lancé « Questions à domicile », où le leader n'est plus interrogé en studio, mais chez lui, dans son salon, sur son canapé, saisi dans le quotidien familial, avec sa femme et ses enfants. La caméra pénètre dans la bibliothèque, le bureau, la cuisine et, pourquoi pas, la chambre à coucher. Certes, « Questions à domicile » a un parfum de show politique à l'américaine, mais s'inscrit aussi dans un climat propice à faire tomber, à la télévision, les barrières de l'intime.

Le pli est pris de venir à la télévision pour partager une partie de sa sphère privée. Il y a même une émission pour cela, « Vivement dimanche », créée en 1998 par Michel Drucker. Ah ! si Jospin avait accepté d'aller chez Drucker, sans doute la face du 21 avril 2001 en eût-elle été changée ! C'est ce que pense, en tout cas, Jacques Séguéla, persuadé que le candidat socialiste aurait conquis en un après-midi les quelques centaines de milliers de voix qui lui manquèrent si cruellement, au premier du scrutin présidentiel. Pourquoi va-t-on chez Drucker ? Pour y montrer son humanité, et parce que l'émission réunit entre 3 et 6 millions de téléspectateurs (selon l'heure à laquelle l'audience est mesurée).

Le 27 janvier 2008, Ségolène Royal prend ainsi place sur le célèbre canapé rouge. C'est sa troisième visite, invitée à l'occasion de la sortie de son livre sur sa campagne de 2007, *Ma plus belle histoire d'amour, c'est vous.* Elle y écrit notamment : « La candidate [*c'est ainsi qu'elle se nomme*] n'a pas trouvé l'épaule où poser son front pour se lâcher et pour pleurer quand c'était dur ou pour rire dans les moments joyeux. Alors, elle n'a pas pleuré et elle a tenu. » La phrase, qui fait allusion à sa rupture avec François Hollande, n'échappe pas à Michel Drucker : « C'était sans doute le plus difficile, cela ? » Ségolène Royal confirme : « Être trompée, et en même temps quand ça dure pendant une période comme celle-là, c'est extrêmement difficile. J'ai pris sur moi, d'abord parce que voulais en protéger mes enfants, que je voulais en protéger les Français. J'ai pas voulu exhiber ça pendant la campagne. J'ai gardé cette épreuve pour moi. » Et elle ajoute : « À vous, je peux le dire, c'est vrai que cela a été extrêmement dur et ce qui m'a sauvée, c'est de continuer à penser aux Français qui attendaient que je sois digne. » Étonnant, cet « à vous, je peux le dire »... À qui s'adresse-t-elle ? Au confesseur Drucker ? Ou « à vous » qui m'écoutez, les Français que j'ai voulu préserver ? On s'émeut pour l'épouse trompée et la mère protectrice, qui reste digne et parle simplement d'une souffrance ordinaire, l'adultère, ô combien partagée. On admire aussi son courage (« Ça y est, c'est cicatrisé »). Ségolène, si forte et si humaine...

Ce genre de confession ou de déballage cathodique a le don d'exaspérer sa rivale au Parti socialiste, Martine Aubry. La première secrétaire, contrairement à sa rivale, ne fait pas la couverture de *Paris-Match* et peu de gens savent que son mari s'appelle Jean-Louis Brochen et qu'il est un avocat en vue à Lille. Mais voilà, lorsqu'on dirige le principal parti d'opposition, qu'on envisage peut-être de le représenter à la prochaine élection présidentielle et qu'on souffre d'une image autoritaire, auprès de l'opinion comme auprès des médias, il faut bien faire quelques concessions : par exemple, préparer une carbonade du Nord, en compagnie de Jean-Pierre Coffe, dans « Vivement dimanche » !

Elle était déjà venue chez Drucker, mais dix ans plus tôt, alors ministre de l'Emploi. Depuis, pas question d'y retourner. Au moment du passage de Ségolène Royal, elle ne mâchait d'ailleurs pas ses mots : « Il ne faut pas mettre le doigt là-dedans [...]. Quand on parle de sa vie privée, on ne parle pas de la société qu'on veut construire. » Et mieux encore : « Quand on voit que l'émission s'appelle "Vivement dimanche", on aurait préféré faire la semaine de quatre jours. » Pourtant, le 29 mars 2009, Martine s'assied elle aussi sur le sofa où avait pris place Ségolène.

Le grand moment de l'émission est l'épisode où, dans sa cuisine, un tablier attaché autour de la taille, elle mitonne le typique plat lillois, sous l'œil admiratif de Jean-Pierre Coffe. Le reportage terminé, Coffe s'exclame : « Voyez comme elle est amusante ! Est-ce que vous avez vu cette femme sympathique ? C'est comme ça que je veux vous voir ! — Je vais essayer », répond timidement Martine Aubry. Michel Drucker enchaîne, émerveillé : « C'est la première fois depuis le début de "Vivement dimanche" qu'on voit une femme politique en cuisine. — C'est quand même pas un exploit, s'insurge la leader du PS avec le sourire. Toutes les femmes font la cuisine ! » Difficile de dire si le tablier de cuisine de Martine Aubry pèse d'une manière quelconque sur son image. Ce qui est sûr, en revanche, c'est que l'émission de Drucker est devenue, en quelques années, l'espace le plus fréquenté par des responsables publics en quête d'humanisation.

Vous voyez, je vis comme tout le monde... Si je vis comme tout le monde, je passe aussi les vacances de M. Tout-le-monde. La modestie, en matière de congés estivaux, de plus en plus observés par les médias, est une règle de prudence pour un homme politique qui veut rester proche du peuple. « Quand est on Premier ministre, on passe ses vacances en Bretagne », dit un jour le général de Gaulle à Georges Pompidou qui préférait de beaucoup la fréquentation des villas luxueuses et de la jet-set de Saint-Tropez aux embruns des côtes bretonnes. Devenu président de la République, il montre cependant qu'il a retenu la leçon. En juillet 1969, pour ses premières vacances depuis son élection à l'Élysée, il choisit un petit village près de Paimpol, déclarant aux journalistes, sur un ton convaincu : « Je suis très heureux en Bretagne. Il fait un temps splendide. Je me baigne et fais de la voile. »

Dis-moi où tu passes tes vacances et je te dirai qui tu es… En 2009, comme souvent, Angela Merkel se rend à Bayreuth pour l'ouverture du festival puis choisit la montagne et se repose dans le Tyrol du Sud (Italie). Les vacances idéales de la chancelière ? « Dormir, me remettre en forme, être proche de la nature et, durant deux ou trois heures, ne se concentrer que sur la nature et ne plus penser à la politique. » Évidemment, deux mois avant les législatives, mieux vaut afficher ses goûts simples, loin des hôtels de luxe ou des yachts qui ont coûté si cher à l'image de Nicolas Sarkozy, en 2007. Car, au fond, les vacances ont surtout valeur de test, l'opinion mesurant, par elles, la cohérence entre les valeurs prônées et la réalité du style de vie. Les vacances de Barack Obama, en 2009, suscitent ainsi la polémique lorsqu'on apprend le prix de son séjour sur la petite île de Martha's Vineyard, au large du Massachusetts (très prisée par les stars d'Hollywood) : une semaine de location dans la villa « Blue Heron Farm » coûte la bagatelle de 25 000 dollars (17 500 euros) ! Je paie de ma poche, se défend le nouveau président américain. Qu'importe ! Sur le site de gauche Huffington Post, deux universitaires qui ont voté pour lui l'alertent : « Le peuple vous regarde, monsieur le président. Dans une période de fort chômage et de difficultés économiques, ce n'est pas le moment d'aller sur l'île huppée de Martha's Vineyard. » On ne peut évidemment pas exiger d'un chef d'État qu'il passe ses vacances en short et en tongs au camping « Beau panorama », avec vue sur le parking, mais on appréciera qu'il choisisse un lieu de séjour sans ostentation, si possible à l'intérieur des frontières nationales, et toujours en compagnie de sa femme, de ses enfants et du chien de la maisonnée…

Ma femme, mes enfants, mon chien

Ah ! la famille… Pour émouvoir le citoyen, provoquer en lui un élan d'affection et d'identification durable, rien de tel que la famille ! Les Américains l'ont compris depuis longtemps, et le couple Franklin et Eleanor Roosevelt ravissait déjà les journaux illustrés d'avant-guerre. Cependant, c'est avec Eisenhower que la famille est devenue un véritable outil de la stratégie de communication. On peut même dater l'apparition du phénomène, avec la campagne présidentielle de 1952. Cette année-là, « Mamie » Eisenhower vient vanter les mérites de son cher « Ike » à la télévision : « Avec Ike, vous retrouverez la joie de vivre. » C'est beau comme une publicité pour une crème de beauté régénérante ! La manœuvre est habile. Mamie monte au front pour mieux souligner la cruelle situation de l'adversaire de Ike : Stevenson est divorcé. Embarrassé, le candidat démocrate décide alors de sortir ses atouts maîtres, ses deux fils, et de se présenter avec eux à la télévision. On assiste alors à une scène succulente, qui permet de mesurer à quel point le théâtre est un vrai métier ! « Comment trouves-tu la campagne ? » demande Stevenson à Gordy, son aîné, que la question ne semble guère passionner. Alors, avec application, il se lance dans l'énoncé d'une réplique soigneusement répétée : « Si j'en crois l'impression qui s'exprime dans les universités, tu dois être populaire dans tout le pays... » Stevenson rit, comme on s'esclaffe dans une comédie parodique, avec un manque de spontanéité qui ne trompe personne. Il s'apprête à se tourner vers son fils cadet, lorsque Gordy, qui veut sans doute en faire un peu trop, ajoute, dans un soupir : « Enfin, je l'espère... » Patatras, la certitude de la victoire se transforme en fiasco annoncé...

Quatre ans plus tard, Eisenhower et Stevenson se retrouvent de nouveau face à face. Pourquoi abandonner une recette qui fut si efficace en 1952 ? Mais, cette fois, Ike fait évoluer son personnage : il sera le bienveillant patriarche, entouré par ses enfants et petits-enfants, venus lui souhaiter, le 14 octobre 1956, un joyeux anniversaire. « *Happy birthday to you...* » Stevenson a beau s'afficher avec sa sœur, ses enfants et prononcer son ultime discours à Boston, où vient de naître son premier petit-fils, il ne peut faire oublier l'absence d'une épouse.

Rien de mieux qu'une future First Lady pour adoucir l'image d'un candidat, contraint à toutes les brutalités pour satisfaire son ambition présidentielle. Elle sera présente dans les meetings, donnera des interviews dans la presse pour évoquer l'ordinaire d'un couple heureux, et ne manquera pas de l'accompagner dans des déplacements où s'exprimera la bonté chaleureuse de son mari. Parfois même, elle visitera seule des crèches, des hôpitaux, des maisons de retraite. Souriante et bienveillante, elle y manifestera les sentiments les plus généreux, ceux de la mère pour ses enfants, ceux de la fille pour ses parents. L'épouse du candidat doit se conformer à un portrait stéréotypé qui relève de la vieille tradition des dames patronnesses. Mais si, en plus, elle est jeune et belle, et rappelle confusément Jackie Kennedy, elle attirera le regard des médias qui pourront écrire une belle histoire aux couleurs pastel du conte de fées.

C'est Claude Pompidou qui, la première, en 1969, assume vraiment la fonction de Première Dame, en France. Avant elle, Germaine Coty avait surtout laissé le souvenir d'une ménagère, un peu gauche et toujours mal fagotée, qui s'attirait les quolibets agacés du Tout-Paris : comment, c'est cette femme qui représente la France à l'étranger ? Quant à Yvonne de Gaulle, elle était soigneusement restée dans l'ombre du Général. Avec Claude Pompidou, tout change. L'épouse du président ne vit plus cloîtrée à l'Élysée : plus jeune que celles qui l'ont précédée (57 ans), réputée pour son élégance et sa culture (l'art contemporain, tout particulièrement), son exposition médiatique atteste la rupture voulue par Georges Pompidou, le basculement de la France dans la modernité. Dès juin 1969, les lecteurs d'*Ici-Paris* comprennent qu'on est passé à une toute nouvelle époque, en découvrant Claude Pompidou sortant d'une piscine en bikini ! Désormais, le couple Pompidou occupe régulièrement les couvertures de *Paris-Match* et de *Jours de France*, où Claude, parfois, apparaît seule, en tenue de campagne chic ou en robe de soirée. La Première Dame, toutefois, ne se contente pas de donner d'elle une image glamour. Car, dès 1970, à la suite d'un courrier que lui avait adressé une mère désespérée élevant seule et sans aide deux enfants handicapés, elle décide de créer une fondation qui, portant son nom, sera dédiée aux personnes âgées, aux enfants hospitalisés et aux handicapés. Ainsi inaugure-t-elle la double fonction désormais dévolue à la Première Dame : fonction de représentation d'abord, fonction humanitaire ensuite. La notoriété mise au service de la grâce et du cœur, en quelque sorte.

Il suffit de prendre une collection de *Paris-Match* et d'en consulter les couvertures pour comprendre qu'à partir des années 1980, et de matière plus manifeste encore dans les années 1990, le « couple » devient une donnée clé de la communication politique et de la « peopolisation » de la vie publique. Des présidents, on passe aux présidentiables, aux Premiers ministres, aux ministres eux-mêmes. Michel Rocard donne le ton, dès avril 1985, en s'affichant en une, tout sourire, avec sa femme Michelle. Il revient avec elle, en mai 1988, lorsqu'il est nommé à Matignon. Si Rocard le fait, tout le monde peut le faire ? À partir de 1995, tous les Premiers ministres successifs, de droite comme de gauche, sont en couverture avec madame : Juppé, Jospin, Raffarin, Villepin, Fillon. Et puis, avec Sarkozy à l'Élysée, arrivent les seconds couteaux. Jouant sur la promotion des femmes dans la société, *Paris-Match* lance à l'été 2010 une enquête sur « Les hommes de... ». En juillet, le lecteur découvre ainsi Xavier Giocanti, le compagnon de Christine Lagarde, ministre de l'Économie et des Finances, et possible successeur de François Fillon à Matignon. Ils se sont connus à l'université de Nanterre, dans les années 1980, mais leur « coup de foudre » ne survint que beaucoup plus tard, en 2006. Il habite Marseille (il est entrepreneur), elle à Paris (Bercy oblige). Alors, ils s'appellent tous les jours à 23 heures, ne cessent de s'envoyer des textos et attendent impatiemment le moment où ils pourront se retrouver. « Ils aiment tous les deux les choses simples. » Elle lui a fait découvrir l'opéra. Lui l'a ouverte à la musique corse et, amoureux, s'occupe de son PIB, son « plaisir intérieur brut ». C'est émouvant comme une romance d'adolescents.

Il faut dire qu'en matière de romance, les Français ont connu mieux, avec le couple Sarkozy. Après la belle histoire de Cécilia et Nicolas à Venise (2006), voici le bouleversant récit du coup de foudre de Carla, le top model, et de Nicolas, l'homme sensible qui dirige la cinquième puissance du monde. Ils s'aiment, et cela se voit. Des pyramides (2008) au Taj Mahal (2010), Nico et Carlita se tiennent la main, sous l'œil attentif des caméras du monde entier. Elle est la nouvelle Jackie Kennedy (*Times*) ou la nouvelle Lady Di (*Daily Telegraph*) que la planète nous envie. Et cette histoire a un parfum troublant de cour princière dans un pays qui, honteux d'avoir coupé la tête de son roi, a inventé en 1958 un régime inédit, la monarchie républicaine !

Mais la seule question qui compte, au fond, est celle-ci : les Français sont-ils sous le charme de leur Première Dame ? Fin 2009, le magazine *Sélection Reader's Digest* commande un sondage à GNS pour répondre à la question. Oui, disent 55 % des personnes interrogées (contre 28), Carla Bruni-Sarkozy « est à la hauteur de son rôle de Première Dame ». Mieux : 65 % d'entre elles pensent qu'elle est « un atout pour le président de la République ». Pourquoi ? Parce qu'elle adoucit son image (69 %), le valorise par sa beauté (44 %), le tempère (40 %), lui fait découvrir de nouveaux horizons culturels (34 %). Qu'est-ce qui gêne, alors, les 22 % estimant que Carla Bruni-Sarkozy est un inconvénient pour Nicolas Sarkozy ? D'abord, et de loin, son appartenance à une « classe sociale très privilégiée » (59 %), ensuite son statut d'ex-mannequin et d'artiste. Jusqu'ici, le charme semble opérer. Mais vient la question qui tue : « Carla Bruni-Sarkozy est-elle proche des Français ? » Là, 51 % des personnes interrogées répondent « non », contre 33 % qui pensent le contraire.

Au fond, à la fin de 2009, les Français expriment un regret, celui d'avoir perdu Bernadette Chirac ! Certes, Carla est sublime, sait répondre à une interview, bouger, s'habiller, parle cinq langues, mais, précisément, tous ces atouts creusent une distance avec le Français moyen. Son engagement même, avec la Fondation Carla Bruni-Sarkozy (créée en avril 2009), dont la mission est « de faciliter l'accès à la culture, à l'éducation et au savoir afin de lutter contre les inégalités sociales », lui paraît peu lisible. Les « pièces jaunes » de Bernadette, ça, c'était du concret !

La France de Sarkozy n'a pas le monopole des belles histoires romantiques. Près de dix ans auparavant, en 1998, la presse allemande s'était enthousiasmée pour le mariage entre le chancelier Gerhard Schröder, 54 ans, et une jeune et jolie journaliste, de vingt ans sa cadette, Doris Köpf. Aucun détail ne fut alors épargné au public. Ils surent que Gerhard (alors ministre-président de Basse-Saxe) et Doris s'étaient connus dans un hôtel de Francfort, qu'il l'avait invitée au bar pour boire un verre, qu'ils avaient parlé toute la nuit, ayant un coup de foudre l'un pour l'autre. Ils apprirent aussi les désordres provoqués par Cupidon : furieuse d'être trompée, Hiltrud Hensel (Hillu, pour les intimes), troisième femme de Gerhard, le jeta dehors sans ménagement. Doris plut aux Allemands, et Gerhard sut mettre à profit sa popularité. En 2002, les élections générales se présentaient plutôt mal pour le chancelier social-démocrate. On vit alors surgir son épouse dans les médias. Talk-shows, premières de films, inaugurations de foires, ouvertures d'agences bancaires, Doris Köpf était partout, y compris dans *Bunte*, le magazine des stars et des potins, qui consacra quatorze pages au couple. On y lut des révélations fracassantes : pendant que monsieur s'occupe de la République, madame repasse, fait les courses et s'occupe de la cuisine. Ménagère Doris ? Non, femme indépendante et même féministe : « Jamais je n'accepterais qu'on me laisse passer devant à la caisse. » En septembre 2002, Schröder fut reconduit pour un nouveau mandat. Quelle part joua Doris dans son succès ? On ne saurait dire. Ce qui est sûr, en revanche, c'est que son exposition médiatique s'inscrivait d'autant plus volontiers dans la stratégie de communication de son mari que l'épouse de son adversaire de droite, Edmund Stoiber, désespérait les journaux par sa fadeur.

Dans les contes de fées, certes la princesse épouse le prince, mais la suite est tout aussi importante : « Ils eurent de nombreux enfants. » Voici ce qui manque à l'histoire des Sarkozy. Rappelons-nous de la cérémonie d'investiture du nouveau président, en 2007, et l'image familiale qui s'en dégageait. Rappelons-nous aussi cette photo du petit Louis, en 2004, prise dans le bureau du ministre de l'Intérieur et parue dans *Paris-Match* : l'enfant jouait sous la table de son père, comme John-John, dans le Bureau ovale, quarante-deux ans plus tôt. En juin 2004, Gerhard Schröder et Doris Köpf, qui avaient déjà des enfants de leurs premiers mariages, adoptent une petite Russe, Viktoria, qui émeut l'Allemagne. L'enfant, c'est le bonheur du foyer.

La présence d'un enfant donne au couple « dirigeant » l'image d'une famille unie. Et quand il naît pendant que vous êtes aux affaires, c'est l'assurance de pouvoir attendrir la nation tout entière, comme en témoigne le cas de Tony Blair. Lorsqu'il devient Premier ministre, il a déjà deux garçons (Euan, 13 ans, Nicholas, 12 ans) et une fille (Kathryn, 9 ans). Mais, en 2000, Cherie Blair donne naissance à Leo, que la presse surnomme bientôt le *millenium baby*. C'est la première fois depuis 1849 qu'un occupant du 10 Downing Street devient père. L'événement est planétaire. Leo à quatre pattes, Leo sur le dos de Tony, Leo dans les bras de Bill Clinton, le Premier ministre utilise à plein l'image de son fils. Et, quand il ne pose pas avec lui, il en parle, par exemple à *Saga*, en avril 2003 : « Leo bouge tout le temps, mais c'est un gosse fantastique ! » Espiègle Leo qui, un jour, surgit dans une conférence ministérielle sur l'Irak et lui crie : « Regarde, je t'ai apporté un fruit ! » N'est-ce pas mignon ? C'est adorable, et cela fonctionne encore en 2010, avec, cette fois, David Cameron qui, début septembre, présente aux photographes et cameramen sa petite dernière, Florence, en compagnie de sa femme, Samantha. On n'ignore rien sur l'attendrissant événement. On apprend ainsi que le bébé était blotti dans un châle blanc, amoureusement tricoté par une grand-mère de Birmingham.

En 1996, Jacques Chirac, lui, n'a plus l'âge d'être jeune papa. Mais il a celui d'être grand-père. « Le bébé de l'Élysée », titre *Paris-Match*, le 4 avril 1996, tandis qu'en couverture le président serre sa fille Claude sur sa poitrine : il est heureux, elle va avoir un enfant. C'est parti pour une belle et longue opération de communication qu'on pourrait baptiser « l'art d'être grand-père ». Pour bien l'apprécier, il faut se rappeler un détail : sa fille est aussi sa conseillère en communication. Le 29 août, *Paris-Match* publie en une un cliché aux allures de photo volée, celle du chef de l'État, chemise ouverte sur un torse nu, en short et espadrilles : il pousse le landau du petit Martin au fort de Brégançon. « Chirac, grand-père heureux », se réjouit le magazine. Et il en est ainsi tous les ans, car, d'année en année, *Paris-Match* « dérobe » des instants de bonheur familial, jusqu'au 4 mai 2000 où le journal annonce un « reportage photo exclusif » : « Le président grand-père. Jacques Chirac et son petit-fils Martin, à Pâques au fort de Brégançon. » Ici, les photos sont clairement posées. Que voit-on ? « Un garçon de 4 ans en jeans et casquette rouge, un grand-père en chandail bleu marine et baskets, et la mer comme miroir de leur complicité… » Bref, une scène ordinaire, comme en vivent tant de Français. Chirac joue avec Martin, l'embrasse avec amour, rit à ses farces, le sermonne s'il le faut. Une tendresse sincère, mais qui, exposée à l'œil du photographe, rappelle que, dans deux ans, il y aura une élection présidentielle, dont Jacques Chirac, selon les sondages, n'est pas le favori. S'il veut apparaître comme le rassembleur et le père de la nation, des images comme celles-ci ne sont peut-être pas totalement inutiles...

« Un homme qui n'aime ni les animaux ni les enfants ne peut pas être foncièrement mauvais », disait W.C. Fields avec provocation. En politique, c'est tout le contraire : il faut aimer les chiens, les chats, les hamsters et les tortues, le dire et surtout le montrer. Car l'animal complète la parfaite panoplie de la famille idéale. Avec les enfants, vous bouleversez les jeunes couples qui s'identifient à vous. Avec les chiens et les chats, vous touchez, certes, les amis des bêtes, mais surtout les personnes âgées qui ont, par rapport aux moins de 35 ans – et *a fortiori* aux moins de 25 –, une qualité attractive sans égale : ils ne s'abstiennent jamais aux élections ! Alors, mieux vaut les avoir dans la poche.

Déjà, en 1942, en tournée auprès des troupes américaines à Pearl Harbor et Hawaï, Franklin Roosevelt avait pu mesurer la popularité de Fala, son scottish terrier : il en était revenu le pelage clairsemé, de nombreux soldats lui ayant arraché des poils pour les conserver comme talisman. Aux États-Unis, on ne peut imaginer un président sans chien. « Si tu veux un ami, prends un chien », dit un dicton américain. La vénération pour l'animal à quatre pattes pousse même, parfois, aux pires absurdités. Ainsi, la Maison Blanche, en 1974, au temps de Gerald Ford, avait fait fabriquer un tampon encreur avec l'empreinte de la patte de Liberty, golden retriever de la famille, pour satisfaire les Américains qui, nombreux, sollicitaient des photos de la chienne. Bien plus récemment,

Barney, le scottish terrier de George W. Bush, disposait de sa propre page Internet sur le site présidentiel et, chaque année, accompagnait le chef de l'État américain dans la vidéo des vœux présidentiels.

Mais le phénomène dépasse de beaucoup les frontières américaines. En Russie, par exemple, Koni, le labrador noir de Poutine, est une véritable star qui le suit dans tous ses déplacements officiels. Et en France ? Si on ne connaît pas la passion de Nicolas Sarkozy pour les chiens, tous ses prédécesseurs en ont eu un, voire plusieurs (à l'exception notable du général de Gaulle qui, lui, préférait les chats, et notamment les chartreux), à l'instar de Valéry Giscard d'Estaing. En 1976, il pose en couverture de *Paris-Match* avec son labrador, tandis qu'Anne-Aymone s'occupe de ses rhododendrons dans le parc de l'Élysée. Mieux : en septembre 1978, sa chienne a une portée. Aussitôt, il fait appeler le magazine télévisé « 30 millions d'amis » et se propose de venir parler de son amour pour les bêtes. On ne peut évidemment rien refuser au président de la République. Les caméras de l'émission se rendent donc à l'Élysée où Giscard d'Estaing se livre à des révélations fracassantes, comme : « Je m'entends très bien avec les chiens, j'ai toujours vécu avec eux, et ce sont en fait des animaux dont je me sens très proche dans la vie quotidienne » (remarque très plaisante pour Anne-Aymone). Et il ajoute : « Quand je suis loin et que je ne les ai pas vus depuis un certain temps, je demande de leurs nouvelles [...]. Leur présence me manque. » D'où vient cette brusque envie de parler d'animaux à la télévision ? Peut-être d'un autre numéro de « 30 millions d'amis », diffusé six mois plus tôt, dans lequel François Mitterrand, interrogé dans sa maison de Latché, parlait de ses deux chiens (Julie et Titus) et de ses deux ânes (Noisette et Marron).

La bataille pour séduire l'opinion ne connaît pas de répit et n'ignore aucun sujet, dès l'instant où il peut susciter l'émotion. L'amour, la tendresse, la fidélité sont des valeurs sûres pour qui veut adoucir son image. Du coup, lentement mais sûrement, les hommes et les femmes politiques livrent leur cœur à la curiosité de la presse people.

Le blues du séducteur

Jouer la transparence de la vie privée est devenu une figure imposée de l'homme politique en quête d'humanisation. Mais ouvrir son jardin secret à l'attention des médias comporte un risque : ne plus pouvoir refermer la barrière. Michel Rocard a ainsi joué avec le feu en s'exposant, comme on l'a vu, avec sa femme Michelle, dans *Paris-Match*. Or, en 1991, le couple divorce. Habilement, il en informe immédiatement la presse, pour désamorcer lui-même la bombe de la rumeur. Peu de temps après, l'hebdomadaire publie un sondage BVA faisant apparaître que 86 % des Français pourraient voter pour un candidat divorcé ; preuve que les mentalités ont changé dans un pays où le divorce s'est banalisé. La séquence est close, et l'avenir de Rocard non compromis. Mais il a retenu la leçon : il se fera bien plus discret, désormais, sur sa vie privée.

En amour, ce qui n'est pas tolérable, c'est le mensonge. Dans les rapports affectifs entre l'opinion et l'homme politique, il en va de même. On ne lui demande pas d'afficher sa fidélité à sa femme. Mais s'il le fait, on exige, en retour, qu'elle soit effective.

En novembre 1976, à quelques jours du scrutin présidentiel, paraît l'entretien que Jimmy Carter a accordé à *Playboy*. Au détour d'une phrase, il avoue qu'il a parfois eu des pensées impures et l'envie de tromper sa femme :

« J'ai regardé beaucoup de femmes avec concupiscence. J'ai commis bien des fois l'adultère dans mon cœur… Dieu me pardonne. » Dans la tension de la campagne électorale, le propos fait scandale. Manifestation de la pudibonderie américaine, pression des ligues de vertu ? Le fond de l'affaire n'est pas là. Carter ne cesse de proclamer sa foi à qui veut bien l'entendre. On ne lui reproche pas de penser à l'adultère, mais d'avoir endossé les habits du rigoriste qui condamne le laxisme des autres. Il est pris en flagrant délit de mensonge. L'inquiétude est si grande dans le camp démocrate que les communicants de Carter font monter sa femme Rosalynn en première ligne. Mon mari a toujours mené « une vie exemplaire », déclare-t-elle. L'incendie est éteint.

Onze ans plus tard, en 1987, Gary Hart, candidat à l'investiture démocrate, n'a pas cette chance. Le sénateur du Colorado ne compte plus ses maîtresses, mais présente le visage souriant et apaisé du mari fidèle. Au fil des semaines, la rumeur des liaisons de Hart gonfle dans les journaux. Alors, pour la stopper net, il convoque la presse et, au côté de sa femme Lee, lance un défi aux journalistes : « Prenez-moi en filature. Vous verrez que vous serez très ennuyés. » Hélas pour lui, deux reporters du *Miami Herald* relèvent le défi. Ils fouillent et ils trouvent : Donna Rice, une jeune et jolie blonde, actrice dans la série télévisée *Miami Vice*, qu'ils prennent en photo quittant aux aurores le domicile du sénateur. Gary Hart est furieux. Il crie à la manipulation. L'ennui est qu'une seconde photo, plus compromettante encore, arrive miraculeusement à la rédaction du journal. Elle a été prise aux Bahamas, sur le yacht où Gary Hart passait ses vacances : Donna Rice est assise sur ses genoux et l'enlace. Aussitôt, la cote du sénateur s'effondre dans les sondages ; il doit bientôt renoncer à sa candidature. Le plus intéressant est l'enquête d'opinion alors publiée par le *Time*. Seuls 7 % des personnes interrogées reprochent à Hart d'avoir commis un adultère. Pour 69 % d'entre elles, le problème est ailleurs : il a menti.

C'est exactement ce qui est reproché, une dizaine d'années plus tard, au président Bill Clinton. On ne blâme pas le président américain parce qu'il est un séducteur. Tout le monde le sait d'ailleurs, sauf qu'en 1990, il a promis d'arrêter de tromper sa femme. On ne le blâme pas non plus parce qu'il a obtenu une fellation de Monica Lewinsky et échangé des propos obscènes avec elle. Après tout, elle était majeure et consentante ! Ce qui n'est pas tolérable aux yeux d'une grande partie des Américains, c'est le mensonge. C'est bien pourquoi, un jour d'août 1998, Bill Clinton, la mine contrite du premier communiant pris en faute, avoue à la télévision : « J'ai trompé le public, y compris ma femme. Je le regrette profondément. C'était mal. » Preuve d'humanité ? Aussitôt après, en tout cas, CNN et *USA Today* publient un sondage montrant que 62 % des Américains continuent à faire confiance à leur président.

En janvier 2006, *Le Figaro* publie un sondage TNS-Sofres sur le candidat idéal des Français, en vue de la prochaine élection présidentielle : un quinquagénaire, homme ou femme, polyglotte, honnête, à l'écoute des autres, attentif à la vie quotidienne de ses concitoyens. S'il est homosexuel ? Peu importe pour 78 % des Français. S'il n'est pas fidèle à sa femme ? 83 % d'entre eux affirment que cela ne comptera pas dans leur vote. On se souvient alors que même une fervente catholique comme Christine Boutin disait, à propos des déboires de Clinton : « Il aime les femmes, cet homme ? C'est un signe de bonne santé ! » On peut même se demander si, dans un pays comme la France, patrie de Rabelais et des libertins, on ne regarde pas avec une certaine fierté, voire avec une certaine envie, les exploits des hommes politiques séducteurs. À une condition : que cela ne s'étale pas à la une des journaux, que le Dom Juan ne prenne pas l'ascendant sur le Guide de la nation, que ses aventures extraconjugales ne sombrent pas dans le crapoteux et le sordide.

Six mois après la publication dudit sondage, *L'Express* demande à Dominique Strauss-Kahn : « Vous avez la réputation d'être séducteur, craignez-vous le pouvoir de la rumeur dans la vie publique ? » « Ce n'est pas une arme que j'utiliserai », répond-il, en esquivant la question. Lors de l'interview, a pris place à ses côtés son épouse, la célèbre journaliste Anne Sinclair. Le journaliste se tourne alors vers elle : « Souffrez-vous de la réputation de séducteur de votre mari ? » « Non, j'en suis plutôt fière ! C'est important de séduire, pour un homme politique », rétorque-t-elle, ajoutant : « Tant que je le séduis et qu'il me séduit, cela me suffit. »

Le couple DSK-Anne Sinclair s'est formé en 1991. Il n'est pas devenu tout de suite l'invité permanent des magazines people, d'abord parce qu'à cette époque les politiques s'y font encore rares, ensuite parce que Dominique Strauss-Kahn n'est alors que l'obscur ministre délégué à l'Industrie et au Commerce extérieur du gouvernement Cresson. La vraie vedette de l'époque, c'est Anne Sinclair, l'animatrice de « Questions à domicile » et de « 7 sur 7 », sur TF1, où se pressent tous les leaders politiques, président de la République compris. C'est d'ailleurs un jour de 1989, dans l'émission « Questions à domicile », où DSK était venu apporter la contradiction à Alain Juppé, que l'histoire du couple a commencé.

En 1999, le paysage a changé. Strauss-Kahn est désormais un ministre de l'Économie, des Finances et de l'Industrie très en vue, que la presse internationale salue pour sa compétence. Mais le scandale brise net son ascension. Son nom est mêlé à des affaires judiciaires (MNEF, Générale des eaux, Elf…). Avocat (à une époque où il n'assumait plus de mandat électif national), il avait conseillé les entreprises mises en cause. Pris dans la bourrasque médiatique, il choisit de démissionner du gouvernement Jospin. Deux ans plus tard, il bénéficiera d'un non-lieu. Mais, pour l'heure, c'est l'épreuve. Est-ce un hasard ? *Paris-Match* découvre brusquement le « couple » Anne Sinclair-DSK. Le 18 novembre 1999, il fait la couverture de l'hebdomadaire. De manière significative, le journal ne titre pas sur le ministre soupçonné de corruption, mais sur sa femme : « Anne Sinclair. La force tranquille de DSK. » La jolie journaliste, aimée des Français, vient au secours de l'homme politique en perdition pour stopper l'hémorragie de la confiance et l'humaniser, pour éviter que DSK ne sombre dans le rejet collectif du « tous pourris ». Elle accepte, du coup, d'instrumentaliser son histoire avec lui, ce qu'elle s'était toujours refusée à faire jusqu'à présent. « Le coup de foudre. La gloire. L'épreuve. Un couple de pouvoir dans la tourmente », annonce *Paris-Match* en titre.

Un an plus tard, en décembre 2000, Anne Sinclair et DSK sont à nouveau en couverture du magazine. Souriants, ils ont confiance. Lui la tient par l'épaule : ils sont amoureux. Elle proclame sa détermination : « Pour défendre mon mari, je suis prête à rugir, à griffer. » La lionne Sinclair atteste la solidité d'un couple qui ressemble à tant d'autres et dont les valeurs sont universelles : lorsque l'un souffre, l'autre l'assiste, sans faillir. De même Dominique est là pour soutenir Anne quand, en juin 2001, la journaliste star est écartée de TF1 à la suite de différends avec Patrick Le Lay, le PDG de la chaîne : « Je suis une femme blessée », déclare-t-elle à *Gala*.

Bref, tout cela compose une belle histoire d'amour qui se prolonge dans la cuisine du couple, à l'heure du petit-déjeuner, où s'est glissé *VSD*, en février 2005 : « DSK sait qu'il peut compter sur sa femme, Anne Sinclair. La journaliste surveille son hygiène de vie, joue le rôle de vigie, en particulier sur les sujets de société. » *Paris-Match*, *Gala*, *VSD* et les autres titres people contribuent à construire l'image d'un couple de stars qui s'aime et qui vit comme tout le monde. Dominique est humanisé par Anne. Il en a besoin car, si l'opinion lui reconnaît son intelligence, sa compétence, son dynamisme, DSK reste, pour elle, un personnage un peu distant et dont on ne comprend pas toujours très bien le positionnement politique.

Oui, mais Strauss-Kahn est aussi volage. Tous les journalistes le savent, mais ne dépassent pas le stade de l'allusion, jusqu'au jour de l'accident. À peine arrivé à Washington pour prendre la direction du FMI, il tombe sous le charme de Piroska Nagy, ancienne responsable du département Afrique de l'organisation internationale. Hongroise, elle est mariée à un économiste argentin réputé qui découvre qu'elle a succombé aux avances de DSK. L'ire du mari trompé se transforme en scandale qui éclate le 18 octobre 2008 à la une du *Wall Street Journal*. Le vaudeville qui aurait pu faire sourire devient l'« affaire DSK », comme le titre *L'Express* du 23 octobre.

Mais le plus remarquable, ici, c'est la contre-offensive médiatique déployée par le couple pour stopper la vague qui risque d'emporter DSK. Dès le 19 octobre, Anne Sinclair réagit sur son blog : « Chacun sait que ce sont des choses qui peuvent arriver dans la vie de tous les couples ; pour ma part, cette aventure d'un soir est désormais derrière nous ; nous avons tourné la page. Puis-je ajouter pour conclure que nous nous aimons comme au premier jour. Voilà. Je ne reviendrai plus sur le sujet. » Surtout, on mobilise la presse people, *Paris-Match* et *VSD* en tête. Victimes de l'actualité (sœur Emmanuelle vient de mourir !), DSK et Anne Sinclair ne font pas la couverture de *Paris-Match*. Mais ils sont bien là, à l'intérieur du magazine, avec cette photo, prise à Washington, au Cafe Milano : Dominique et Anne déjeunent en tête à tête. Il lui tient la main, ils se regardent, ils se sourient… Elle lui a pardonné… Ils sont de nouveaux heureux ! Et puis, on découvre un autre cliché, saisi dans les rues de Georgetown, quartier branché de la capitale américaine. Dominique tient Anne par l'épaule : « Dans les rues de Washington, un couple "amoureux comme au premier jour". » *VSD* confirme la réconciliation par sa couverture : éclatants de bonheur, ils sortent de chez le fleuriste. Anne tient trois roses dans ses mains…

La mise en scène est-elle convaincante ? En tout cas, elle met fin à la tempête médiatique, même si les coquineries de Dominique lui collent encore à la peau, comme en témoigne le sketch de Stéphane Guillon, en février 2009, sur France Inter, qui provoque la fureur de DSK. Il faut donc enfoncer le clou et, là encore, on peut compter sur *Paris-Match* qui, en octobre de la même année, publie la photo du couple heureux, attablé dans un fast-food de luxe : « À la cuisine indigeste du PS, il préfère un bon burger avec Anne », affirme la légende.

La construction d'une image est une course de fond. Elle demande du temps et de la persévérance. Si l'exposition d'une partie de l'intimité du couple DSK-Anne Sinclair a pu servir à rendre plus proche des Français le leader socialiste, il ne faudrait pas qu'elle produise un désastreux effet boomerang. Lorsque est publiée la photo du fast-food, Dominique Strauss-Kahn n'écarte pas l'idée de représenter les socialistes en 2012. Dans une campagne présidentielle, tous les coups sont permis, et DSK n'ignore pas cette vérité : l'opinion pardonne les entorses au serment de fidélité au couple, mais pas le mensonge.

Veux-tu être mon ami ?

Chez les Henry, on est tous militants socialistes. Alors quand, le 28 avril 1988, à l'issue du débat télévisé Mitterrand-Chirac qu'il a suivi avec eux, le reporter d'Antenne 2 leur demande qui était le meilleur, papa, maman et les enfants ont tous la même réponse : « C'était bien sûr François Mitterrand. » Papa précise même : « Il a été par moments assez impérial. » Chez les Maleysson, en revanche, on est plutôt militants RPR. Assis sur le canapé, face au téléviseur, on commente le face-à-face en cherchant la faute du président : « On ne peut pas dire que Mitterrand soit mauvais : il est très bon pour noyer le poisson » ; « Mitterrand, il joue à fond sur la démagogie » ; « Là, sans s'en rendre compte, il a tendu la perche à Chirac. » Bilan de la soirée ? Chirac vainqueur haut la main. Développements convaincants, arguments précis, 20 sur 20 ! Les uns et les autres séduits par leur champion, c'est bien le moins que pouvaient attendre les deux débatteurs. Car, à vrai dire, on aurait pu conduire l'interview avant le début du face-à-face : les propos eussent sans doute été les mêmes.

Le nec plus ultra de la proximité pour un homme politique, c'est de pouvoir compter sur des inconditionnels, des hommes et des femmes séduits au point de devenir plus que des supporters : des fans.

Chaque année, le 31 décembre, le président de la République adresse ses vœux aux Français. La plupart d'entre eux regardent ce moment rituel avec une relative indifférence, occupés qu'ils sont à dresser la table du réveillon ou à ouvrir la première bouteille de champagne qui annonce le compte à rebours vers les douze coups de minuit. Mais certains sont bien plus attentifs, ravis que le chef de l'État leur souhaite une bonne année et une bonne santé. Alors, comme ils le font pour un ami, ils décident, le lendemain, de lui répondre. Ainsi, tous les mois de janvier, le chef de l'État reçoit des dizaines de milliers de cartes postales ou de bristols venus de Provence, de Bretagne ou de Lorraine qui disent toutes la même chose : « Merci, monsieur le président, pour vos vœux. En retour, recevez les miens, et ceux de ma famille »...

Cet échange n'est pas exceptionnel. Fin 1974, lorsque le président Giscard d'Estaing annonça sa volonté d'aller dîner chez les Français, il reçut des milliers d'invitations, l'équivalent de plus de trente ans de repas gratuits ! À l'Élysée, son secrétariat était submergé par les cartes postales de vacances ou les faire-part de naissance, de communion ou de mariage. On lui écrivait pour lui faire des suggestions, lui raconter une anecdote ou lui proposer un mariage entre son propre chien et l'un des siens, Réale le labrador ou Jugurtha le braque. On le nourrissait : vins, saucissons, huîtres, jambons... On l'habillait aussi, en choisissant pour lui des cravates ou en lui tricotant un pull-over ou des chaussettes de laine bien chaudes.

Aujourd'hui, sans abandonner la missive, le supporter a un autre moyen de manifester son enthousiasme pour l'homme politique : les réseaux sociaux. Mais, la nouveauté, c'est que le rapport fonctionne davantage dans les deux sens. Grâce à Facebook, le leader entretient l'envie des citoyens anonymes, jeunes surtout, de se rapprocher de lui, dans une amitié virtuelle qui, au moment opportun, pourra se traduire en engagement réel. Barack Obama, en 2008, a montré combien le réseau social construit autour de lui pouvait jouer le rôle de levier mobilisateur au moment opportun. Les fans se sont transformés en relais d'opinion, voire en militants actifs – en « volontaires » – de sa campagne. Fin 2007, le groupe Facebook d'Obama (*One million for Obama*) compte plus de 400 000 membres, lorsque celui d'Hillary Clinton plafonne à 55 000 : il joue un rôle peut-être décisif dans la course à l'investiture démocrate. En novembre 2008, ils sont plus de 3 millions et, l'Obamania planétaire aidant, plus de 17 millions, fin 2010.

Évidemment, à côté du géant Obama, et même de sa femme Michelle (3,5 millions de membres pour son groupe Facebook), les dirigeants européens font figure de nains. En janvier 2011, Nicolas Sarkozy compte 382 000 « amis ». Cela paraît peu, mais reste supérieur au groupe de Silvio Berlusconi (234 000), de David Cameron (103 000) ou d'Angela Merkel (66 000), par exemple. Les spécialistes du Web qui s'agitent autour de lui ont compris tout l'intérêt, pour le chef de l'État français, de consolider le lien qui le relie à ses fans. Ainsi, le 23 janvier 2009, avant son passage sur TF1, où il doit être interrogé par Laurence Ferrari et quelques autres journalistes, Nicolas Sarkozy demande à tous ses « amis » de lui indiquer leurs « interrogations » : « N'hésitez pas à me faire part de vos interrogations et des sujets qu'il vous paraît importante que j'aborde », écrit-il, avant de poursuivre : « Merci de votre soutien en cette année où nous allons travailler dur pour servir l'intérêt de la France. » Deux heures plus tard, près de sept cents messages ont été postés : on y évoque la burqa, l'immigration, le virus H1N1, le pouvoir d'achat, le chômage, l'insécurité, l'éducation, les banlieues... Bref, les sujets généraux de l'actualité dont le président aurait parlé de toute façon. Mais, habilement, Facebook vient de donner à ses amis virtuels le sentiment qu'il les a écoutés.

Inévitablement, tous les politiques se mettent aux réseaux sociaux. En France, en janvier 2011, outre Nicolas Sarkozy, les groupes les plus nombreux sur Facebook sont ceux, dans l'ordre, de : Rama Yade (51 000), Jean-Marie Le Pen et Ségolène Royal (24 000), Jacques Chirac, Olivier Besancenot, Dominique de Villepin, François Fillon, François Bayrou, etc. Bien sûr, il faut distinguer les groupes animés ou cautionnés par les leaders, et ceux qui ne le sont pas (comme celui de DSK : 67e, avec 3 200 membres). La fréquentation des pages Facebook ne détermine pas – encore – la hiérarchie de la popularité des hommes politiques. Elle relève plutôt de l'attachement personnel des fidèles, témoignant de la charge affective qui pèse dans le lien noué entre les internautes et leur champion. Le cas de Rama Yade est particulièrement éclairant. Elle soude une vraie communauté de fans qui s'identifient à elle, fière de ce qu'elle dit, de ce qu'elle fait, de ce qu'elle est (les plus enthousiastes étant souvent des Français d'origine africaine). Ses amis la tutoient volontiers, l'encouragent, réagissent immédiatement lorsqu'elle est contestée, lui déclarent parfois leur amour. Voici quelques morceaux choisis de commentaires, glanés en juillet 2010 :

— Vive Rama Yade !

— Pour moi, t'es la voix de la liberté de ce gouvernement, jte trouve plus compétente que tes boss Sarko et Fillon !!! T'as mon soutien total.

— Y a des jours, je t'admire beaucoup Rama…

— Vive vous : belle, intelligente, portant haut vos opinions ! Tout ce qu'on aime !!!

— Rama, femme politique, est visionnaire.

— Il faut rester égale à toi-même : femme véridique, pragmatique, qui n'a pas sa langue dans sa poche ; nous sommes fiers de toi ; n'en déplaise aux jaloux !

— Tu vis dans un monde de requins attention où tu mets les pieds frangine.

— Elle est intelligente et trop belle ! la femme parfaite !

— Vous êtes un vrai coup de frais sur notre scène politique.

— Rama, c'est l'élégance parfaite d'une dame.

— T'es jolie, sans blague.

— I love you.

— Stp peux-tu me donner ton numéro de tél.

Internet construit une proximité paradoxale, virtuelle et totale, totale parce que virtuelle. Protégés derrière la barrière de l'écran, les fans manifestent sans réserve leurs sentiments pour un personnage qu'ils n'ont vu, la plupart du temps, qu'à la télévision. Ils se réjouissent avec lui, partagent sa souffrance, se livrent, s'offrent. On s'adresse à l'homme ou la femme politique comme on parlerait à une idole de la chanson ou du cinéma. Car l'homme ou la femme politique est devenu une star dont on veut se rapprocher. Et comme lui-même donne l'impression de vouloir établir une proximité, on l'imagine comme un ami. Certes, le phénomène ne concerne que des fractions de l'opinion. Mais il est éloquent sur l'efficacité de la séduction politique à l'âge de la communication numérique, où le lien individuel établi par la magie du clavier a remplacé la chaleur des foules réunies pour célébrer la communion autour du champion. L'attachement en est-il, pour autant, plus fort ? Tous les messages reçus, soigneusement filtrés, ne sont pas publiés. Mais ceux qui le sont témoignent parfois d'un véritable coup de foudre pour le leader. On l'aime et on lui déclare sa flamme. L'attirance ne relève plus nécessairement d'un processus de rationalité politique reposant sur l'adhésion à des idées, au partage d'un projet d'avenir, mais souvent, aussi, d'un élan charnel. On déclare sa flamme, imaginant même que le message d'amour pourrait se traduire par une relation physique avec l'homme ou la femme politique. Si la politique alimente le désir, le politique lui-même devient désirable.

10

Le pouvoir rend beau

La séquence s'appelle le « Hardyview ». Chaque semaine, dans « Tout le monde en parle », le talk-show de Thierry Ardisson, un invité se soumet au questionnaire indiscret de la co-animatrice de l'émission, l'ex-Miss France Linda Hardy. Le 11 septembre 1999, c'est au tour de Charles Millon, 53 ans, ancien ministre de la Défense, de subir l'épreuve de vérité. Il est venu évoquer le lancement de son nouveau parti, « Droite libérale-chrétienne », mais comme tous les responsables publics qui acceptent de participer aux programmes de divertissement, il joue le jeu de la transparence, nouvelle vertu du spectacle politique à la télévision. Notons qu'il n'est pas le seul invité sur le plateau, où a également pris place le comédien Jamel Debbouze.

Linda Hardy se lance : « On sait qu'en général, les hommes politiques sont de grands séducteurs. Qu'est-ce qui fait qu'aux yeux des femmes, vous êtes *a priori* plus attirant qu'un Thierry Ardisson ou un Jamel ? » Charles Millon ne se distingue pas particulièrement par son physique (on remarque cependant ses yeux clairs). Marié depuis vingt-neuf ans avec la philosophe et historienne des idées Chantal Delsol, il n'a jamais défrayé la chronique people par d'éventuelles aventures extraconjugales. Néanmoins, il confirme : « Le pouvoir attire tout le monde, et particulièrement les femmes. » Linda Hardy poursuit alors : « Est-ce qu'on séduit une femme comme on séduit un auditoire ? » « Je crois, oui, répond Millon. Le rapport avec une salle et le rapport avec une femme sont très proches. Lorsque vous faites un discours, non seulement vous voulez convaincre avec des arguments, mais vous essayez aussi de convaincre avec des sentiments. »

Pour Jean-François Probst, le processus de séduction va au-delà des « sentiments ». En janvier 2010, l'ancien compagnon de route de Jacques Chirac, jamais avare en anecdotes gauloises, racontait, sur Slate.fr : « Dans les meetings de Chirac, il y avait des petites gonzesses, des groupies qui se déchaînaient et sautillaient dans un phénomène d'hystérie et d'auto-excitation. Il y avait aussi l'"après-match", où elles voulaient se faire sauter par des politiques. » Et il ajoute qu'au temps où il était secrétaire général du RPR au Sénat, une dame avait écrit « qu'elle se masturbait en pensant à Maurice Schumann » (ancien ministre gaulliste, et surtout voix de la France libre sur Radio-Londres).

« Le pouvoir, disait Henry Kissinger, secrétaire d'État de Nixon et grand coureur de jupons, c'est l'aphrodisiaque absolu. » Des photographies parfois suggestives, des poèmes enflammés, des lettres d'amour accompagnées d'un numéro de téléphone, tous les hommes politiques en reçoivent. Bien sûr, certains ou certaines attirent plus que d'autres, simplement parce que leur beauté surgit à l'écran. Mais, plus largement, il semble que le pouvoir séduise. Le phénomène s'est même accéléré, ces dernières années, sous l'effet de la télévision et de la place grandissante de l'image dans l'exposition politique. Le leader, devenu star, doit faire rêver, et le rêve est nourri par les apparences. Rien d'étonnant, alors, que le politique, qui se mêle aux célébrités sur les plateaux des talk-shows ou sur les couvertures de la presse people, finisse par être considéré comme un sex-symbol.

Mon intelligence ou ma beauté ?

En France, pour se hisser au niveau des plus grands – Clemenceau, Blum ou de Gaulle –, l'art de la parole ne semble pas suffire : il faut aussi savoir charmer l'opinion par l'écriture. Pour montrer sa profondeur de vue et sa sérénité, rien de tel qu'un livre d'histoire dont on viendra parler dans les studios de radio ou sur les plateaux de la télévision. Peu importe si votre main a été guidée par quelque jeune normalien ou nègre professionnel, nul journaliste n'ira vous importuner en vous posant la question qui fâche : c'est bien vous qui avez écrit ce livre ? L'important est la petite musique qui, déversée dans l'oreille de l'auditeur, provoquera en lui l'éblouissement et un cri d'admiration : « Dis donc, Germaine, il est rudement intelligent, celui-là ! » On ne compte plus les hommes politiques qui, ces quinze ou vingt dernières années, ont publié des biographies de personnages célèbres : Nicolas Sarkozy s'est intéressé à Georges Mandel (1994), François Bayrou à Henri IV (1994), Jack Lang à François Ier (1997), Dominique de Villepin à Napoléon (2001), etc. S'approprier une grande figure de l'histoire, même si l'on se contente de compulser quelques ouvrages sur son héros pour écrire le sien, contribuera à adoucir l'image de l'homme ambitieux et impatient, en la recouvrant du vernis de la sagesse. La biographie, à cet égard, a tous les avantages : elle évite de lourdes recherches et la polémique avec de sourcilleux historiens ; elle permet de jouer sur les émotions d'une aventure humaine tout en parlant de la France et, par effet subliminal, de soi-même.

François Mitterrand, lui aussi, a songé à écrire des ouvrages d'histoire, l'un sur le coup d'État de Louis-Napoléon Bonaparte, l'autre sur Laurent de Médicis qui, déjà, faisait saliver Mauriac. Un livre du Florentin sur le Florentin ? Il s'en régalait d'avance… Mais c'est pour *La Paille et le Grain*, chronique et journal à la fois, que le premier secrétaire du Parti socialiste est invité le 7 février 1975, à « Apostrophes ». L'émission de Bernard Pivot n'est pas encore le lieu de consécration médiatique du monde intellectuel (on en est au cinquième numéro), mais, ce soir-là, elle est entièrement organisée autour des « lectures de François Mitterrand ». Pour dialoguer avec lui, Pivot a notamment invité Maurice Chapelan, qui tient la chronique du langage au *Figaro* (sous le pseudonyme d'Aristide) et l'historien Max Gallo. « Je tiens à déclarer que c'est un très beau livre », affirme le premier, à propos de *La Paille et le Grain*, ajoutant qu'il en a trouvé le « style extrêmement remarquable ». Le second, avec lequel Mitterrand a un long échange sur Louis XI et Charles VII, salue son « exposé magistral » et son immense culture historique. Mitterrand parle d'histoire avec une étonnante aisance et semble tout savoir sur l'œuvre de Chateaubriand, de Gide, de Tolstoï, de Chardonne, de Renard, de Saint-John Perse et de bien d'autres. Face aux intellectuels qui l'entourent, il est bien plus qu'un homme politique causant d'histoire ou de littérature : il est l'un des leurs.

L'écriture et la culture jouent pleinement pour faire de Mitterrand un homme politique qu'on admire. Trois ans plus tard, du reste, il revient chez Pivot : le 15 septembre 1978, il y évoque son nouveau livre, *L'Abeille et l'Architecte*. Aux côtés d'Emmanuel Le Roy Ladurie, de Michel Tournier, de Patrick Modiano, de Paul Guimard, il se lance dans un hymne à la France : « J'ai eu une connaissance physique de la France, un amour physique de la France [...]. C'est l'amour physique à partir duquel on peut éprouver toutes les autres sortes d'amour. » On le voit dans les yeux des invités : même s'ils ne partagent pas toujours ses idées politiques, leur regard indique combien Mitterrand les impressionne par sa culture et la virtuosité de son verbe. Ce qui ne manque pas d'irriter ses adversaires politiques, à commencer par Valéry Giscard d'Estaing qui, prétendant à la même reconnaissance, ne cesse de répéter qu'il aime la littérature, et notamment Maupassant. Finalement, le 27 juillet 1979, Bernard Pivot le convie à venir en parler à « Apostrophes ». Le président s'assied alors dans le fauteuil qu'il convoitait tant, celui occupé par Mitterrand une dizaine de mois plus tôt. Jean-Paul Enthoven, dans *Le Nouvel Observateur*, n'y voit que ridicule vanité : « Malgré la frénésie qui le pousse à séduire toutes les cléricatures, écrit-il avec férocité, ce président risque de ne s'illustrer que parmi les parvenus des choses de l'esprit. »

Charmer par sa culture semble étranger aux modes d'expression politiques américains. Exposer de manière trop ostentatoire sa sensibilité intellectuelle peut même jouer en votre défaveur. Penser et être proche des préoccupations quotidiennes paraît, aux yeux de beaucoup, contradictoire : exploitée au temps de Kennedy, l'arme de l'anti-intellectualisme le fut aussi, récemment, contre Obama. Mais, au fond, la France ne s'est-elle pas rapprochée des États-Unis ? La force d'attraction par la culture, chez un homme politique, ne s'est-elle pas singulièrement émoussée depuis les années 1980 ? Et, dans une société dominée par l'image et le marketing, l'adoration du moi et le culte du corps, où, plus que jamais, la politique vend du rêve, le premier levier de la séduction ne serait-il pas tout simplement l'apparence physique ?

Il y a bien longtemps, en mai 1928, Édouard Herriot, le président de la Chambre des députés et chef du Parti radical, principale formation politique de l'époque, apparaissait en couverture du magazine *Vu*. La photo avait été prise chez lui, à Lyon, cours d'Herbouville, où il avait reçu les journalistes pour leur faire découvrir combien il vivait modestement. Qu'y voyait-on ? Herriot prenant le thé dans son salon, en veste d'intérieur et charentaises ! Oui, en charentaises ! Apparemment, son apparence ne semblait guère le préoccuper. À l'inverse, avant la Première Guerre mondiale, Joseph Caillaux, qui choisissait ses tenues avec un soin particulier, faisait beaucoup jaser en arrivant à la Chambre avec des habits clairs (et son monocle !), à une époque où il était de mise d'y porter une redingote sombre. Quelle extravagance ! Cette façon de vouloir se distinguer, de se mettre en vedette est proprement intolérable ! Imagine-t-on aujourd'hui un homme politique recevant les caméras de télévision, chez lui, les pantoufles aux pieds ? Au contraire, s'il porte des vêtements qui le démarquent de l'uniforme classique du costume-cravate, il a toutes les chances de se retrouver dans des magazines sur papier glacé où l'on vantera son élégance.

« Les gens superficiels, et c'est la majorité, ne jugent les hommes que sur leur apparence extérieure », écrivait Silvain Roudès en 1907, dans son livre *Pour faire son chemin dans la vie*. Eh bien, pour faire son chemin dans la vie publique, qui passe aujourd'hui par la télévision et les journaux illustrés, il faut plus que jamais soigner son apparence extérieure, ce qui fait le bonheur des conseillers en look entourant les leaders politiques. Même un homme comme Lula l'a compris. Jadis, un adversaire l'avait affublé d'un surnom blessant : « le crapaud barbu ». En 1989 encore, paraissant gauche dans des costumes mal ajustés, le cheveu ébouriffé, le poil de barbe long et hirsute, toujours coiffé d'une casquette, il ne semblait guère faire attention à son image. En 2002, la métamorphose est radicale. Il a troqué son vêtement bon marché contre le costume classique des hommes politiques du temps, acquis chez les meilleurs tailleurs. Il a taillé sa barbe qui, de marxiste, est devenue bourgeoise. Il a raccourci ses cheveux, désormais bien coiffés, et abandonné la casquette du leader syndical. Et puis, dans un pays comme le Brésil où la chirurgie esthétique est banalement pratiquée, il a même refait sa dentition. Lula s'est sculpté une tête de candidat rassurant et bien élevé qui ne fait plus peur aux possédants. Il faut croire qu'il a eu raison, puisqu'il est enfin élu président !

Malgré tout, peu de Brésiliens s'efforcent de ressembler à Lula. Ce qui n'est pas le cas pour les Américains avec Obama. En 2008, on voit ainsi nombre d'hommes noirs ou métis passer chez le coiffeur et demander la « coupe Obama », créée par Zariff pour le candidat démocrate : longueur moyenne, nuque et côtés taillés en pointe, sans ligne droite ; le tout en vingt minutes, pas plus. *GQ*, *Rolling Stones*, *Vibe*, *Men's Health*, *Ebony*… Il suffit de consulter les couvertures des magazines « branchés » américains pour comprendre l'importance donnée au look lorsqu'on parle d'Obama. On y apprend qu'il s'habille parfois chez Barney's (comme tous les businessmen), a un faible pour les costumes Hart Schaffner Marx (institution du prêt-à-porter de Chicago), qui coûtent, en moyenne, 1 500 dollars. À l'occasion, pour les moments de détente, il peut porter le style *casual*, casquette, jeans et coupe-vent. Obama ne déteste pas non plus le sur-mesure. Pour la clôture de la Convention démocrate de Denver, retransmise par toutes les télévisions du pays, Hartmax a spécialement dépêché sur place deux tailleurs. Le jour dit, le candidat est apparu en costume bleu marine, avec veste à deux boutons, 97 % mérinos et 3 % cachemire. Ses tenues font même débat dans la presse, où le célèbre désigner Tom Ford, sans doute jaloux, déclare : « Il a belle allure et je ne dirais pas qu'il est mal habillé, mais ses costumes ne vont pas bien, particulièrement à cause de l'ampleur exagérée de l'étoffe sous les bras. » Le verdict est sans appel : « Il gagnerait à une coupe plus nette » ! En lisant ces mêmes magazines, on sait tout aussi sur Michelle Obama et son goût pour le prêt-à-porter. Bref, on finit par se demander si, avec sa longue silhouette longiligne, Obama s'est engagé pour un concours de mode ou la course à la Maison Blanche. Marginaux, ces commentaires ? Ce serait oublier que la garde-robe de Barack et Michelle a nourri des centaines d'heures d'antenne dans les télévisions du monde entier, notamment lors de la cérémonie d'investiture du nouveau président.

À l'âge où elle se construit sur écran, la politique est absorbée par l'obsession du look. Existe-t-il, cependant, et singulièrement dans le monde occidental, des îlots de résistance à la culture du look, des sortes de villages d'Astérix luttant contre l'invasion des apparences ? Dans les pays scandinaves, et plus généralement d'Europe du Nord, il est de bon ton d'afficher sa modestie et, au nom de la transparence, de se comporter dans la vie politique comme dans la vie privée. Les sociétés y sont régies par ce qu'on appelle la « loi de Jante » (*Janteloven*), du nom d'un célèbre roman de l'écrivain dano-norvégien Aksel Sandemose, *Un réfugié dépasse ses limites* (1933), où l'auteur évoque les règles de sagesse qui, selon lui, présidaient au bien-être de sa petite ville natale du Jutland. La « loi de Jante » est un code de conduite qui, à la manière d'un décalogue, énonce des règles à respecter, comme : « Tu ne dois pas croire que tu es quelqu'un/Tu ne dois pas croire que tu vaux autant que nous. » Pas meilleur, pas plus sage, pas plus intelligent, pas plus malin que n'importe quel autre citoyen, l'homme politique scandinave ne doit en aucun cas chercher à s'en distinguer, ni par son mode de vie, ni, bien sûr, par son apparence.

Bien évidemment, les leaders nordiques cherchent aussi à séduire, mais ils le font sans chercher à mettre en valeur leurs qualités exceptionnelles. Quand ils exposent la banalité de leur vie privée dans les journaux, ils ne jouent pas un rôle. Un Premier ministre lavant ses chaussettes dans un lavabo (comme le Premier ministre suédois Thorbjörn Fälldin, dès les années 1970), repassant ses chemises (comme Kallis Bjarne, le chef des Chrétiens-démocrates finlandais), s'occupant des enfants ou passant l'aspirateur sont autant d'images qui, certes, servent à leur réputation, mais qui ne surprennent guère. Eh bien, en matière de tenue vestimentaire, il en va de même. On ne cherche pas à être élégant, à imiter les top models ou à plaire aux jeunes : on s'habille sans formalisme, comme on le sent, sans l'aide de conseillers en communication, ce qui ouvre un large éventail de tenues, du complet-veston strict aux jeans, T-shirts et baskets. En tout cas sans souci ostentatoire. Pas question de s'habiller chez les grands couturiers : les citoyens des pays nordiques, soucieux de la moindre dépense des responsables publics, ne le pardonneraient pas.

De la même façon, s'ils pratiquent le sport pour leur santé et leur plaisir, s'ils soignent, par respect pour le public, leur image corporelle, les politiques des pays du Nord ne font en aucun cas de leur apparence physique un objet de séduction. Tarja Halonen, la présidente finlandaise, s'est même attiré les quolibets parce qu'elle portait un bonnet de bain en caoutchouc. N'y voyons pas un critère esthétique : on estimait simplement qu'un tel attribut ne convenait guère à un chef d'État ! De même Kaci Kullmann Five, présidente du Parti conservateur norvégien dans les années 1990, a subi les foudres des journalistes en raison de la barrette qu'elle glissait en permanence dans ses cheveux. Parce qu'elle l'enlaidissait ? Pas du tout : la presse considérait qu'elle lui donnait un « look bourgeois », bref qu'elle la distinguait trop socialement ! En revanche, la rondouillarde Erna Solberg, actuelle chef du Parti conservateur, est appréciée pour son naturel : elle ressemble à tout le monde !

Le culte du corps comme objet de séduction de l'homme politique est aux antipodes des codes sociaux des pays nordiques. Ce n'est pas le cas dans le reste du monde occidental où, de plus en plus volontiers, l'homme politique sculpte ses muscles d'athlète pour se donner à voir, comme Obama sur le sable fin des plages américaines ou, mieux encore, Vladimir Poutine pour qui le dévoilement du corps s'inscrit dans une stratégie de conquête de l'opinion. Né en 1952, l'ex-président russe, devenu Premier ministre, inspire le respect et la crainte. Il sourit peu et ses yeux gris-bleu acier glacent ses interlocuteurs. Interviewé, il parle posément, se tient bien droit, économise ses gestes. Poutine, face aux caméras, contrôle son expression corporelle. Il se dégage de cet homme de petite taille une force incroyable, très conforme au personnage qu'il s'est taillé, celui d'un chef solide et intransigeant, seul capable de redonner la fierté au peuple russe, humilié par la perte de l'empire et sa déchéance sur la scène internationale. Poutine incarne la puissance russe retrouvée et le corps musclé qu'il exhibe face aux caméras en est l'expression la plus sensible. « En Russie, disait récemment Alexander Malenkov, le rédacteur en chef du magazine *Maxim*, les gens apprécient la force physique. Le dirigeant ne doit pas forcément être intelligent ou efficace, il doit être surtout fort » (*Libération*, 8 août 2009). Le leader russe s'intéresse peu à la culture et, lorsqu'il visite une exposition ou se rend à une représentation théâtrale, il s'applique à glisser un commentaire qui vient conforter son image virile. En 2008, il s'en est ainsi pris à *Malheur d'avoir trop d'esprit*, la pièce de théâtre d'Alexandre Griboïedov, estimant indignes les larmes du personnage principal : « Cet homme est un faible », lança-t-il, avec mépris, au sortir de la représentation.

Que Poutine aime le sport, nul n'en doute. Ceinture noire de judo, il est un cavalier expérimenté et un nageur éprouvé. Mais sa propension à poser torse nu ou à se faire photographier en débardeur, à gonfler les muscles de sa poitrine et à bander ses biceps devant les caméras atteste bien une stratégie de séduction fondée sur l'attirance pour le corps viril. C'est en août 2007, lors d'une partie de pêche avec le prince Albert II de Monaco, que Poutine s'expose pour la première fois à demi-nu. Mais, douze mois plus tard, il fait mieux encore. Tous les médias russes rapportent avec gourmandise l'exploit de leur Premier ministre. La scène se passe dans un parc animalier de l'Extrême-Orient russe que Poutine, vêtu d'un treillis militaire, visite avec des experts scientifiques et des journalistes. En chemin, ils croisent une tigresse, prise dans un piège. Mais au moment où ils s'approchent, elle se libère. Alors, racontent les journaux russes, Poutine se saisit d'un fusil à fléchettes hypodermiques et tire sur l'animal qui s'écroule. « C'est grâce à son action et à son agilité que la tigresse a été immobilisée », clame l'agence Interfax avec admiration. Bientôt, les photos de l'agence Ria Novosti montrant le Premier ministre à côté de la tigresse endormie sont diffusées dans toute la presse et dans les journaux télévisés. Poutine a caressé la bête, puis a continué sa visite du parc animalier, précisent les journalistes. La force et la sagesse, le courage et le calme, l'adresse du corps et la réactivité de l'esprit, tout est là, dans ce moment de communication servilement relayé par les médias russes.

Poutine veille à ce point à la manière dont les médias le montrent qu'il interdit aux photographes et aux cameramen de le saisir de dos ou en plongée pour qu'on ne voie pas sa calvitie. Cacher un crâne chauve est une vieille coquetterie des hommes politiques. Il suffit de regarder les affiches électorales de Mitterrand et de Giscard d'Estaing, en 1974 : leur portrait est opportunément coupé dans sa partie supérieure. Mais, ici, la consigne, diffusée par le service de presse, doit être impérativement respectée : s'ils veulent de nouveau pouvoir approcher le tsar Poutine, les journalistes ont tout intérêt à la respecter.

Le politique, un people

Le président de la République, chemise à col ouvert, le regard triste du chien abandonné, fixe le lecteur, en couverture de *France-Dimanche* : « Nicolas Sarkozy. Son SOS d'amour : "Je n'en peux plus d'être seul à l'Élysée." » À gauche, comme en rappel, une petite photo de Carla et Nicolas, grimpés sur un scooter et riant comme des enfants, avec cette légende : « J'adorerais vraiment avoir un autre enfant. » En haut à droite, un cliché du chef de l'État avec Jacques Séguéla, que le journal a interviewé : « La rencontre qui a bouleversé sa vie. » Nous sommes le 4 janvier 2008, et la saga du couple présidentiel ne fait que commencer.

D'ordinaire, les unes des journaux comme *France-Dimanche* sont réservées aux bonheurs et aux tragédies des stars de la chanson, du cinéma ou de la télévision. Mais, en médiatisant son coup de foudre, Nicolas Sarkozy a ouvert une nouvelle étape dans l'exposition de la vie privée des hommes politiques. Que le président ait instrumentalisé son récit amoureux relève d'une évidence souvent commentée. Le plus intéressant n'est peut-être pas là, mais plutôt dans ce que révèle son traitement par la presse people : les hommes politiques sont devenus des célébrités médiatiques qu'on évoque comme n'importe quelle vedette de la scène ou du petit écran. Pour s'en convaincre, il suffit d'observer les couvertures de *Closer*, comme celle du 10 juillet 2008. Le magazine titre sur « 50 stars au soleil » et propose un patchwork de photos où les protagonistes sont saisis en maillots de bain. On reconnaît des couples familiers du journal, les acteurs Kelly Brook et Billy Zane, le chanteur Michael Bolton et l'actrice Nicollette Sheridan (la blonde sulfureuse de *Desesperate Housewives*). On remarque aussi le footballeur Bixente Lizarazu, pas loin de Lindsay Lohan qui avoue une nouvelle prouesse : « 3 hommes en un week-end. » Mais approchons-nous du centre de la couverture. Sur cette photo, mise en vedette, ne serait-ce pas deux comédiens d'*Alerte à Malibu* ? Non, car en regardant de plus près, on identifie Nicolas Sarkozy et Carla Bruni ; joyeux, ils sortent en courant d'un bain de mer, la main dans la main. Ce n'est pourtant pas tout, car, dans un coin de la une, apparaît aussi Rachida Dati, en bikini, tenue peu protocolaire pour un garde des Sceaux.

Peu importe, au fond, que la photo présidentielle ait été ou non volée ou que, cinq mois plus tôt, *Closer* ait demandé son autorisation à Ségolène Royal pour la faire figurer en maillot de bain à la une du magazine (« Ségolène Royal : 54 ans, un look de jeune fille »). L'essentiel est plutôt que, dans une troublante confusion, Nicolas Sarkozy,

Rachida Dati ou Ségolène Royal rejoignent Angelina Jolie, Britney Spears ou Lady Gaga en couverture des magazines people. Ils n'y surgissent d'ailleurs pas à n'importe quelle condition. Ils s'y imposent, certes, parce que leur histoire d'amour permet de bâtir un récit à rebondissements qui ravit les lecteurs de ce genre de presse. Mais ils y apparaissent surtout parce qu'ils répondent aux canons de l'actualité du rêve : harmonie du corps, perfection du look, élégance, sensualité, glamour… Dans *Closer*, pas de politique obèse, en chemisette, short et espadrilles, mollement allongé sur la plage avec « maman », recouverte d'huile à bronzer.

L'infléchissement observé ne se produit pas soudainement. Depuis longtemps, les hommes politiques cherchent la compagnie des stars, pour profiter de leur prestige et de leur influence supposée auprès des électeurs, pour séduire le public, en quelque sorte par procuration. Depuis l'ère Kennedy, les candidats à la Maison Blanche n'ont cessé de solliciter l'appui d'Hollywood. En 1972, par exemple, tandis que Sammy Davis Jr et John Wayne soutiennent publiquement Richard Nixon, Warren Beatty, Shirley MacLaine ou Dustin Hoffman offrent leur voix et leur image à son adversaire, le sénateur George McGovern. Certains s'interrogent pourtant, non sur leur engagement, mais sur sa publicisation. « Je n'étais pas très à l'aise, explique Dustin Hoffman à *Playboy*, en avril 1975. Ça sentait un peu, pour moi, la promotion publicitaire. C'est tellement facile pour quelqu'un habitué à fabriquer des personnages d'en faire autant dans la vie. »

Pourtant, loin de s'apaiser, le phénomène enfle et atteint les côtes européennes et françaises. En 1974, tandis que Giscard d'Estaing mobilise Brigitte Bardot, Johnny Hallyday, Charles Aznavour ou Mireille Mathieu, Mitterrand peut compter sur Juliette Gréco, Jean Ferrat, Michel Piccoli ou Dalida. Avec la campagne présidentielle de 1988, on passe même un nouveau cap puisque, sous l'impulsion de Jack Lang, ce sont les « people » qui déclenchent ce qu'on a appelé la « Tontonmania », c'est-à-dire ce mouvement d'opinion destiné à convaincre Mitterrand de se représenter. Illusion totale, puisque l'intéressé a déjà pris sa décision. Mais belle opération publicitaire qui consiste à créer artificiellement un élan collectif de désir en faveur du sauveur. Le schéma est simple : les stars séduites par Mitterrand mettent leur notoriété à son service ; leur célébrité rejaillit sur le président qui l'exploite pour séduire les Français. Autrement dit : « J'aime Lio qui aime Mitterrand = je vote Mitterrand » !

L'idée astucieuse de Jack Lang est d'avoir fait se rejoindre ses multiples réseaux dans les milieux artistiques et culturels pour rajeunir l'image d'un président vieillissant, pour l'associer à une modernité qui mêle le populaire et la « branchitude », pour le dégager de soutiens traditionnels appartenant au passé (les convaincus de toujours, comme Juliette Gréco ou Michel Piccoli). L'objectif n'est pas tant de toucher le grand public que de séduire les médias, alléchés par un casting aussi neuf et varié. Les appels, les prises de position sont d'abord publiés dans des journaux comme *Globe* et *Actuel*, fin 1987. On y trouve les noms les plus divers, de la scène, de l'écran, de la mode, du design, de la littérature, de la science ou du sport : Barbara, Pierre Bergé, Philippe Starck, Daniel Auteuil, Sandrine Bonnaire, Isabelle Huppert, Marguerite Duras, Dominique Rocheteau, et tant d'autres. Mieux : le 7 décembre 1987, le chanteur Renaud achète une pleine page du *Matin* pour interpeller Mitterrand : « Tonton, laisse pas béton. » Deux semaines plus tard, c'est Gérard Depardieu qui s'engage, avec une publicité d'une page dans *Le Parisien* : « Mitterrand ou jamais » ; l'acteur avoue même : « Ça y est, je vais voter pour la première fois. » Grâce à l'habileté de Jack Lang, les médias ne parlent plus que de cela.

Ce beau coup n'a jamais été répété en France mais récemment, aux États-Unis, on a vu avec quelle force le monde du spectacle s'est mobilisé, séduit par la candidature de Barack Obama, en 2008. Robert de Niro l'accompagnait dans ses meetings, George Clooney levait les fonds, Leonardo DiCaprio réunissait ses amis. Le film Obama proposait une impressionnante distribution, avec les stars des plus grands « blockbusters » du cinéma américain : Harrison Ford (*Indiana Jones*), Pierce Brosnan, Daniel Craig (*James Bond*), George Lucas (*Star Wars*), Brandon Routh (*Superman*), Tobey Maguire (*Spiderman*)... Hissé au rang de super-héros, Obama était aussi la star des clips, grâce à Will.I.Am et Justin Timberlake. Comité de soutien ou bottin médiatico-mondain ? On a plus vite fait de compter les vedettes qui appuient McCain ou ne s'engagent pas, que d'établir la liste de ceux qui vantent publiquement les mérites d'Obama.

La mobilisation des « milieux culturels » influence-t-elle d'une quelconque façon le vote des électeurs ? Craig Garthwaite et Timothy Moore, chercheurs au département d'économie de l'université du Maryland, le pensent. En septembre 2008, ils publient une étude d'une cinquantaine de pages (truffée d'équations mathématiques) affirmant que le ralliement d'Oprah Winfrey à Obama a fait déplacer un million de voix en sa faveur, dans la course aux primaires. En mai 2007, en effet, la célèbre animatrice noire du « Oprah Winfrey Show », sur CBS (8,5 millions de téléspectateurs, en moyenne), annonce qu'elle soutient le sénateur de l'Illinois et organise notamment deux soirées de récolte de fonds (*fundraising*) pour sa campagne. Sur quoi s'appuient les deux chercheurs pour étayer leur démonstration ? Sur l'« effet » Winfrey dans la diffusion des livres. Car, lorsqu'elle prescrit un ouvrage dans son émission, brusquement, les ventes décollent ! Comparant la courbe de progression des ventes de livres recommandés à celle des votes pour Obama, ils concluent à la similarité des phénomènes : l'engagement d'Oprah Winfrey a contribué à la mobilisation de l'électorat (noir, notamment) en faveur du sénateur de l'Illinois. L'étude est séduisante. Elle oublie simplement le contexte. Lorsque l'animatrice entre en campagne, les primaires démocrates sont dans leur phase ultime et la dynamique Barack Obama paraît irrésistible (ce qui explique peut-être aussi son ralliement !). Le 3 juin, à l'issue des dernières primaires (Montana et Dakota du Sud), il est assuré de l'emporter, fort de 2 118 délégués (et d'un nombre appréciable de « grands électeurs »). Hillary Clinton résiste un instant puis, le 7 juin, annonce qu'elle se rallie à Obama. L'engagement d'Oprah Winfrey n'est pas négligeable pour la moisson financière du candidat. De là à penser qu'il lui doit une partie de sa victoire, c'est peut-être surestimer l'influence des people et sous-estimer l'intelligence des Américains. La mobilisation des people pèse-t-elle sur le vote des citoyens ? Cela reste à prouver !

Ce qui est sûr, en revanche, c'est la confusion entre les politiques et les célébrités qu'engendrent les plateaux de télévision, tant ils brouillent les frontières. Depuis la fin des années 1990, en effet, hommes politiques, acteurs, chanteurs, vedettes d'un jour ou de toujours, partagent les mêmes espaces d'expression et nourrissent le même univers médiatique. Les talk-shows, arrivés des États-Unis, sont devenus des points de rencontre de tous ceux qui font les couvertures des journaux et l'actualité sur le petit écran. En acceptant de parler de choses frivoles sur un ton futile, les hommes politiques ont volontairement désacralisé la sphère politique et se sont glissés dans l'univers des people, là où le langage se libère, là où les cols de chemises s'ouvrent, débarrassés de cravates trop austères, là où on parle de tout et de rien, en prenant soin de montrer qu'on est dans le « coup ». Les politiques font le spectacle, comme les gens du spectacle.

Aux États-Unis, la venue d'un leader politique sur un plateau de talk-show confine à la banalité. Alors, pour attirer, il faut surprendre. À cet égard, Barack Obama innove en se déplaçant dans des émissions où n'avait jamais mis les pieds un président américain ; la première fois, pour se débarrasser de son image de froid intellectuel qui lui colle à peau, la seconde pour endiguer la chute de popularité qui marque rapidement son début de mandat. En mars 2009, il s'invite ainsi au « Tonight show » (NBC) de l'humoriste Jay Leno. Il prend un risque, car Leno est réputé pour ses saillies corrosives. Voici donc Obama en comique d'un soir, qui se moque gentiment de l'émission « American Idol » ou qui révèle s'être fait installer à la Maison Blanche une petite piste de bowling pour se détendre. Il pourrait s'arrêter là mais, parce qu'il veut participer pleinement au spectacle, et satisfaire le goût des Américains pour l'autodérision, il ajoute, dans un clin d'œil : « Oui, mon score doit être équivalent à ce qui se fait aux jeux Paralympiques, ou quelque chose comme cela. » Le public, présent dans la salle, rit et applaudit. Mais, le lendemain, devant l'indignation des groupements de handicapés, la Maison Blanche est contrainte à s'excuser dans un communiqué : « Pour faire rire, le président a fait une remarque désinvolte sur son jeu de bowling, sans intention de dénigrer les jeux Paralympiques. Barack Obama pense que les jeux Paralympiques constituent un programme merveilleux qui donne une occasion de briller aux personnes infirmes à travers le monde. »

L'expérience malheureuse ne le dissuade cependant pas de la renouveler. En juillet 2010, on le retrouve dans un talk-show du matin, « The View », sur ABC. Ses conseillers ont constaté, en effet, que la dégradation de sa popularité dans les sondages affectait singulièrement les ménagères. Alors, Obama fait ce qu'aucun président n'avait osé avant lui : se frotter aux questions déstabilisatrices de Barbara Walters et de ses « lionnes » (Whoopi Goldberg, Joy Behar, Sherri Shepherd, Elisabeth Hasselbeck), accepter de s'asseoir sur leur célèbre canapé beige (où avait déjà pris place sa femme, Michelle, en juin 2008). De quoi parle-t-il ? De politique ? À peine. En revanche, on saura tout sur son week-end en famille dans le Maine et ce qu'il écoute sur son iPod : Jay-Z, Frank Sinatra et Maria Callas, mais pas Justin Bieber, le chanteur préféré de ses deux filles, Sasha et Malia. Obama choisit la frivolité et, ce faisant, contribue au spectacle comme n'importe quelle star d'Hollywood ou chanteur célèbre.

L'homme politique aux côtés des people, comme les people, finit par devenir un people. Tandis que Rachida Dati pose pour *Paris-Match* en robe Dior rouge et rose imprimée panthère, collants résille et bottes à hauts talons (décembre 2008), le Premier ministre canadien Stephen Harper monte sur la scène du Centre national des arts à Ottawa pour chanter *With a Little Help from My Friends* des Beatles, en s'accompagnant au piano (octobre 2009). Certes, Harper s'exhibe pour la bonne cause (la soirée est organisée pour récolter des fonds au profit du Centre), mais son initiative brouille un peu plus les frontières entre la politique et le show-business. S'étonnera-t-on, alors, si l'eurodéputé libéral britannique Andrew Duff avance une spectaculaire proposition, en mai 2010 ? Rapporteur sur la réforme des élections pour le Parlement européen, Duff suggère, en effet, de créer des circonscriptions paneuropéennes où pourraient se présenter, dit-il, des personnalités comme Carla Bruni ou des célébrités du football. « Je ne vois pas de problème à épicer un peu le scrutin avec des stars de la musique ou du football, cela rapproche les gens », explique-t-il très sérieusement. Quand, pour rattraper une opinion qui leur échappe, les politiques se prennent pour des people, il n'est guère surprenant que les people puissent les concurrencer dans l'espace politique.

Le politique, un sex-symbol

En matière de mode, de raffinement, de glamour, le mensuel américain *Vanity Fair* construit et brise les réputations. Chaque année, depuis 1939, il publie le classement des hommes et des femmes les mieux habillés du monde, politiques y compris. Or, en 2007, une nouvelle émeut la Toile et la presse people française : Nicolas Sarkozy, président de la République française, fait une entrée fracassante, en prenant la 9e place, loin derrière Tiki Barber, l'ancien joueur de football américain, mais avant George Clooney ou Brad Pitt. Assurément, explique Amy Fine Collins, journaliste à *Vanity Fair* et membre du jury, le costume Prada qu'il portait lors de sa prise de fonction a fait forte impression. « Nicolas Sarkozy, ajoute-t-elle, est habillé avec une classe internationale. Il a fière allure, à la fois masculin et romantique, avec un sens développé de l'humour et de l'aisance. » De l'humour, il lui en faut car, deux ans plus tard, en 2009, l'édition britannique du magazine branché *GQ* publie un nouveau classement, celui des hommes politiques *les plus mal* habillés de la planète, et attribue la médaille de bronze au président français ! Il se consolera peut-être, en constatant que, dans ce triste palmarès, il est précédé par le Premier ministre britannique, Gordon Brown, et le maire de Londres, Boris Johnson. « Il devrait passer moins de temps à se préoccuper de sa taille, et plus de temps à faire attention à son style », écrit *GQ* avec cruauté. Tout de même, Sarkozy moins bien habillé que Kim Jong-Il, le dictateur de Corée du Nord ! Comment ne pas y voir un nouveau complot de la perfide Albion ?

Bien sûr, on s'amusera de tels classements qui font passer un bon moment sous le casque du coiffeur ou dans la salle d'attente du médecin, mais on pourra aussi y voir un symptôme et un indice. Symptôme de l'image brouillée du politique, mêlé aux stars de toutes catégories. Indice aussi que le même politique est bel et bien un objet de désir, dès lors qu'il est placé au niveau des grands séducteurs qui triomphent sur les écrans ou dans les stades.

Juger le « style » des hommes politiques est devenu si courant que le magazine *Optimum*, en septembre 2009, demande même à l'institut de sondages ISAMA d'interroger un échantillon de 1 004 Français à ce propos. Très sérieusement, l'organisme dresse une grille d'évaluation prenant en compte trois critères : allure, façon de s'exprimer, goûts vestimentaires. Dans ce nouveau classement, Dominique de Villepin devance Jack Lang, Bernard Kouchner, François Fillon, Bertrand Delanoë, Dominique Strauss-Kahn. Nicolas Sarkozy se situe au 8e rang (les plus sévères à son égard étant les jeunes). Sur les quarante personnalités testées, Jean-Marie Le Pen arrive bon dernier, juste derrière Frédéric Lefebvre et José Bové.

Bien habillé, stylé, le politique pourrait-il aussi être « sexy » ? À l'automne 1987, et dans la perspective de l'élection présidentielle de l'année suivante, IPSOS (sondage *Le Point*) interrogeait déjà les Français : « Quel est, des candidats potentiels, celui qui vous paraît le plus séduisant ? »

Jacques Chirac l'emportait nettement (39 %), devant Michel Rocard (26 %) et François Mitterrand (21 %). Peut-être inspiré par ce type d'enquête, sans doute guidé par d'autres où l'opinion le jugeait trop brutal et trop agressif, le Premier ministre avait accepté une campagne d'affiches très glamour, préparée par l'agence Synergie (Jean-Michel Goudard, Olivier Bensimon et quelques autres), à partir de photos prises lors de son séjour au Maroc, à Noël 1987. Fini l'air sévère, les costumes stricts, les épaisses lunettes et le geste raide ! Place au Chirac bronzé, en chemise noire, col ouvert, rehaussé d'un pull rouge négligemment porté sur les épaules, les yeux mi-clos (munis de lentilles oculaires), le sourire enjôleur, le tout sur un fond trouble de couleurs chaudes. Un peu comme si Thierry Lhermitte, auquel on a parfois comparé Chirac, invitait le passant à le rejoindre dans un village du Club Méditerranée !

Signe des temps, trente ans plus tard, on ne parle plus d'hommes politiques « séduisants » mais « sexy », mot qui renvoie plus explicitement à l'imaginaire érotique. L'histoire retiendra que Barack Obama fut le premier chef d'État à inspirer un sex-toy à son effigie ! Mais c'est sans doute la presse qui fournit le meilleur indicateur de cette perception nouvelle des politiques. En 2009, on voit ainsi se multiplier les « sondages » publiés dans les magazines féminins, où les lectrices sont invitées à désigner l'homme politique qu'elles considèrent comme le plus sexy. De telles « enquêtes » peuvent sembler anecdotiques, mais elles ne le sont pas, au moins pour trois raisons. D'abord, parce que la question est exclusivement posée aux femmes. Certes, la vie politique est dominée par les hommes. Toutefois, de tels sondages nourrissent le vieux cliché selon lequel le pouvoir se confond avec la virilité. Ensuite, elles confortent l'idée selon laquelle un homme politique étant un objet de désir, l'attirance sexuelle qu'on éprouve pour lui compte de manière sensible dans la détermination du vote. Enfin, la question posée sur l'homme politique est la même que celle avancée pour les célébrités du show-business. Un politique peut être sexy, comme un chanteur, un acteur, un sportif… Ce type d'enquêtes, plus ou moins sérieuses, suppose qu'il existe désormais un univers médiatico-politique, où toutes les stars « vues à la télé » se croisent, où la politique n'est plus un monde à part ou au-dessus des autres, où s'effacent, *de facto*, les caractères sacrés de la fonction politique.

En août 2009, un sondage Gewis conduit auprès des femmes pour le magazine *Laviva* désignent ainsi comme « l'homme politique le plus sexy » d'Allemagne Karl-Theodor zu Guttenberg, le jeune ministre conservateur de l'Économie, étoile montante de la CDU. Il s'est fait notamment remarquer lors de négociations sur le sauvetage du constructeur Opel. Âgé de 37 ans, marié, père de deux enfants, il pose volontiers pour les photographes, ici avec sa blonde épouse, née von Bismarck-Schönhausen, là en habit de soirée avant un opéra, ailleurs encore en jeans lors d'un concert du groupe rock AC/DC. En décembre 2009, c'est au tour de Scott Brown d'être élu « l'homme politique le plus sexy » des États-Unis par les lectrices de *Cosmopolitan.* Est-ce un hasard ? Vingt-sept ans plus tôt, en 1982, Brown, étudiant en droit au Boston College, avait justement posé nu (une main pudique posée sur la cuisse) dans le magazine qui le célèbre. Entre-temps, il s'est lancé dans une carrière politique, du côté des républicains. Si on en parle tant, c'est qu'il vient de faire tomber le fief des Kennedy, en étant élu sénateur du Massachussetts, après une campagne très médiatisée. Brown a le sens de l'image, et les Américains ont ainsi pu le voir patauger dans la boue, bottes de caoutchouc aux pieds, pour le seul plaisir de serrer des mains devant les caméras. Guttenberg, Brown : pour être « sexy », il faut d'abord attirer les médias, faire preuve de pugnacité, savoir prendre des risques, bref, être un « gagneur » !

Jacob Zuma, futur président sud-africain et chef de l'ANC, Benoît Lutgen, ministre de l'Agriculture de Wallonie-Bruxelles, etc. Dans une forme de surenchère, où l'attirance physique le dispute à la fierté nationale, se dresse peu à peu la carte du monde des politiques qui plaisent le plus aux femmes. En France, *Grazia*, dans son numéro du 11 juin 2010, ajoute à la touche racoleuse de sa couverture, « Quel homme politique dans mon lit, à ma fête, dans ma vie ? », l'onction scientifique de l'institut de sondage CSA. Selon l'enquête, François Fillon serait le mari idéal, Jean-Louis Borloo le meilleur copain de fête, et Olivier Besancenot le confident à qui l'on dirait tout et le papa qu'on aimerait donner à ses enfants. Et l'amant à glisser dans son lit ? La réponse est fournie en couverture : « Sarkozy, l'amant rêvé des Françaises ! » Le titre fait sourire lorsqu'on sait que le président, avec seulement 11 %, ne devance Olivier Besancenot (champion aux points toutes catégories !) et Dominique de Villepin que de trois points. Mais le principal enseignement est ailleurs, dans les 40 % de femmes qui ont refusé de donner un avis. C'est beaucoup, dira-t-on, et cela souligne l'indifférence, voire le mépris salutaire des femmes à l'égard de ce genre de questions idiotes. Certes, mais cela signifie donc que 60 % d'entre elles, soit près de deux sur trois, ont accepté de répondre. Quelle est la part de jeu ? Quelle est la part de réelle attirance pour l'un ou l'autre des hommes politiques ? Retenons, en tout cas, qu'une question sur l'« amant idéal » n'aurait jamais été posée, avant le récent déferlement de la vie privée des responsables publics dans la presse people.

L'homme politique, objet de fantasme sexuel ? Les sondages des magazines féminins ne sont pas les seuls à l'attester. Pour le prouver, reprenons le chemin de la Russie et retrouvons l'homme aux gros biceps, Vladimir Poutine. Le 17 avril 2008, le tabloïd *Moskovski Korrespondent* livre à ses lecteurs une nouvelle sensationnelle : divorcé depuis seulement deux mois, Poutine va se marier le 15 juin de la même année à Saint-Pétersbourg avec la radieuse Alina Kabaeva, de trente et un ans sa cadette. Ancienne championne olympique de gymnastique sportive devenue mannequin de charme, elle a été élue en 2007 à la Chambre basse du Parlement russe : c'est là qu'elle aurait rencontré le Premier ministre. La similitude avec l'histoire de Nicolas Sarkozy et de Carla Bruni saute aux yeux. Mais, voilà : tout est faux. Poutine est furieux et fait fermer le journal durant trois mois.

L'important, ici, est que la rumeur ait été perçue comme crédible. Pourquoi ? Parce que, pour beaucoup de femmes russes, Poutine est l'amant rêvé et le mari idéal. En 2002, déjà, Nikolaï Gastello, l'attaché de presse de la Cour suprême, avait produit un clip, discrètement fourni aux chaînes de télévision russes qui, toutes, le diffusèrent avec appétit. On y voyait un sosie de Poutine observant sur un écran deux bimbos (l'une blonde, l'autre brune) dansant sur des sons à la mode et chantant à la gloire de l'homme sain et droit que la Russie attendait : « Mon mec s'est encore fourré dans de sales affaires/Il s'est battu et a avalé des trucs crados/J'en ai par-dessus la tête, alors je l'ai viré/Et maintenant, je veux un mec comme Poutine/Un mec comme Poutine, plein de forces/Un mec comme Poutine qui ne boirait pas/Un mec comme Poutine qui ne me ferait pas de peine/Un mec comme Poutine qui ne s'enfuirait pas. » Le clip, *Un mec comme Poutine*, est devenu très vite un tube, repris encore en 2008 dans la version russe d'« American Idol ». Aujourd'hui, nombreuses sont les jeunes filles russes qui s'envoient des cartes postales avec la photo de Vladimir

Poutine (souvent en tenue de judoka). On aurait tort de croire à une plaisanterie de second degré : leur plus grand désir est de rencontrer leur idole.

En matière de sex-appeal, face à Poutine, Dmitri Medvedev ne semble pas faire le poids. Ses partisans le savent. C'est pourquoi, en mai 2008, ils se livrent à une petite facétie sur fond d'Obamania montante. Des supporters anonymes détournent le très suggestif clip de celle qui s'est surnommée « Obama girl ». *I got a crush on Obama* devient *I got a crush on Medvedev*, l'image du président russe remplace celle du sénateur de l'Illinois, et, tandis qu'elle se trémousse de manière lascive, la jeune fille chante : « Je rêve de toi la nuit, je veux faire des enfants avec toi !/T'es venu en politique avec Poutine, j'ai jamais désiré personne autant que toi. » En 2012, si les deux hommes se retrouvent en compétition pour le Kremlin, il faudra plus qu'un clip de ce genre à Medvedev pour rivaliser avec Poutine auprès des jeunes filles à la recherche de l'homme fort qui les fait rêver. Car le Premier ministre russe a plus d'une corde à son arc : il ne se contente plus d'exhiber ses pectoraux ; il joue aussi les crooners. Le 10 décembre 2010, montant sur la scène d'un gala de charité à Saint-Pétersbourg, il s'est pris un instant pour Fats Domino en interprétant *Blueberry Hills* devant un parterre de stars, parmi lesquelles Kevin Costner, Kurt Russell et Sharon Stone.

Le pouvoir rend-il beau ? Les politiques sont-ils devenus des sex-symbols ? Vladimir Poutine semble le croire, en tout cas. À vrai dire, il n'est pas seul. Un homme comme Silvio Berlusconi en a même fait son fonds de commerce…

II

Berlusconi, machine à rêves

Séance karaoké pour les supporters du « Peuple de la Liberté » (PDL), la coalition de droite et de centre droit, conduite par Silvio Berlusconi. Début avril 2008, à quelques jours des élections législatives italiennes, l'hymne de campagne du PLD fait un tabac sur la Toile comme sur les chaînes berlusconiennes. La mélodie qui l'accompagne, fraîche et rythmée, avec une pointe romantiquement italienne, vous trotte dans la tête à la première écoute, comme les tubes que les radios de la péninsule déversent à longueur de journée. Elle exhale le parfum du cappuccino dégusté à une terrasse de café, place Navone, un matin d'été ; un concentré d'Italie au goût de carte postale. Mais, derrière les clichés, on retient surtout le message politique du refrain : « Vive l'Italie, l'Italie qui a choisi de croire encore à ce rêve/Président nous sommes avec toi/Heureusement que Silvio est là. »

Les images sont aussi suggestives. De plan en plan, les chanteurs se succèdent : un glacier, un jeune professeur de mathématiques saisi avec sa classe d'étudiants, un pâtissier, un ouvrier, des télévendeurs d'un centre d'appel, un chauffeur de taxi, une mère de famille avec son enfant près d'un bac à sable, un conducteur de bus, des jeunes filles dans une salle de gymnastique, en tenue de fitness, grimpées sur un tapis roulant. Une Italie des gens simples, des artisans, des commerçants, mais aussi des jeunes, tous les jeunes, étudiants et précaires, toutes classes sociales confondues, dynamiques, courageux, volontaires, qui veulent croire en l'avenir. Des jeunes, il y en a partout dans le clip. Ils sont beaux, elles sont belles. À la fin, ils sont tous là, unis, mêlés, descendant le grand escalier d'un immeuble néoclassique du quartier de l'EUR (construit dans les années 1930 par Mussolini, en vue de l'Exposition universelle de 1942, qui n'eut jamais lieu). Ils rêvent de l'Italie douce mais résolument moderne que leur promet le sauveur.

« Dans ma vie, explique Silvio Berlusconi en mars 1994, j'ai accompli trois miracles, comme bâtisseur, comme sportif, comme éditeur. Maintenant, tous ensemble, nous devons faire le nouveau miracle italien. » *Il Cavaliere* se prendrait-il pour un saint, voire pour le Christ lui-même ? « Vous devez devenir des missionnaires, même des apôtres, clame-t-il à ses partisans en avril 1995. Je vous expliquerai l'évangile de Forza Italia, l'évangile selon Silvio. » Certes, il le dit avec le sourire ; mais il le dit tout de même. Avec Berlusconi, rien n'est impossible. C'est en vendant du rêve qu'il est arrivé au pouvoir, en 1994. Et du rêve, les Italiens en avaient bien besoin, alors que tout s'était effondré autour d'eux, à la suite de l'enquête judiciaire « Mains propres ». La Démocratie chrétienne, pilier du régime politique depuis la guerre ? Disparue. Le Parti socialiste ? En ruine. Le Parti communiste ? Hébété, pris dans la tourmente de la chute du bloc soviétique. Un député sur deux inculpé, un sénateur sur trois poursuivi par la justice…

Dans le cataclysme politique, un homme surgit, Silvio Berlusconi. Il se présente aux Italiens comme le rempart contre la dictature communiste qui, selon lui, menace : « J'ai décidé de descendre dans l'arène et de m'occuper de la chose publique, parce que je ne veux pas vivre dans un pays sans libertés, gouverné par des hommes liés à un passé politique et économique en faillite. » Mais, le 26 janvier 1994, jour où il annonce sa candidature aux élections législatives dans un message vidéo diffusé simultanément sur ses trois chaînes de télévision, il n'agite pas seulement le danger qui menace. Il clame son amour de l'Italie. Il s'adresse au « bon sens » des Italiens auxquels il affirme que rien n'est perdu, que tout peut être construit. Regardez-moi, leur dit-il en substance, je n'ai rien à gagner à me lancer dans la politique. J'ai tout réussi. Parti de rien, je suis devenu riche. Vous me connaissez, vous aimez les programmes de mes télévisions, vous lisez mes journaux, vous suivez les exploits de mon équipe de football, l'AC Milan. Eh bien, ce goût du succès, ce savoir-faire, je vais le mettre au service de l'Italie, parce que j'aime mon pays. Je vais vous redonner la fierté d'être Italiens. Nous allons tout rebâtir, avec des hommes neufs, comme moi et, très vite, le ciel s'éclaircira et le soleil reviendra.

Berlusconi, l'illusionniste, le marchand de rêves, promet : à sa manière, comme un patron, mais aussi un homme de spectacle. S'il séduit, c'est parce qu'il incarne lui-même le rêve promis, mais également parce qu'à tort ou à raison, une large part des Italiens retrouvent en lui leurs qualités et leurs défauts, la capacité à s'émouvoir comme le goût de la provocation, l'amour démonstratif pour la « mamma » comme la forfanterie virile de l'impénitent séducteur. Berlusconi cultive les clichés de l'« hyper-Italien », ce qui irrite les intellectuels mais plaît dans les milieux populaires. Ils font aussi partie de la machine à rêves.

« Une histoire italienne »

Una storia italiana... Après un gouvernement éclair en 1994 (huit mois seulement) et un échec en 1996, Berlusconi revient en force en 2001, et déploie les grands moyens pour triompher. Chaque Italien reçoit dans sa boîte aux lettres un livre illustré au format et au papier magazine, signé par le chef de Forza Italia. L'histoire qu'il raconte à ses compatriotes est évidemment la sienne. Elle est cependant plus que cela. D'abord, l'ouvrage a les allures d'une revue familiale, et chacun peut s'identifier à l'adolescent fier de poser aux côtés de ses parents et de sa sœur ou à l'adulte qui voue un culte à sa maman. Ensuite, et surtout, il ressemble confusément à ces romans-photos des hebdomadaires féminins ou à ces feuilletons télévisés pour ménagères qui mêlent amour, gloire et beauté. Ceux que diffuse Berlusconi en permanence sur ses trois chaînes.

Ici, le héros s'appelle Silvio Berlusconi. Résumons rapidement les épisodes saillants. Né en 1936, issu du petit peuple, il est devenu un grand « entrepreneur ». Passionné de football, il a mis sa fortune au service de l'AC Milan qu'il a conduit au sommet de la coupe d'Europe (il la brandit sur la photo). Avec Veronica, la blonde délicieuse, « *il grande amore* », il a eu trois enfants beaux comme des dieux. Il a des amis fidèles, ceux que connaissent bien les familiers de sa chaîne, Canale 5, les présentateurs Mike Bongiorno et Raimondo Vianello. Ils le soutinrent au moment de sa « traversée du désert ». Car la vie ne fut pas toujours rose. En 1997 survint le « drame de la maladie », ce cancer de la prostate qui lui fit toucher du doigt la fragilité humaine. Heureusement, tout cela appartient au passé. Aujourd'hui, il fait du jogging dans le parc de sa résidence milanaise d'Arcore, avec Pier Silvio, fils d'un premier mariage. Ah ! Arcore ! Il en a reçu du monde. Il rit encore de cette photo, prise dans la salle de sport de sa villa, où Silvester Stallone, le héros de *Rocky*, et Pier Silvio avaient revêtu des gants de boxe, comme s'ils allaient combattre ! Silvio Berlusconi est l'ami des stars et des chefs d'État, comme Bill Clinton. Mais il n'oublie jamais le goût des choses simples, comme le plaisir de cueillir les fleurs de son jardin, pour Veronica, « *il grande amore* ». Fin du film.

Tiens, tiens, ne manquerait-il pas quelque chose dans cet émouvant récit autobiographique ? Des affaires judiciaires, par exemple, où son nom est mêlé ? Et puis, où sont passés les hommes politiques qui, dans l'« ancien régime », l'ont aidé à devenir le plus riche patron italien, comme le socialiste Bettino Craxi (mort l'année précédente, en Tunisie, où il s'était réfugié pour fuir la justice de son pays) ? De même, pourquoi ne parle-t-il pas de sa première épouse Carla Dall'Oglio qu'il trompa des années avant de rendre publique sa liaison avec Veronica (actrice de films de série B, pour ne pas dire Z) ? Pourquoi ne dit-il rien sur son divorce ? Berlusconi propose plus qu'un rêve aux Italiens, un monde imaginaire aux couleurs des fictions télévisées, dont il est le héros et qu'il modèle à sa guise.

Il l'écrit lui-même dans *Una storia italiana* : « Je suis un rêveur pragmatique. » C'est si vrai qu'il est toujours prêt à enjoliver les choses ou à inventer des histoires pour qu'elles correspondent au rêve qu'il propose. Ainsi, régulièrement, il évoque ses années de jeunesse et en rapporte les anecdotes qui lui donnent le rôle enviable de séducteur, comme à l'époque où, contrebassiste et chanteur, il descendait chaque soir de la scène pour danser « avec les plus belles filles de la salle ». Il est intarissable sur sa vie d'étudiant bohème à Paris, et singulièrement sur ses aventures avec de jolies femmes. Il fait ainsi la rencontre d'une jeune fille dans un café. Ils tombent amoureux et flirtent quelques jours. Hélas, elle doit rejoindre son père en Asie et lui regagner l'Italie. Pour leur dernier jour ensemble, Silvio emmène sa bien-aimée faire une ballade en barque au bois de Boulogne. « Je faisais de l'aviron et j'étais champion italien étudiant. » Mais, en courant, la jeune fille se déboîte la cheville. La promenade romantique tourne court. Manque de chance, le métro est en grève. Silvio la prend alors dans ses bras, marche ainsi plusieurs kilomètres pour rejoindre la place de l'Étoile et la dépose délicatement sur un banc. Avisant un magasin de fleurs, il la laisse un instant. Il veut acheter des roses, mais n'a pas assez d'argent. Heureusement, la fleuriste est italienne. Un sourire, et elle lui fait crédit. Aussitôt, il saisit les roses, court jusqu'à sa bien-aimée, lui tend les fleurs, l'enlace, l'embrasse. Et Berlusconi de conclure : « Je l'emmène chez elle. Je pousse la porte et la ferme sur mon amour, sur les roses, sur tout. » Amis lecteurs, n'avez-vous pas l'œil humide et un sourire de contentement en refermant ce roman-photo ? Évidemment, suspicieux comme vous êtes, vous supposez que le beau Silvio a embelli les choses, et vous avez raison. Quand on sait que rien n'atteste son inscription à la Sorbonne ni qu'il fut jamais champion d'aviron, on peut douter du reste de l'histoire !

Ce petit récit pourrait être sans importance, s'il n'éclairait la stratégie de séduction politique de Berlusconi. Il aime à narrer des anecdotes personnelles. Il en rapporte les bons moments, avec le sourire complice du dragueur infatigable. Quand, par exemple, il raconte le temps où il était « animateur de bord » sur les bateaux Costa, en

Méditerranée, il rit et se vante. Quel hâbleur ! Mais derrière l'anecdote qu'on retient, sans paraître y toucher, il fait surtout passer un message : vous voyez, lorsque j'étais jeune, j'ai dû travailler pour gagner ma vie. Mon argent, je ne l'ai pas volé. Je me suis fait tout seul. Par l'anecdote, il se rapproche des gens ordinaires qui, comme lui, ont dû parfois vendre des aspirateurs pour récolter quelques sous. Par contraste, l'auditeur mesure aussi le chemin parcouru par le *self-made man* et s'avoue admiratif. Berlusconi n'a plus qu'à pousser son avantage. Lorsqu'il affirme, comme en 1994 : « Tout ce que j'ai fait, je l'ai bien fait » ; « La vérité est que je suis le meilleur de tous » ; « Personne au monde n'a jamais fait ce que j'ai fait », on ne voit pas au travers de ces formules narcissiques des preuves de mégalomanie, mais l'espoir qu'il fera pour l'Italie ce qu'il est parvenu à faire pour lui-même, ce qu'il a déjà fait pour l'AC Milan. « Ma mission politique est comme reconstruire une équipe de football », dit-il en juin 1994. *Forza Italia !*

Ce langage plaît parce qu'il est très nouveau dans un pays où la classe politique – désavouée et corrompue – a habitué les Italiens aux discours obscurs, à la platitude des propos, à la paralysie des mots trop prudents. Berlusconi ? Il dit ce qu'il pense, il fera ce qu'il dit ! Mais, au fond, le langage du fondateur de Forza Italia est-il si nouveau ? Il l'est sur la scène politique, mais pas dans l'entreprise. Le langage de Berlusconi, c'est celui du patron, celui du « gagneur » qui doit dynamiser les cadres et répandre le sentiment collectif d'énergie jusqu'au bas de l'échelle hiérarchique. Tout est là, jusqu'aux blagues graveleuses censées détendre l'atmosphère lors des réunions qui s'éternisent. On a juste dissipé le brouillard des anglicismes qui polluent couramment le langage d'entreprise et qui auraient fâché les Italiens.

Berlusconi, « président-entrepreneur ». C'est le slogan qu'il choisit dans la vaste campagne d'affichage qui accompagne sa candidature aux législatives de 2001. Plus qu'un candidat, il est un manager. Le modèle managérial est d'ailleurs celui sur lequel s'est fondée Forza Italia, en 1993. Berlusconi a sollicité les vingt-six dirigeants de sa firme, Publitalia, pour construire le parti dans les régions sous leur responsabilité et y recruter les futurs candidats aux élections, selon des critères rigoureux. Le leader veut des quadragénaires, plutôt beaux gosses, souriants et bien coiffés, novices en politique, bien établis financièrement, qui iront à la rencontre de l'électeur en blazer bleu et cravate assortie, bon chic bon genre. Forza Italia est à l'image du patron, toujours souriant, toujours bronzé, toujours impeccablement habillé : un long spot publicitaire.

Votez pour moi, parce que je suis un homme neuf contrairement à tous les autres, dit Berlusconi en 1994. Prêté à la politique et seul contre tous, voici une posture qui plaît. Mais le plus remarquable, c'est qu'en 2008 la tactique fonctionne encore. Lorsque Berlusconi est acculé, l'argument surgit toujours de sa boîte : je suis seul contre tous, les partis, les juges, les journalistes (les « spécialistes de la désinformation »), les intellectuels, les banquiers… Plus grande fortune d'Italie, mêlé à tous les réseaux économiques et financiers, disposant d'un empire médiatique, à la tête du plus puissant parti d'Italie, ayant grandi dans l'ombre et grâce aux manœuvres des politiciens déchus, Berlusconi parvient encore à revêtir les habits du chevalier blanc, du défenseur des humbles, du héraut de l'anti-*establishment*. Bref, alors qu'il est depuis plus de quinze ans au cœur de la vie politique, il réussit à se situer à l'extérieur du marigot politicien, comme l'entrepreneur qui, faisant de la politique, n'appartiendra jamais à son système. Pourquoi y arrive-t-il ? Parce qu'il parle le langage de ses électeurs et que son style le distingue. En face, ses adversaires comme ses alliés donnent l'impression d'être tous sortis du même moule.

Il faut bien le reconnaître, la posture de Berlusconi plaît à nombre de médias. Même si, théâtral, il s'en prend aux colporteurs de « désinformation », il sait les séduire en entretenant avec eux des rapports personnels d'une rare complicité. On raconte même – mais quel journaliste osera l'avouer ? – que, parfois, sortant en voiture de sa résidence romaine, et croisant un reporter en faction, il l'invite à monter et l'entraîne dans les boutiques de grands couturiers, Gucci ou Prada, chez les antiquaires les plus réputés ou les joailliers les plus célèbres. Généreux ou corrupteur, Berlusconi, l'homme qui a tout réussi dans sa vie, aime l'idée qu'il peut impressionner et séduire.

Showman

« Navire de la Liberté ». C'est ainsi que Silvio Berlusconi a baptisé le titanesque paquebot sur lequel, en avril 2000, à la veille des élections régionales, il organise la « croisade électorale » de Forza Italia contre la gauche au pouvoir. Le bateau peut accueillir 2 300 personnes et ses cales se transformer en salle de meeting. Alors que le gouvernement vient de limiter le montant de la publicité politique, la croisière berlusconienne coûte l'équivalent de 2,5 millions d'euros. La loi qui a été votée ? « C'est une idée des communistes pour nous éloigner de la victoire. » La provocation de Berlusconi est particulièrement onéreuse, mais il a réussi son coup : journaux, radios, télévisions d'Italie et du monde entier se pressent pour voir le spectacle. Sourire éclatant comme d'habitude, *Il Cavaliere* reçoit la presse dans une somptueuse cabine de réception.

L'année suivante, le 8 mai 2001, à cinq jours des élections législatives, il est l'invité de Bruno Vespa, l'animateur du célèbre talk-show « Porta a Porta », sur Rai Uno. Silvio Berlusconi n'ignore rien des codes de la télévision. Qu'elle soit publique, comme la Rai, ou privée, comme ses propres chaînes, il s'y sent comme un poisson dans l'eau. Il y connaît tout le monde, d'ailleurs, et Vespa est un vieil ami. Pour la dernière phase, décisive, de la campagne, Berlusconi a trouvé l'idée qui attirera l'attention des médias et le rapprochera des électeurs : il va signer un contrat de confiance avec les Italiens. Pas un contrat oral, pas un contrat virtuel : un vrai contrat écrit, engageant sur de multiples points. Qui dit mieux ? Son entourage lui conseille de l'annoncer dans un grand meeting, au milieu de la foule enthousiaste. Mais Vespa a eu vent de l'affaire et propose à Berlusconi de le faire dans son émission. Le leader de Forza Italia est d'abord réservé : « Porta a Porta » est diffusé en seconde partie de soirée, et l'opération risque d'être médiatiquement moins payante qu'il ne le souhaiterait. Qu'à cela ne tienne, répond Vespa : l'émission étant enregistrée l'après-midi, il suffira de faire fuiter la nouvelle, images à l'appui, pour que tous les journaux télévisés du soir en parlent. Accord conclu.

Le soir, donc, les Italiens découvrent la scène. Le contrat en mains, Silvio Berlusconi promet qu'il réussira dans la gestion du pays comme il a réussi dans ses propres affaires, et s'engage sur cinq points : baisse de la pression fiscale ; diminution de la délinquance ; hausse des pensions de retraites ; chômage divisé par deux et création de 1,5 million d'emplois ; réalisation de 40 % d'un plan décennal de grands travaux. Puis, solennel, il ajoute : « Si je ne réalise pas au moins quatre des cinq objectifs que je me suis fixés et qui sont facilement quantifiables, alors je quitterai définitivement la politique et je ne me représenterai pas à des élections. » Avec Berlusconi, c'est satisfait ou remboursé ! Reste à apposer la signature : le leader de Forza Italia a poussé la vraisemblance jusqu'à exiger du papier imprimé à tampons officiels, comme pour tout acte notarié. On a aussi prévu un bureau, et Bruno Vespa joue le notaire. La caméra se rapproche. « Contrat avec les Italiens entre Silvio Berlusconi, né à Milan le 29 septembre 1936, leader de Forza Italia et de la Casa delle Libertà... » Applaudissements. Ce n'est pourtant pas fini, car Berlusconi a encore une carte dans sa manche : s'il devient chef du gouvernement, annonce-t-il, il demandera à Luca Cordera di Montezemolo, le président de Ferrari, de devenir ministre des Sports ou du Commerce extérieur. Le rusé Silvio sait que le manager de la firme au logo rouge est une star en Italie, depuis que son écurie est devenue, en 2000, championne du monde de Formule 1. Fier de ses deux beaux coups, il quitte le plateau ravi.

Le lendemain, la presse salue l'artiste. Le photographe et publicitaire Oliviero Toscani, célèbre pour ses campagnes provocatrices (affiches Benetton), trouve l'idée du contrat « géniale ». La gauche est furieuse et embarrassée. Berlusconi vient de marquer l'ultime point crucial et, à l'issue des législatives, revient à la tête du gouvernement, qu'il convoitait depuis près de sept ans. Certes, Cordera di Montezemolo refuse d'y entrer. Ce n'est pas bien grave. Quant au contrat, on le jugera dans cinq ans ; cela laisse du temps.

Le plus intéressant, ici, c'est ce qui s'est passé entre Berlusconi et l'électeur. Car, ce soir-là, loin d'être passif devant son poste, comme d'habitude, il était là, virtuellement présent dans le studio de « Porta a Porta », assis au côté de Berlusconi, grâce à l'admirable mise en scène de *Sua Emittenza*, Son Éminence de la Télévision. Au passage, par son geste, le leader de Forza Italia a très bien montré ce qu'était pour lui un citoyen : un consommateur de télévision (c'est sur une scène de télévision qu'il abat ses meilleures cartes) et un client (comme l'indique l'idée même du contrat). Ce faisant, il ne s'embarrasse pas de longues explications. La vie d'un pays est simple comme un contrat. Tout le reste n'est que bavardage de « professionnels de la politique ».

Mais ce qui fait sa force, le 8 mai 2001, sur le plateau de « Porta a Porta », c'est que l'électeur croit en lui. Nous ne sommes pas dans le registre rationnel, mais bien dans celui des émotions. Théâtral, Berlusconi invoque en permanence son cœur et la réciprocité de l'amour qui le lie aux Italiens. Le 24 janvier 2004, terminant son discours à la convention de Forza Italia, à Rome, et après avoir joué avec son public (« Continuons-nous ? » ; « Oui ! »), il lui lance : « Je vous embrasse un par un, je vous aime. »

Toutes les enquêtes le confirment : l'électorat de Berlusconi est d'abord composé des couches populaires, de femmes et d'hommes qui s'intéressent peu à la politique mais qui, en revanche, regardent beaucoup la télévision, et singulièrement les chaînes de *Sua Emittenza.* De là à dire qu'ils sont intoxiqués par l'information orientée qu'on y entend, manipulés pour les journalistes à la botte de leur patron, il n'y a qu'un pas qu'on a souvent vite franchi. Se focaliser sur les informations télévisées est une grave erreur lorsqu'on sait que la télévision est d'abord un flux d'images accompagnées de mots. Ce qui compte le plus, c'est l'imaginaire qui est donné à voir dans sa totalité, celui des feuilletons qui émeuvent, celui des spectacles qui distraient et éblouissent par les lumières et les paillettes, le monde de rêve qu'on finit par s'approprier. Berlusconi, le *showman* de la politique, fait partie de cet univers, et lorsqu'il apparaît sur le petit écran, star parmi les stars, il est, par sa présence comme par son discours, une invitation à prolonger dans la vraie vie le monde imaginaire de la télévision. C'est ainsi qu'il séduit les gens ordinaires, et il le sait. C'est aussi dans l'univers des animateurs de télévision, ses amis, tels Mike Bongiorno, Gerry Scotty, Rita Dalla Chiesa ou Gabriella Carlucci, qu'il va chercher ses soutiens et parfois même ses candidats.

Mais il faut aussi entretenir ce monde virtuel. Alors, Silvio Berlusconi rejoint l'univers des stars en s'invitant sur les plateaux de télévision, comme le 8 octobre 2002, où le Premier ministre surgit dans le « Maurizio Costanzo show », sur Canale 5. Ce n'est pas la première fois qu'il s'y invite. Il était ainsi venu le 8 février 2001. Une scène avait frappé les esprits, celle où, à propos de ses « affaires » judiciaires, Berlusconi avait tendu le bras à l'animateur, Maurizio Costanzo, en lui demandant, sourire aux lèvres, de sentir son « odeur de sainteté ». Mais, ce soir de 2002, il n'est pas la vedette de l'émission, car on fête son ami Mike Bongiorno, fameux animateur de « La Roue de la fortune », célèbre pour son « Allegria ! », avec lequel il commence toutes ses émissions. Le Premier ministre n'est pas physiquement présent pour les vingt-cinq ans d'une carrière essentiellement conduite sur les chaînes berlusconiennes, mais il intervient au téléphone. On plaisante, on se rappelle des souvenirs. « Bongiorno est un homme extraordinaire. Il peut accomplir ce que les autres rêvent de faire », commence Berlusconi, avant de poursuivre : « Tu fais partie de l'histoire de la télévision, tu devrais vraiment devenir sénateur à vie. » Costanzo confirme. Bongiorno bredouille, écrase une larme. Tout le public se lève et l'applaudit. Derrière son écran, le téléspectateur, qui connaît Bongiorno depuis des années, pleure sans doute aussi. Dans son souci de faire du spectacle, Berlusconi a juste oublié de demander son avis au président de la

République à qui appartient la nomination des sénateurs à vie, ainsi distingués « pour des mérites patriotiques exceptionnels dans le domaine social, scientifique, artistique ou littéraire ». Le Guy Lux italien peut-il rejoindre les deux ou trois hommes politiques ou intellectuels de premier plan qui siègent comme sénateurs à vie ? Berlusconi sait que cela ne se fera pas, mais entretient volontairement l'illusion, l'espace d'un soir, pour nourrir sa machine à rêves.

La télévision, pour Berlusconi, est une arme de séduction. Elle a cependant ses limites. Admirable devant un journaliste, dès lors qu'il est sûr de pouvoir assurer le spectacle, il paraît moins convaincant lorsqu'il ne peut plus compter sur son charme. Le 14 mars 2006, il affronte Romano Prodi, chef de l'Unione, lors d'un face-à-face télévisé sur la Rai qu'on dit décisif pour les élections législatives, prévues le mois suivant. S'il n'est pas un débatteur hors pair, Prodi, *Il Professore*, maîtrise parfaitement ses dossiers. Par ailleurs, les règles du débat n'autorisent guère les effets : temps de parole égal, pas de public, interdiction de montrer la réaction de l'adversaire à l'écran pendant que l'autre candidat s'exprime, pas de note… Berlusconi a eu beau protester contre des conditions qu'il jugeait draconiennes (sous-entendu : défavorables pour lui), la Rai n'a pas cédé. Le débat est suivi par 16 millions d'Italiens. Le lendemain matin, dans la presse, le verdict tombe : selon un sondage « à chaud », publié dans le *Corriere della sera*, Prodi – qui emportera finalement l'élection –, a été meilleur que Berlusconi (42,6 % contre 35,6 %). Doit-on y voir un rapport ? Deux ans plus tard, en 2008, ont lieu des législatives anticipées. Le leader de gauche, Walter Veltroni, demande un débat télévisé à Berlusconi, où il veut, quand il veut, y compris sur une chaîne de son groupe, dit-il. Mais le Premier ministre refuse. Craint-il la pugnacité de son adversaire ? L'explication de son refus est peut-être ailleurs. Veltroni a près de vingt ans de moins que Silvio Berlusconi. Sur un plateau de télévision, côte à côte, le contraste eût été frappant...

Latin lover et soubrettes

C'est de notoriété internationale : Silvio Berlusconi a toujours été obsédé par son apparence physique. Il suffit d'observer ses affiches de 1994 pour s'en convaincre. À 58 ans, il a une calvitie naissante et quelques rides, ce qui est bien ordinaire à son âge : mais elles ont été soigneusement gommées. On ne voit que l'homme au visage lisse, au large sourire, élégant dans son costume croisé sombre, bien ajusté. Le sourire qui fait sa réputation est alors nouveau dans le paysage politique. Les Italiens sont habitués à la mine austère de leurs hommes politiques. Longtemps, pour eux, le sourire a rimé avec mensonge, privilèges, corruption. Mais le pays vient de connaître un big bang politique. Toutes les valeurs ont été bouleversées. Alors, Berlusconi n'hésite pas à transgresser les codes : son sourire, marqué par l'éclat de sa dentition, en fait le symbole de la modernité à l'américaine promise à l'Italie (« Pour un nouveau miracle italien », proclame l'affiche de 1994).

Berlusconi aime à montrer son éternelle jeunesse. En représentation permanente, il est toujours maquillé. On finit par le relever au fil du temps, car les ans, qui devraient le marquer, semblent n'avoir aucune prise sur lui. La maquilleuse qui l'accompagne à chacun de ses pas retouche sans cesse l'épaisse couche de fond de teint orange qui masque ses rides. À la télévision, ses conseillers veillent à ce que les caméras soient équipées de filtres spéciaux pour effacer les imperfections du visage. Teinture pour cheveux, lentilles colorées pour les yeux, séances d'UV, sauna pour effacer les kilos superflus, crèmes, onguents..., la lutte de Berlusconi contre le vieillissement est un combat quotidien. « Silvio est éternel », affirme Umberto Scapagnini, son médecin personnel. Cette éternité a un prix, celui des séjours dans les cliniques privées de chirurgie esthétique qui accueillent les plus grandes stars de la planète. La presse a été longtemps peu loquace sur le sujet. Mais lorsqu'un Premier ministre s'absente pour de longues vacances et qu'il en revient resplendissant, même le journaliste le moins curieux s'interroge. Alors, Berlusconi finit par jouer la transparence, comme début 2004 où, devant les caméras, il avoue s'être livré à une « petite restauration », durant les congés de Noël, sans en dévoiler les détails. *L'Espresso* révèle alors qu'il s'est offert un lifting dans la clinique de Gravesano, près de Lugano, en Suisse, avant d'aller se reposer dans sa maison de Sardaigne. « Des coups de bistouri sont passés par là », explique avec science le professeur Scuderi, dans *La Repubblica*, ajoutant qu'il constate une « importante asymétrie au niveau de l'œil » qui se résorbera rapidement. Quelques mois plus tard, en août 2004, Berlusconi entre à nouveau en clinique pour, cette fois, se faire greffer des cheveux. S'en cache-t-il ? Après l'opération, les Italiens ont pu l'apercevoir, le crâne cerné d'un bandana. Or, quelque temps plus tard, il se présente à la foule nue tête. À un admirateur qui lui lance « le bandana, cela vous allait bien ! », Berlusconi réplique : « Mais un peu de cheveux en plus, c'est encore mieux. » Aussitôt, la presse prend cette réponse pour un aveu. Pourtant, l'entourage du Premier ministre rectifie : ce n'était qu'une plaisanterie !

S'il n'avait été patron d'industrie, il se serait sans doute bien vu chanteur de charme et, toutes les fois où les circonstances et la présence des caméras le permettent, il aime à pousser la chansonnette. Le « crooner » Berlusconi ne manque pas non plus une occasion de rappeler combien ses dons de séducteur lui furent utiles dans son ascension sociale et ses affaires, comme le jour où il réussit à décrocher un contrat, en couchant avec la fille du vice-président d'une grosse société : « J'ai payé l'"amende" […], ce qui, en réalité, ne fut même pas une amende, mais une chose très agréable. »

Plus le temps de sa splendeur s'éloigne, plus il multiplie les sorties qui rappellent sa vocation de séducteur, avec un goût prononcé pour les plaisanteries sexistes. Si elles choquent la presse internationale, les blagues égrillardes de Berlusconi ne déplaisent pas à tous les machos de la péninsule qui reconnaissent en lui l'âme du mâle italien. Le Premier ministre les accumule avec application. En juin 2005, par exemple, il se vante d'avoir charmé la présidente finlandaise, Tarja Halonen, pour s'assurer de son soutien à la candidature de l'Italie pour l'accueil du siège de l'Autorité européenne de sécurité alimentaire : « Quand vous voulez obtenir un résultat, il faut utiliser toutes les armes dont vous disposez et j'ai donc ressorti mes tactiques de playboy. » Devant le tollé général provoqué par la déclaration, l'ambassadeur d'Italie à Helsinki est obligé de s'excuser auprès des autorités finlandaises. « C'était une plaisanterie ! » se défend Berlusconi, avec le sourire.

Il serait trop long de dresser la liste des « dérapages » à caractère sexuel de Silvio Berlusconi. Ils se sont même intensifiés, sous l'effet, en 2009, de ce que la presse a appelé le « Papigate » puis le « Sexy-Gate », c'est-à-dire les révélations sur les soirées chaudes organisées dans sa résidence lombarde d'Arcore, ses relations ambiguës avec des mineures (Noemi Letizia, 18 ans, qui l'appelait « Papounet »), les nuits ardentes avec des *escort girls* (comme Patrizia

D'Addario, qui affirme avoir partagé le lit de Berlusconi, la nuit même où Barack Obama était élu président des États-Unis). Ce dernier aveu est intolérable pour le séducteur Berlusconi, qui, perdant son éternel sourire, s'exclame : « Je n'ai jamais payé une femme. » La réplique passe quasiment inaperçue. Pourtant, elle est fondamentale pour l'image qu'il veut donner de lui-même, car l'idée que Berlusconi puisse avoir recours à des services tarifés ruine tout le système de représentations patiemment construit. Si elle atteste, à ses yeux, la cruelle déchéance, elle pourrait aussi, dans l'esprit des Italiens, le rejeter dans le camp des *has-been*, et bientôt des vieillards. Impossible pour le *winner* Berlusconi de devenir un *loser*. Alors, il contre-attaque. En septembre 2009, lors du sommet italo-espagnol, Berlusconi répond aux questions des journalistes espagnols. Lorsque Miguel Mora, de *El País*, l'interroge sur ses soirées lombardes, le Premier ministre l'interrompt et lui lance : « Vous m'enviez, n'est-ce pas ? » Et comme le journaliste insiste, il se déchaîne : « Vous savez quoi ? Beaucoup de femmes étrangères ont réservé leurs vacances en Italie pour l'année prochaine ! »

La séduction, c'est le fonds de commerce de Silvio Berlusconi. Toute sa vie d'entrepreneur et d'homme politique repose sur sa capacité à séduire et à faire admettre aux autres qu'il est le plus grand « *latin lover* » d'Italie. Quand le *Times* lui recommande, comme en 2009, d'aller se faire soigner dans une clinique spécialisée pour patients souffrant d'addiction sexuelle, il lui rend un involontaire hommage. Que serait un mâle italien sans appétit sexuel ? La manière dont il tente de se sortir de l'embarras des scandales est, à cet égard, significative. En brandissant sa virilité comme un emblème, en insultant les homosexuels (« Il vaut mieux avoir la passion des belles femmes qu'être gay »), en répétant la formule sur un ton ironique, il s'adresse à tous les machos d'Italie et tente de restaurer une image un peu défraîchie.

Le monde de rêves que propose Berlusconi passe nécessairement par l'exhibition des femmes. En 2006, il fait ainsi élire Mara Carfagna à la Chambre des députés et la nomme, en 2008, ministre de l'Égalité des chances. Née en 1975, « la plus belle ministre du monde », comme la désigne le magazine allemand *Bild*, a participé au concours de Miss Italie en 1997 (classée 6e) et a posé nue dans la presse de charme. En 2000, Berlusconi embauche la brune pulpeuse à la peau cuivrée comme *showgirl* dans l'émission « La domenica del villagio » (« Dimanche au village »), où elle se distingue par ses tenues sexy. Tandis qu'elle poursuit sa carrière à la télévision, il la désigne comme responsable du mouvement des femmes à Forza Italia. Certes, Mara Carfagna est diplômée en droit, mais ce n'est pas cela qui motive d'abord Silvio Berlusconi. Dans la fusion entre spectacle et politique, les femmes sont les vitrines qui doivent appâter le client italien. Elles lui permettent aussi de valoriser sa réputation de séducteur : l'homme qui aime les femmes, les attire et s'en entoure. En janvier 2007, il charme publiquement la belle Mara, lors d'une soirée de gala : « Avec vous, j'irais n'importe où, même sur une île déserte. » Puis, se tournant vers le public : « Si je n'étais pas marié, je l'épouserais tout de suite. » Furieuse, sa femme Veronica écrit un article, dans *La Repubblica*, pour exiger des excuses, qu'elle obtient dans une lettre que Berlusconi envoie à l'agence Ansa. Se reprochant ses « blagues irréfléchies », il l'assure de son « amour ».

« La gauche n'a même pas de goût pour les femmes. Nos candidates sont non seulement belles mais superdiplômées », fanfaronne Silvio Berlusconi, en avril 2008. De telles déclarations font les délices de la presse populaire que lit l'électorat auquel il s'adresse. L'intérêt médiatique pour le spectacle Berlusconi l'incite à nourrir la rumeur : aux élections européennes de juin 2009, il va présenter de jolies filles. Elles ont en commun de participer à des programmes télévisés de Mediaset, le groupe de *Sua Emittenza*, de se distinguer par des formes voluptueuses et de poser dans des magazines plus ou moins dénudés. Des noms circulent, comme celui de Barbara Matera, 27 ans, ex-finaliste au concours Miss Italie et ancienne présentatrice de télévision, ce qui provoque l'ire publique de Veronica (quelque temps plus tard, elle demande le divorce). En pleine tourmente du « Papigate », Berlusconi ne cède rien à sa réputation d'homme qui aime les femmes. Certes, Barbara Matera, ainsi que d'autres « soubrettes » du Premier ministre (comme les surnomment les journaux), ne sont qu'un leurre pour faire oublier ses ébats avec une mineure. Mais l'une de ces icônes télévisuelles entre bien au Parlement européen : Francesca Pascale. À 28 ans, l'ancienne actrice de série B, présentatrice sur la Rai et finaliste régionale de Miss Italie, présente un CV étonnamment vide. Certes, elle fut l'instigatrice du comité « Silvio, tu nous manques », en soutien au *Cavaliere*, alors dans l'opposition. Mais, pour les Italiens, le principal titre de gloire de la ravissante blonde, animatrice de « Telecafone » (« Télé-plouc »), est surtout d'avoir prononcé cette phrase immortelle : « Si tu baisses ta culotte, tu fais monter l'audimat. » En 2010, au Parlement européen, elle devient vice-présidente de Commission des droits de la femme et de l'égalité des genres. Les féministes apprécieront.

Non, Silvio Berlusconi ne renonce jamais à s'exhiber avec des jeunes femmes. Au printemps 2010, il reprend l'« opération bimbos », cette fois pour les élections régionales. « Une femme peut être bonne en politique par le simple fait d'être jeune et aussi parce qu'elle est jolie », déclare le Premier ministre. « Oh mon Dieu ! Ce vieux cochon de Silvio recommence », s'amuse le journal espagnol *El Mundo*. « On l'imagine mieux sur un calendrier pour camionneurs que dans une assemblée territoriale », renchérit *Le Figaro*, en commentant la photo très suggestive de Nicole Minetti, candidate en Lombardie. Assistante dentaire, elle a soigné Berlusconi, le 13 décembre 2009, après son agression par un fou qui lui avait lancé au visage une reproduction miniature de la cathédrale de Milan.

Ce jour-là, la photo du visage ensanglanté du Premier ministre, les yeux hébétés, fait le tour du monde. L'icône du charmeur toujours souriant est mise à mal. Mais, d'une certaine façon, elle vient à point nommé pour adoucir l'image du chef instable et volontiers agressif qui commençait à se forger. Saisissant l'occasion, son parti fait imprimer des milliers de posters reprenant le cliché de la victime, y ajoutant ces mots : « L'amour l'emporte sur la haine. » L'amour, encore l'amour…

Il serait faux de penser que Silvio Berlusconi n'a pas changé en quinze ans. Son personnage est devenu plus ambivalent. « Je ne suis pas Superman », avoue-t-il dans sa campagne de 2008, mais il tempère immédiatement cette expression de modestie par de nouvelles promesses. À 74 ans, il peut encore briguer le poste de président de la République. Après tout, le mandat de l'actuel chef de l'État, Giorgio Napolitano, s'achèvera en 2013, date à laquelle Silvio Berlusconi devrait lui-même céder le fauteuil de Premier ministre. Il y a sans doute pensé. Les frasques du séducteur qui tournent au scandale de mœurs et les fragilités de sa coalition parlementaire peuvent ruiner cette ambition. Cependant, rien n'est jamais perdu avec Berlusconi, l'incorrigible charmeur. Il n'a peut-être pas dit son dernier mot. Rendez-vous en 2013 ?

12

La femme, un homme politique comme les autres ?

Renversée sur un lit, en peignoir et déshabillé blancs, épaules et cuisses dénudées, maquillée comme une star, elle regarde le photographe, la bouche légèrement entrouverte. Elle s'appelle Katerina Klasnova. À 32 ans, elle est vice-présidente du Parlement tchèque. Le cliché, saisi en juillet 2010, n'est pas destiné à un magazine érotique, mais à un calendrier, imprimé par son parti, Affaires publiques, dont le produit de la vente sera reversé à la Fondation Archa Chantal qui aide les hôpitaux pour enfants. La blonde Katerina n'est pas la seule députée à avoir accepté de poser. Karolina Peake, Kristyna Koci et Marketa Reedova ont aussi offert leur corps aux regards. Vêtues de chemisiers ouverts sur des soutiens-gorge noirs, de jupes courtes et moulantes, de bas résille et de hauts talons, elles sont allongées sur des lits aux draps de soie ou des fauteuils en cuir sombre.

« Nous avons voulu attirer l'attention sur le fait que les femmes font désormais partie de la vie politique », explique Lenka Andrysova, 26 ans, jeune louve d'Affaires publiques, « Miss Septembre » de l'audacieux calendrier. Katerina Klasnova et ses amies font partie de la « Blond Coalition », comme l'ont baptisée les médias tchèques pour caractériser l'entrée massive de femmes, majoritairement jeunes, dans le nouveau Parlement, élu en mai 2010. Elles sont désormais quarante-quatre sur deux cents députés. Mais celles qui se font le plus remarquer dans la presse appartiennent à Affaires publiques, parti de centre droit, dirigé par le très populaire Radek John, fougueux journaliste d'investigation. Avec près de 11 % des voix et vingt-quatre élus, la formation, qui se distingue par un programme ultralibéral et un discours anticorruption, fait partie de la coalition au pouvoir, dirigée par le Premier ministre Petr Nečas. Radek John connaît les médias et n'est jamais avare en « coups » publicitaires : le calendrier des pin-up de son parti en fournit une preuve éclatante. Lenka Andrysova a beau expliquer qu'« il existe plusieurs formes de féminisme », on reste pour le moins perplexe sur le procédé qui ravale la femme politique à un objet de plaisir sexuel, en revisitant les clichés cultivés depuis qu'Ève corrompit Adam.

Un an plus tôt, en août 2009, le décolleté d'Angela Merkel avait beaucoup fait jaser dans la presse allemande. À l'approche des élections législatives, Vera Lensgfeld, candidate CDU dans la circonscription berlinoise de Friedrichshain-Kreuzberg, avait fait imprimer sept cent cinquante affiches où elle apparaissait en compagnie de la Chancelière. Les deux femmes figuraient en robe de soirée, laissant deviner la naissance de leur poitrine, mais on remarquait surtout l'échancrure plongeante d'Angela Merkel (photo prise à l'opéra d'Oslo, en avril 2008). La volonté séductrice était clairement soulignée par le slogan : « Nous avons plus à offrir. » Devant l'émotion suscitée par l'affiche, l'équipe de la Chancelière précisait qu'elle n'avait pas autorisé Vera Lengsfeld à utiliser son image, la candidate, de son côté, expliquant qu'il s'agissait, dans son esprit, d'un plaisant clin d'œil. Mais elle précisait aussi : « J'ai eu 17 000 visiteurs sur mon blog. Si même le dixième d'entre eux seulement jette un coup d'œil à mon programme, j'aurai atteint un meilleur résultat qu'en battant le pavé de manière classique. »

Volontairement provocatrice, l'initiative de Vera Lengsfeld était d'attirer l'attention des médias, alors qu'elle se présentait dans une circonscription promise aux Verts. Or, ses électeurs eurent la surprise de découvrir une autre affiche, signée celle-ci par Halina Wawzyniak, de Die Linke, le parti d'extrême gauche. Donnant de sa personne, elle s'était fait photographier de dos, postérieur (revêtu d'un jean) en gros plan, tee-shirt relevé laissant apparaître, au bas du dos, le tatouage « Socialist ». Le slogan, « *Mit Arsch in der Hose in den Bundestag* », reposait sur un jeu de mots : au sens littéral, « au Bundestag avec le cul dans le pantalon », au sens figuré, « au Bundestag avec courage ».

Klasnova, Merkel, Wawzyniak : quelles que soient les images observées, elles renvoient à l'idée qu'en matière de séduction politique, la femme reste tributaire du rôle qu'on lui attribue et des valeurs qu'incarne son sexe dans la société des hommes. Elle l'accepte ou le refuse ; elle rejette violemment les clichés d'une supposée identité féminine ou les exploite à son profit. Mais, en tout état de cause, une femme qui s'implique dans la chose publique n'est pas exactement un « homme politique » comme les autres. Sans prétendre les répertorier tous, cherchons-en quelques modèles, en commençant par le plus ancien.

Sainte ou catin ?

« Foutez-la dehors ! » En octobre 1995, le journal grec d'extrême gauche *Avriani* publie des photographies de Dimitra Liani, surnommée « Mimi ». Nue au soleil, on la voit caressée par une autre femme. L'image n'aurait aucune importance si la jeune femme en question n'était autre que l'épouse et le directeur de cabinet du Premier ministre grec, le socialiste Andréas Papandréou, revenu au pouvoir en 1993. Il a 76 ans ; elle en a 40. C'est une ancienne hôtesse de l'air d'Olympic Airways, issue de la bonne bourgeoisie athénienne. Ils se sont mariés en 1989 et mènent très grande vie. « Mimi » a souvent fait la une des journaux, mais là, l'attaque est beaucoup plus brutale et gêne tant le porte-parole du gouvernement qu'il parle imprudemment de « photomontage ».

Pourquoi une telle charge contre la « Raspoutine en jupons », comme l'appelle *Avriani* ? Parce que Dimitra ne cache plus son ambition : elle veut se lancer en politique et se présenter aux élections législatives de 1997. Se serait-elle mis en tête de succéder à Papandréou ? Déjà, alors que la santé du Premier ministre est de plus en plus précaire, on soupçonnait Dimitra de faire la pluie et le beau au gouvernement, de nommer et limoger qui elle voulait, voire de puiser dans les fonds publics. « La Grèce est sous la coupe d'une mafia dirigée par Dimitra », dénonce *Avriani.* La presse prétend que le Premier ministre cacochyme est devenu un jouet entre ses mains, et les dirigeants socialistes, qui craignent pour leur avenir, ne sont pas les derniers à alimenter la rumeur. Il faut en finir. C'est *Avriani*, le journal de George Kouris, ancien ami de Papandréou, qui porte le coup de grâce, en exhumant une vieille photo. Dimitra Liani devient « Mimi Porno ». Le scandale politique, néanmoins, tourne court avec le décès d'Andréas Papandréou, qui meurt dans ses bras, en juin 1996.

Reste qu'au-delà de cet exemple contemporain se dégage une image singulièrement ancrée dans l'imaginaire commun, celui de la femme séductrice et manipulatrice, exploitant ses charmes avec science pour transformer l'homme de pouvoir en marionnette. Au fond, on conteste tout haut sa légitimité politique en la traitant tout bas de catin. C'est le « syndrome de Messaline ». Que n'a-t-on dit de Messaline, Valeria Messalina (25-48), la troisième épouse de l'empereur Claude, l'ambitieuse, la cruelle, la dévergondée, la nymphomane, la « putain impériale » (*meretrix augusta*) qui, selon Juvénal, allait, par plaisir, se prostituer dans les bordels de Subure et aurait transformé une partie de son palais en lupanar ? Dumas en a fait une femme sans le moindre sentiment, se servant des hommes, mari ou amants, pour conquérir l'Empire. L'avis des historiens est aujourd'hui moins tranché. Paul Veyne la voit même comme une « amoureuse romantique ». Dimitra Liani, elle, devra encore attendre, semble-t-il, pour faire l'objet d'un pareil hommage.

Catin, diablesse au charme maléfique : voici le premier visage attribué, depuis toujours, à la femme qui côtoie l'homme de pouvoir. Mais il y en a un autre, plus récent, plus valorisant, plus utile aussi à celui qui l'exerce : la femme protectrice, la mère aimante, la sainte que le peuple vénère. La séduction féminine devient brusquement bienfaisante, sous l'effet d'une propagande habilement orchestrée.

La formule ironique de Victor Hugo est célèbre : « L'Aigle épouse une cocotte », s'exclame-t-il, lorsqu'il apprend le mariage de Napoléon III avec l'Espagnole Eugénie de Montijo, en janvier 1853. Fille cadette du comte de Teba, ancien officier d'artillerie de Napoléon Ier (et par là même considéré comme un traître en Espagne), éduquée en France, Eugénie a déjà près de 27 ans. Elle est belle, élégante, coquette, et on murmure qu'à son âge, elle dispose déjà d'une impressionnante collection d'amants. Alors, dans Paris, circulent de cruelles épigrammes, en écho à celui-ci : « Montijo, plus belle que sage/De l'empereur comble les vœux/Ce soir s'il trouve un pucelage/C'est que la belle en avait deux. »

Comme en réponse, sur les murs de la capitale, s'affiche le cri du cœur de Napoléon III : « J'ai préféré une femme que j'aime et que je respecte, à une femme inconnue dont l'alliance eût eu des avantages mêlés de sacrifices. » Rusé empereur qui transforme en conte de fées son fiasco diplomatique. La vérité, c'est qu'à 48 ans, il est toujours célibataire. Pour assurer sa succession au trône, il lui faut un fils. Il a fait le tour des cours européennes, mais aucun prince n'a accepté de lui offrir la main d'une de ses filles. Il s'est donc retourné vers Eugénie qu'il a connue dans un bal donné à Paris, et dont la mère, fille d'un marchand de denrées coloniales, charma le comte Teba de Montijo, laid, borgne et sans le sou, pour conquérir un titre de noblesse. Volage, la nouvelle comtesse eut deux filles dont on se demanda plus d'une fois si elles avaient été conçues dans le lit conjugal. C'est dire la nécessité pour l'empereur de convaincre les Français de son histoire d'amour.

Fin propagandiste, Napoléon III a compris qu'il lui fallait séduire le peuple en parlant à son cœur : généreux bienfaiteur de la nation, il fera donc d'Eugénie la mère des Français, douce et charitable, infatigable consolatrice de la misère humaine. Cela commence dès son arrivée en France. À l'occasion du mariage impérial, la Commission municipale de Paris vote une somme de 600 000 francs pour offrir à Eugénie une parure digne de l'événement. Dans une lettre au préfet, complaisamment publicisée, elle refuse l'offrande, mais fait mieux encore, en recommandant que cette somme soit employée à la fondation d'un établissement pour jeunes filles orphelines qui y recevront une éducation professionnelle. Ainsi naît, du côté du faubourg Saint-Antoine, la Maison Eugénie-Napoléon. Ce n'est qu'un premier geste ; il y en aura bien d'autres : sociétés de charité maternelle pour les jeunes mères pauvres, hôpital Sainte-Eugénie pour les enfants, orphelinats, crèches, fourneaux économiques (sorte de « Restos du cœur » version Second Empire)...

Peu à peu, l'image de l'impératrice du peuple se forge. Chaque fois que le couple impérial voyage en province, Eugénie se rend ainsi auprès des malades, comme en 1862, en Auvergne, où, visitant l'hôpital de l'Hôtel-Dieu à Clermont-Ferrand, elle s'arrête devant un homme atteint d'une maladie de la moelle osseuse. Les eaux bienfaisantes de Bourbon-l'Archambault lui ont été conseillées mais, père d'une famille nombreuse, il est trop pauvre pour se faire soigner. Alors, raconte *Le Moniteur du Puy-de-Dôme*, Eugénie s'exclame, sur un air de reproche : « Pourquoi ne pas vous être adressé plus tôt à moi ? Ne suis-je pas la mère de ceux qui souffrent ? »

Il manque cependant un moment emblématique qui sanctifierait l'impératrice. La propagande du pouvoir le cherche et finit par le trouver. En juillet 1866, en effet, le choléra, qui avait déjà touché Paris l'année précédente, frappe Amiens. En quelques jours, on compte une centaine de morts. C'est la bonne occasion. La suite est racontée par Évariste Bavoux, conseiller d'État, dans un récit docilement écrit à la gloire de la Première Dame de charité : « À ce chiffre effroyable, l'impératrice, entraînée par un de ces élans spontanés et suprêmes d'une grande âme, confie au télégraphe sa subite résolution, et part. En quelques heures elle est à l'Hôtel-Dieu, au chevet des malades ; ici prend une main humide de transpiration, de faiblesse, là un breuvage calmant, ordonné par le docteur ; pour l'un sa bourse discrètement vidée, pour l'autre une attitude muette, se penchant et prêtant une oreille attentive à la voix affaiblie du malheureux, s'oubliant elle-même sans réserve, sans souci du danger. Et partout ainsi les maisons pestiférées sont visitées par elle, ange du ciel, adorée, attendrie, elle aussi, des bénédictions et des larmes de toute cette population émue de son grand cœur. » Déjà, l'imagerie populaire grave la scène de « L'impératrice visitant les cholériques ».

Le peuple français considère-t-il sincèrement Eugénie comme sa mère protectrice ? Difficile de dire si celle qui fut la première First Lady française bénéficie d'une vraie popularité. Mais que Napoléon III l'ait utilisée pour séduire les Français et conforter son image d'empereur social ne laisse guère de doute.

Bien plus tard, au lendemain de la Seconde Guerre mondiale, de l'autre côté de l'Atlantique, en Argentine, un dictateur cherche, lui aussi, à tirer profit des charmes de son épouse pour s'attacher le peuple : il s'appelle Juan Domingo Perón. En octobre 1945, il a épousé une jeune actrice de vingt-quatre ans sa cadette, Eva Duarte qui, pour tous, devient Evita, « la Madone ». Belle opération de manipulation, en vérité. Elle est conduite en 1947 par Raúl Apold, le chef de la propagande péroniste, en voyage en Espagne. Il a pu constater son succès et l'intérêt qu'elle suscitait lorsque, bousculant le protocole, elle s'ingéniait à visiter les quartiers pauvres de Madrid et à s'inviter chez leurs habitants, émus par une telle attention. Apold décide alors de fabriquer « Evita », sous les traits d'une fée bienfaitrice. Partout, le pays se couvre d'affiches « Perón accomplit, Evita donne la dignité », tandis que s'accumule un bric-à-brac d'objets de culte populaire à son effigie, mouchoirs, foulards, cendriers, broches, boîtes d'allumettes, écussons… La brune devenue blonde (couleur de cheveux des saintes !) se coiffe soudain d'un chignon rappelant symboliquement deux mains entrelacées. Voici venu le temps de sainte Evita.

Le personnage se dessine, volontairement double. Elle est la combattante haranguant la foule des femmes au balcon de la Casa Rosada, le 23 septembre 1947, jour de présentation de la loi qui doit leur accorder le droit de vote (finalement acquis en 1949) : « Voici, mes sœurs, rassemblée dans l'écriture serrée de ces quelques articles, une longue histoire de lutte, de contretemps et d'espoirs. » Mais Evita est aussi la mère du peuple, sainte Evita, qui vient en aide aux pauvres. En 1949, elle crée la Fondation Eva Perón qui rassemble le matériel le plus hétéroclite dans de grands hangars (chaussures, matelas, casseroles, vêtements, ballons de football…) avant de les redistribuer à la population. Elle fait ouvrir des orphelinats, distribue des bicyclettes aux enfants, des machines à coudre à leurs grandes sœurs, des lits à bébé aux jeunes couples démunis. Chaque année, sont organisés les « championnats de football Evita » pour les garçons venus de toutes les provinces. On les habille, on les fait venir à Buenos Aires, on fournit des cadeaux aux jeunes champions qui repartent avec une mobylette, un voyage au bord de la mer ou une bourse d'études. Évidemment, Evita est là pour donner le coup d'envoi de la finale, remettre les médailles et chanter la gloire de son mari, Juan Perón.

Evita est sollicitée en permanence. En 1947, elle recevait quelques centaines de lettres chaque jour ; trois ans plus tard, il lui en parvient plus de dix mille. Quotidiennement, les Argentins pauvres se pressent à Buenos Aires où, savent-ils, elle reçoit personnellement les nécessiteux. Paysans et ouvriers arrivent par familles entières, parfois de l'autre bout du pays. Ils viennent solliciter un matelas, une tôle pour leur toit, une machine à coudre, voire un dentier. Evita donne, donne encore et fait même pression sur les entreprises qui veulent faire payer la Fondation, comme celle des frères Grossman, célèbres pour leurs bonbons au lait « Mu-Mu ». Les deux patrons vont le regretter amèrement car, faisant courir le bruit que leur usine est infestée de rats, elle obtient qu'elle ferme. Trois ans plus tard, ils peuvent rouvrir leur fabrique, sans jamais parvenir à la débarrasser de son odieuse réputation. Les bonbons Mu-Mu ? Ceux que dévorent les rats ?

Tendre Evita ? « Pour la femme, être péroniste c'est, avant tout, garder la fidélité à Perón et déposer en lui une confiance aveugle. » Elle est une militante intransigeante, volontiers vulgaire avec ceux qui lui résistent, singulièrement humiliante à l'égard des intellectuels, tel l'écrivain Jorge Luis Borges, contraint de quitter la direction de la bibliothèque de Buenos Aires pour un obscur poste à l'Inspection de la volaille. Elle est aussi une politique ambitieuse qui, en 1951, tente de prendre la vice-présidence du parti unique mais en est empêchée par les hiérarques militaires. Quand elle distribue généreusement aux pauvres, les photographes et les cameramen ne sont jamais loin. Parfois, cependant, ils sont indésirables. En 1950, elle reçoit chez elle la photographe Gisèle Freund qui saisit ses armoires débordant de toilettes, de robes de soirée, de chaussures, de bijoux. Ayant appris sa bévue, Raúl Apold ordonne à Freund de restituer les clichés. La photographe réussit à s'enfuir et à gagner l'aéroport avant d'être arrêtée par la police, n'emportant, dans l'avion, que ses négatifs. Evita, Madone des pauvres ? Lorsqu'elle meurt, en juillet 1952, à 33 ans (victime d'un cancer de l'utérus), sa fortune est évaluée 12,3 millions de dollars, soit davantage que Juan Perón lui-même.

Reste que, pour tout le pays, elle reste une sainte. Durant treize jours, les Argentins viennent se recueillir et pleurer devant son corps, exposé dans un cercueil de verre. Il faut parfois dix heures d'attente pour s'approcher du catafalque. Profitant de l'aubaine, Apold engage le cinéaste Edward Cronjager, de la Century Fox. De son tournage sortira l'émouvant *Et le cœur de l'Argentine s'arrêta*. La sanctification populaire d'Evita servira le dictateur argentin bien après sa mort. Chaque soir, de la date du décès d'Evita à son renversement par les militaires, en septembre 1955, les informations radiophoniques s'interrompent brusquement à 20 h 25. « Il est 20 h 25, déclare gravement le speaker, l'heure à laquelle Eva Perón est entrée dans l'immortalité. » Les enfants sont élevés dans le culte de la défunte. À l'école, leur nouveau livre de lecture s'appelle *Eva d'Amérique, Madone des humbles*. En chœur, ils répètent religieusement : « C'était une sainte. C'est pour cela qu'elle s'est envolée vers Dieu. » Est-ce un hasard ? Evita disparue, la machine péroniste s'enraye : la morosité ambiante qui suit son décès n'est sans doute pas étrangère à sa chute.

Dames de fer

« Elle est le seul homme de mon gouvernement. » Dans la bouche de Ben Gourion, c'est le plus beau compliment qu'il puisse faire à Golda Meir, plusieurs fois ministre dans les cabinets que dirigea le fondateur d'Israël. Golda Mabovitz, dite Golda Meir (« éclaire », en hébreu), née à Kiev en 1898 a, toute sa vie, été une combattante. Elle assura l'émigration de Juifs en Palestine, collecta des fonds aux États-Unis, participa à la défense de Jérusalem, en 1947, risqua sa vie bien des fois.

Quand elle devient Premier ministre, en 1969, elle est déjà une vieille femme (71 ans) et souffre, depuis trois ans, d'une leucémie. Elle n'a jamais vraiment été belle et, à la tête du gouvernement, ne fait guère d'effort pour s'habiller, se coiffer ou même sourire. Elle ignore les artifices de la séduction. Ce qu'elle sait, en revanche, c'est que « pour réussir, une femme doit être bien meilleure qu'un homme ». Rude, intransigeante, elle est une « dame de fer qui ne revient jamais sur ses décisions », comme le note Henry Kissinger. Jamais, alors, elle ne manifeste le sentimentalisme qu'on prête volontiers aux femmes. Quand elle est nommée, quelques larmes lui échappent ; mais il n'y en aura pas d'autres en public. En 1973, surpris en pleine fête du Kippour par l'attaque des armées arabes, Israël chancelle avant de triompher. Elle ne se pardonnera jamais de ne pas l'avoir prévue : « Je ne serai plus jamais celle que j'étais avant la guerre du Kippour », dit-elle, avant de démissionner en 1974. Pourtant, à aucun moment, elle n'exhibe ses émotions. À un journaliste qui lui demande, juste après la guerre, ce qu'elle ressent personnellement, elle répond : « Ce que je ressens personnellement, c'est personnel. »

En 1969, au moment où Golda Meir prend les commandes d'Israël, Margaret Thatcher intervient au congrès du Parti conservateur britannique et cite Sophocle : « Une fois la femme égale de l'homme, elle lui devient supérieure. » Jamais, cependant, à ce moment-là, elle ne croit pouvoir devenir un jour Premier ministre, et le demeurer onze ans (1979-1990). Au mieux, pense-t-elle, une femme peut espérer accéder au poste de chancelier de l'Échiquier (Finances et Trésor). Pourtant, après avoir conquis la tête du parti tory, elle emporte les élections et s'installe au 10 Downing Street. Avant même qu'elle y pénètre, en 1976, *L'Étoile rouge*, organe de l'armée soviétique, la surnomme la « Dame de fer » ; la suite va lui donner raison.

L'intransigeance de Margaret Thatcher est légendaire. Il ne s'agit pas, pour elle, de montrer, par son insensibilité apparente ou la brutalité de son attitude, qu'elle peut faire aussi bien qu'un homme, mais d'affirmer qu'elle n'est pas sous l'influence des sentiments ou des ruses de séduction qu'on prête volontiers aux femmes. Étonné et presque chagriné, Zbigniew Brzezinski, secrétaire à la Défense du président Carter, dit d'elle : « En sa présence, on oublie vite qu'elle est une femme. Elle ne paraît pas appartenir à un genre très féminin. » C'est précisément ce qu'elle veut : ne pas paraître obtenir des hommes avec lesquels elle négocie la moindre faveur qui semblerait être accordée à une représentante du sexe dit faible. Pour autant, Margaret Thatcher n'est aucunement féministe et, sous son ministère, aucune loi d'ampleur en faveur des femmes n'est votée.

Pour Valéry Giscard d'Estaing, qui la regarde avec un dédain aristocratique, Margaret Thatcher sera toujours une « fille d'épicier ». C'est un fait, ses origines sont modestes, ce qui explique aussi ses soutiens populaires en 1979, notamment chez les ouvriers déçus par les travaillistes. Elle en joue, d'ailleurs, lorsqu'elle évoque le fameux bon sens populaire, déclarant au *Times*, en août 1980 : « S'ils écoutent leur instinct profond, les gens savent que ce que je dis et ce que je fais est bien, et si j'en suis certaine, c'est que j'ai été élevée comme cela. Je me considère comme une personne ordinaire, très normale, dotée de bonnes antennes. » Régulièrement, elle parle de sa condition de ménagère qui sait gérer le budget d'un foyer. Pour autant, disent les sondages, on l'admire mais on ne l'aime pas. En 1983, 18 % des Britanniques pensent qu'elle s'intéresse à leurs préoccupations quotidiennes, soit 6 points de moins que quatre plus tôt !

Margaret Thatcher, séductrice ? L'idée paraît saugrenue. C'est précisément ce qu'elle veut faire croire. En réalité, elle a une fine connaissance des stratégies de communication. Dès 1974, elle fait appel, pour la conseiller sur son image, au journaliste et producteur de télévision Gordon Reece. Il lui fait répéter ses discours, pour qu'ils paraissent spontanés, et suivre des leçons de maintien et d'élocution. Margaret Thatcher apprend ainsi à… « ronronner » avec Lord Laurence Olivier, l'admirable acteur, qui la soumet à une technique bien connue au théâtre pour rendre sa voix plus grave et plus harmonieuse. Reece lui enseigne aussi l'art de sourire de manière convaincante, de choisir un maquillage, une coiffure ou des vêtements, non seulement adaptés à la télévision, mais aussi à la personnalité qu'on veut affirmer. Ses tailleurs de Margaret Thatcher, gris ou colorés, uniformes ou bicolores, sont autant de messages subliminaux à destination de l'opinion sur sa compétence, sa probité, sa fermeté, son réalisme. Reece l'oblige à se plier aux exigences de la presse populaire, à accepter d'être photographiée dans des tâches ménagères ou au bras de son mari, Denis. Pour humaniser son personnage, il la dirige aussi vers des émissions de divertissement, comme « Blue Peter » et « The Jimmy Young Show », en 1975, « Desert Island Discs » ou « Jim'll Fix it », en 1977. En 1979, elle fait appel à une grande agence de publicité, Saatchi & Saatchi, pour sa communication de campagne. « Mme Thatcher est vendue comme un paquet d'Omo ! » s'indignent ses adversaires travaillistes. Ce qui n'empêche pas sa victoire.

Au pouvoir, Margaret Thatcher sait très bien y faire pour charmer l'opinion. On la dit hautaine et glaciale ? En 1985, elle vient se raconter comme une femme ordinaire sur le plateau de « Woman to Woman ». On la dit brutale et sans humour ? En 1987, elle remet un prix à la célèbre émission comique « Yes Prime Minister » qui la brocarde régulièrement. Mais elle fait mieux encore : elle écrit un sketch avec son conseiller Bernard Ingham et le joue avec la vedette de l'émission, Nigel Hawthorne. Oui, Margaret Thatcher a le sens de l'image et de l'émotion. La presse est périodiquement invitée au 10 Downing Street pour la « surprendre » dans sa vie quotidienne : il en ressort des photographies soigneusement mises en scène où, par exemple, elle s'active dans la cuisine ou plie une pile de linge. On se moque de son sac à main qu'elle presse contre elle en permanence ? Mais il est le symbole de la ménagère qui a la tête sur les épaules, preuve que le pouvoir ne l'a pas étourdie.

Contrairement à ce qu'elle prétend, Margaret Thatcher sait utiliser son image de femme. En novembre 1986, par exemple, elle participe à l'émission de la BBC « The Englishwoman's wardrobe » et présente à cette occasion aux téléspectateurs un assortiment de ses vêtements préférés. Aucun Premier ministre homme, même, plus tard, le prince de la communication, Tony Blair, ne s'est jamais soumis à l'exercice. Margaret Thatcher soigne son apparence. Avant même qu'elle ne devienne Premier ministre, elle envahissait le vestiaire des femmes, à la Chambre des communes, de vêtements et de chaussures, dont elle changeait, au gré des séances et du rôle qu'elle avait choisi d'y jouer. Elle passe un temps considérable à se faire maquiller et porte une attention particulière à sa peau qu'elle soigne quotidiennement. Reste une question que les magazines féminins, auxquels elle accorde périodiquement des entretiens, ne manquent de lui poser : « Madame le Premier ministre, où achetez-vous vos dessous ? » Si on la croit, ils viennent de chez Marks & Spencer, le célèbre magasin populaire. Nul journaliste d'investigation n'ayant eu l'audace ou le plaisir de vérifier, on lui laissera, sur ce point, le bénéfice du doute !

Osons une question plus incongrue encore : Margaret Thatcher serait-elle sexy ? Au début des années 1980, après l'avoir entendue lors d'une émission de radio, des journaux affirment qu'elle a une « voix sexy » (causée par un rhume, semble-t-il). Dans ses souvenirs (*A Balance of Power*), Jim Prior, membre du cabinet Thatcher, raconte que, le lendemain, il interpelle ainsi le Premier ministre : « Margaret, j'ai lu dans le journal que vous aviez adopté une voix sexy. » Avec le sourire, du tac au tac, l'intéressée réplique : « Qu'est-ce qui vous fait penser que je n'étais pas sexy avant ? »

Margaret Thatcher ? « La bouche de Marylin Monroe, mais les yeux de Caligula », disait Mitterrand pour qui elle restait la Dame de fer. L'homme qui aimait les femmes avait un jugement nettement moins sévère pour le Premier ministre pakistanais Benazir Bhutto. Après une entrevue avec elle, lors d'une visite officielle à Karachi, en 1990, il glissa à son entourage : « Elle joue très joliment de son voile. » Le président français, comme beaucoup de dirigeants de la planète, est sous le charme d'une jeune femme alors âgée de 37 ans. Elle plaît aux médias en Occident, à la fois parce qu'elle y a été éduquée (Harvard, Oxford) et que son beau visage, ceint dans un voile arachnéen de mousseline blanche (*dupatta*), négligemment jeté sur son abondante chevelure brune, évoque l'image des princesses des *Mille et Une Nuits*. Ils en ont vite fait une star qui, dit-on, profite de ses séjours forcés à l'étranger, pour recourir à la chirurgie esthétique.

Reste qu'elle est d'abord une dame de fer dans une société musulmane où la femme est soumise à l'homme. Si Benazir (« l'indomptable ») s'applique à séduire l'Occident, elle s'impose au Pakistan par la poigne et parce qu'elle a la prudence de ne pas bouleverser les traditions. Elle est d'abord l'héritière de Zulfikar Ali Bhutto, issu d'une riche famille de propriétaires terriens, fondateur du Parti du peuple pakistanais (PPP), Premier ministre en 1971, renversé et exécuté par les militaires, en 1979. Lui qui a préféré la mort à l'exil est une légende vénérée par le petit peuple. Il a élevé sa fille comme une princesse féodale, dans le luxe et l'apprentissage de l'autorité. Il lui a enseigné la fermeté et l'arrogance, et l'a choisie elle, plutôt que ses deux fils, pour poursuivre son combat. « Tu es de la même trempe que moi », lui dit-il à quelques heures de sa pendaison, dans la prison où elle est venue le visiter.

Lorsqu'en 1986, de retour d'exil, Benazir Bhutto atterrit à Lahore, elle est déjà un mythe vivant dont on chante les louanges avec émotion. Un million de petites gens viennent l'accueillir, répandant sur son passage des pétales de roses. Ils ne la connaissent pas, mais la regardent comme une fée, l'appellent « Sa Majesté », l'aiment simplement parce qu'elle est la fille du « roi » martyr. Au fil des mois, les mêmes scènes de passion collective se répètent. On se bouscule, on veut l'approcher, lui parler, lui confier un message. Elle se tient à distance, par crainte de l'attentat (on ne compte plus les tentatives d'assassinat qui la visent) mais aussi pour ajouter du mystère à sa légende. La faiseuse de miracles tient sa revanche, en 1988. Le général Zia, l'homme qui a fait pendre son père, meurt dans une explosion. Des élections sont organisées, qu'elle remporte triomphalement. Benazir, la « Sultane », la « Princesse » du peuple devient, à 34 ans, la première femme à diriger un pays musulman.

Pour l'Occident, c'est une révolution. Pour le Pakistan, c'est le maintien du *statu quo* et la suite des mauvaises habitudes. Deux fois elle est au pouvoir (1988, 1993), deux fois elle est renversée, accusée de corruption (1990,

1996). Les Occidentaux imaginent qu'elle apportera une grande réforme agraire, une égalité des femmes en terre d'islam, plus de démocratie. Ils se trompent. Rien ne change. Comme ses prédécesseurs, elle fait arrêter ses opposants, bâillonne la liberté de la presse, désigne ses proches aux postes dirigeants. Sa brutalité fait sa force : on la suit parce qu'elle gouverne d'une main de fer. On la respecte, parce qu'elle se plie aux traditions. Ainsi, en 1989, craignant que son célibat ne lui porte préjudice, elle donne des gages aux musulmans orthodoxes, en cédant au mariage arrangé. Asif Zardari n'est pas de son rang, mais il est un homme d'affaires avisé (il a aussi une solide réputation de coureur de jupons). Benazir, implacable, dirige sans partage, mais laisse son mari et son beau-père s'enrichir sur le dos de l'État. Jamais la corruption n'a atteint un tel niveau au Pakistan. En 1996, le propre frère de Benazir, Murtaza Bhutto, accuse sa sœur de corruption. Quelque temps plus tard, il est abattu lors d'une altercation avec la police. On s'interroge : à qui profite le crime ? Sur CNN, on sous-entend qu'il s'agit d'un assassinat. C'est au tour de la mère de Benazir de l'accuser de « dictature » : elle est écartée de la direction du parti. Le conte de fées se transforme en saga des Borgia. Renversée par le coup d'État militaire du général Musharraf, en 1996, elle s'exile à Dubaï puis à Londres, après avoir purgé sept ans de prison. En 2007, sous la pression internationale, Musharraf consent à des élections et amnistie Benazir Bhutto, qui revient à Karachi, en octobre, portant ostensiblement sous le bras un exemplaire du Coran. À 54 ans, l'héroïne est de retour, avec l'ambition de reprendre le pouvoir et d'éradiquer la menace islamiste. La foule, innombrable, enthousiaste, agglutinée à ses pieds, laisse à la fille d'Ali l'espoir certain de la victoire. Mais, en décembre, elle meurt dans un attentat, dont on ne sait pas très bien s'il est perpétré par al-Qaida (qui veut éliminer l'impie vendue au Grand Satan) ou par les militaires (qui craignent sa menace). Le mari de Benazir reprend alors le flambeau. Troublant héritier d'Ali et de Benazir, Asif Ali Zardari devient président du Pakistan en 2008.

Adulée ou honnie, Benazir Bhutto a gouverné son pays… comme un homme ! L'Occident a vu en elle une héroïne du cinéma orientalisant, une sultane hollywoodienne, mais aussi une femme indépendante qui, dans les magazines américains, ne manquait pas de dire tout le mal qu'elle pensait du machisme. Mais, au Pakistan, ce n'est pas tant de son charme qu'elle usa pour assouvir son besoin de pouvoir, que de sa légende et d'une fermeté si périlleuse pour ses ennemis qu'ils lui firent payer de la vie.

Jeanne d'Arc ressuscitée

Vingt-trois ans avant Benazir Bhutto, en 1984, dans la même région, une autre dirigeante au fort charisme avait été assassinée : Indira Gandhi, fille de Nehru, Premier ministre de l'Inde, abattue par un garde sikh de son escorte. Quand on lui demandait quel était, dans l'histoire, le personnage féminin qu'elle admirait le plus, invariablement, elle répondait « Jeanne d'Arc ». Elle écrit ainsi dans ses souvenirs (*Ma vérité*, 1982) : « Jeanne d'Arc exerça sur moi une grande fascination, d'abord parce qu'elle s'était battue contre les Anglais, et aussi parce que, en tant que fille, je me sentais plus proche d'elle que des autres combattants de la liberté. » Héroïne nationale, libératrice du peuple, s'engageant jusqu'au sacrifice de soi, femme occupant une fonction d'ordinaire masculine, en parlant de Jeanne d'Arc, Indira Gandhi compose subrepticement un autoportrait.

« Souvenons-nous toujours, Français, écrivait Michelet en 1841, que la patrie chez nous est née du cœur d'une femme, de sa tendresse et de ses larmes, du sang qu'elle a donné pour nous. » Plus de huit cents biographies de Jeanne d'Arc ont été publiées depuis la Révolution française, près d'une cinquantaine de films ont été tournés sur son histoire, sans compter les pièces de théâtre, les bandes dessinées, les œuvres artistiques ou les images populaires. Sœur du peuple révoltée, abandonnée par le souverain qu'elle voulait sauver, livrée au bûcher d'une Église soumise aux Anglais, pour les uns ; humble paysanne guidée par sa foi en Dieu et sainte canonisée (1920), pour les autres ; Jeanne d'Arc fut l'objet d'âpres batailles entre une gauche laïque et une droite cléricale. L'image qu'a fini par imposer la République est cependant d'abord celle de la combattante, incarnation de la Nation souveraine, sacrifiant sa vie pour le relèvement de la France. Au fil du temps, la gauche, portée vers d'autres icônes plus internationalistes (Jaurès ou Lénine), a abandonné Jeanne à la droite extrême. Or, ces dernières années, marquées par les interrogations de la société française sur sa propre identité, Jeanne revient en force dans le discours politique des femmes qui, à gauche comme à droite, non seulement s'approprient les caractères supposés de la Pucelle mais s'identifient à elle. Jeanne est une femme qui s'est imposée par sa force et son courage à la société des hommes, Jeanne s'est sacrifiée pour protéger le peuple, Jeanne a sauvé la France… En réactivant le mythe d'un personnage universellement connu, les femmes politiques trouvent en Jeanne d'Arc le modèle propre à faire vibrer les plus nobles émotions et à séduire l'électorat par ses vertus.

Le 12 mars 2007, Ségolène Royal, en campagne électorale, est sur le plateau de « 5 ans avec... », sur M6. Quand Estelle Denis lui demande « Est-ce que vous avez un héros ou une héroïne ? », la candidate socialiste répond : « Écoutez, sans complexe, je vais vous dire Jeanne d'Arc. Celle qui a eu l'audace d'endosser un habit d'homme... une petite bergère qui a endossé un habit d'homme pour pouvoir sauver la France – c'est extraordinaire ! –, et qui n'a pas eu vingt ans, hélas. » Ce n'est pas la première fois qu'elle prononce le nom de la Pucelle. Quatre jours plus tôt, en meeting à Dijon, où elle célébrait la Journée de la femme, elle inscrivait son parcours dans le « très long combat des femmes et des figures de celles qui, de tout temps, ont refusé de courber l'échine » et, avant de convoquer la communarde Louise Michel, la mulâtresse Solitude, Olympe de Gouges, elle citait « Jeanne d'Arc, fille du peuple et fille rebelle, à qui l'on a reproché d'avoir pris les armes et revêtu un habit d'homme ». Mieux encore ? Le 17 septembre 2007, *Libération* publie les bonnes feuilles du livre de Lionel Jospin, *L'Impasse*, où il dit tout le mal qu'il pense de Ségolène Royal, mettant en cause ses « qualités humaines » comme ses « capacités politiques ». Ce livre venant après d'autres très critiques à son égard, l'ex-candidate socialiste à l'élection présidentielle ironise : « J'ai l'impression, en lisant tous ces ouvrages que, si j'étais Jeanne d'Arc, j'aurais été brûlée vive. Heureusement que nous sommes pas à cette époque. » Ségolène Royal n'admire plus Jeanne d'Arc ; elle est Jeanne d'Arc.

Écrasée par la personnalité de son père, Marine Le Pen a longtemps cherché son style mais a toujours cherché à séduire. Il suffit d'observer ses affiches électorales pour s'en convaincre. À la petite fille sage, fière de son papa, a d'abord succédé la Marine glamour des élections régionales de 2004 : pose de star, longs cheveux blonds étincelants mollement posés sur une épaule, regard félin, lèvres entrouvertes. Puis, tandis qu'elle s'affirmait au Front national, est venue l'heure de la rock-star. En 2008, toujours pour les régionales, elle apparaît sur scène, devant une foule en délire. Coupe raccourcie, sourire éclatant, elle est vêtue d'une longue veste imprimée, au style décontracté, d'un jean bleu, d'une fine écharpe rouge « baba cool ». Elle lève le bras, en signe d'au revoir, sans regarder le public, comme à la fin d'un concert, lorsque le chanteur s'apprête à rejoindre les coulisses. Enfin, le 13 juillet 2010, elle donne une interview filmée à National Presse Info, « agence de presse » liée au Front national. Lorsqu'on lui demande : « Quelle est la femme politique, contemporaine ou pas, que vous admirez le plus ? », elle répond, sans hésiter : « Jeanne d'Arc ! C'était une femme politique qui a influé le cours de l'histoire et qui a démontré en même temps son éthique, son courage, avec la force et la puissance de sa jeunesse. Elle était chef de guerre à 19 ans : vous vous rendez compte ! » Comme en écho, le 13 octobre suivant, devant les militants frontistes réunis à Versailles, Michel Stirbois, l'un des leaders du FN, se rallie publiquement à la candidature de Marine Le Pen pour succéder à son père, à la tête du parti : « Tu seras notre Jeanne d'Arc ! » dit-il en s'adressant à elle. Jean-Marie Le Pen admirait Jeanne d'Arc ; sa fille est Jeanne d'Arc, prête à relever la nation, à bouter l'Islam hors du pays, à annoncer, qu'avec elle, « la France est de retour ».

La « Jeanne-Marine » étant encore en devenir, arrêtons-nous un instant sur la « Jeanne-Ségolène », qui s'est déjà beaucoup manifestée. Bien sûr, les médias regardent souvent Ségolène Royal au prisme des canons de beauté féminins. Elle sait d'ailleurs en user, quand elle se fait photographier par Helmut Newton, passe chez le dentiste pour corriger les imperfections de son sourire, cultive l'élégance de ses tenues. En juin 2006, le magazine *FHM* publiait un sondage indiquant que, dans le classement des « 100 filles les plus sexy du monde », elle arrivait en 6ᵉ position, derrière Adriana Karembeu (1ᵉ) ou Angelina Jolie (4ᵉ), mais nettement devant Laetitia Casta (47ᵉ), Sophie Marceau (66ᵉ) ou Monica Bellucci (91ᵉ). La plastique de la leader socialiste peut expliquer en partie l'attrait général pour Ségolène Royal, mais pas l'enthousiasme quasi fanatique des troupes fidèles de Désirs d'avenir, amplement composées de femmes. Dans ses meetings, en 2007, on voyait ainsi fleurir des pancartes où s'exprimaient de véritables déclarations d'amour, comme « Demain ne se fera pas sans toi ». L'adoration ne s'est pas totalement éteinte après le revers électoral de la présidentielle. En mars 2009, sur le site de Désirs d'avenir, on pouvait lire le long texte d'un supporter qui énonçait toutes les raisons d'assimiler Ségolène Royal à Jeanne d'Arc. Il écrivait notamment : « Comme Jeanne d'Arc, elle n'a pas d'allié puissant pour se lancer dans la bataille. Elle ne peut compter que sur le peuple de France [...]. Aucune autre personnalité politique, de droite ou de gauche, ne suscite autant d'espérance en un avenir meilleur. Cette ferveur populaire est qualifiée de christique tellement elle semble irrationnelle à ceux qui n'en ont jamais suscité. » La solitude de Ségolène l'identifie davantage encore à Jeanne ; sa foi, comme celle de Jeanne, triomphera de tous les obstacles : on reconnaîtra, un jour, qu'elle avait raison, et elle sera sanctifiée par le suffrage universel ! La Jeanne de Ségolène va bien au-delà de l'héroïne laïque :

elle est guidée par une force spirituelle que rien ne peut arrêter.

Ségolène Royal séduit par sa foi. Nul autre responsable politique français n'utilise davantage qu'elle le verbe « croire » : « je crois vrai », « je crois bon », « je crois juste »… Lorsqu'en septembre 2009, elle s'attaque à la taxe carbone, elle affirme qu'elle parle pour « protéger les Français ». Ses mots sont ceux du don de soi, au nom d'une mission qu'elle s'est elle-même arrogée : « je fais de la politique au service des autres » ; « ce qui me préoccupe, ce n'est pas mon sort personnel » ; « je dis une vérité qui dérange ». Cette mission, elle seule peut l'accomplir : « Je ne laisserai pas faire cela. » « Si je viens ici, déclare-t-elle sur RTL, le 11 octobre 2009, c'est pour délivrer un message d'espoir. » Elle s'adresse à « ceux qui sont meurtris par la désespérance ». Elle « ouvre les bras ». Elle « tend la main ». Elle exhorte à « marcher ensemble ». L'apôtre de la fraternité invite ses partisans « à devenir frère et sœur avec tous ceux qui ne sont ni nos frères ni nos sœurs » (Fête de la fraternité, 19 septembre 2009). Telle la *mater dolorosa*, elle partage les souffrances des humbles : « Les gens n'en peuvent plus ; on n'en peut plus. » Et quand elle évoque l'« affaire » Frédéric Mitterrand, elle explique qu'elle n'a pas à s'ériger en juge, « ni à apporter une absolution » (RTL, 11 octobre 2009). Lapsus ou clin d'œil ? Comme Jeanne, Ségolène demande d'abord qu'on croie en elle. Elle séduit en évangélisant, entraînant ses fidèles dans son combat obstiné.

La femme fatale et la bimbo

Égérie, en 2004, de la révolution orange, Ioulia Timochenko était déjà, pour ses supporters, la « Jeanne d'Arc ukrainienne ». Elle charme alors les médias occidentaux par l'exceptionnelle beauté de son visage surmonté par des cheveux blonds qu'elle tresse en forme de couronne. En quelques jours, elle devient une star mondiale.

Ingénieur économique, présidente de la compagnie Systèmes énergétiques unifiés d'Ukraine (UESU), surnommée la « princesse du gaz », Ioulia Timochenko devient députée en 1997 (elle a 37 ans) et, deux ans plus tard, Premier ministre adjoint chargé des combustibles et de l'énergie dans le gouvernement de Viktor Iouchtchenko. Congédiée début 2001 sur l'ordre du président Leonid Koutchma, puis arrêtée pour corruption, elle est libérée au bout de quelques semaines sur la pression de ses partisans qui manifestent dans la rue. La révolution de 2005 arrive opportunément pour lui éviter de nouvelles poursuites et faire oublier les affaires de pots-de-vin qui entachent sa réputation. Mieux, elle devient Premier ministre. Commence alors un parcours chaotique. Écartée du gouvernement dès décembre 2005, elle le dirige de nouveau en 2007, doit l'abandonner en 2009, échoue à la présidentielle de 2010. Pendant ce temps, s'accumulent contre elle les dossiers embarrassants qui, interrogeant la manière dont elle a fait fortune, concluent à sa flagrante malhonnêteté. Ioulia Timochenko n'en a pas fini avec la justice.

En octobre 2009, le site Internet américain hottestheadsofstate.com la désigne comme la dirigeante politique « la plus sexy » sur la planète. Une de plus… C'est vrai qu'elle prend bien la lumière. C'est vrai aussi qu'elle en use avec science. Elle connaît ses atouts physiques qui, à toutes les étapes de sa vie, lui permettent de modeler son apparence pour attirer la presse et camper un personnage à sa convenance. Au temps où elle dirige sa compagnie énergétique (et fait fortune en vendant du gaz aux

Russes), brune aux cheveux mi-longs, elle s'habille en *executive woman* sexy, tailleurs, jupes courtes, hauts talons. Son look évolue lorsqu'elle s'installe en politique. À mesure qu'elle gagne en responsabilités, ses tenues se rallongent et ses signes extérieurs de richesse (bijoux, notamment) se font plus discrets. Ils ont totalement disparu lorsqu'elle sort de son séjour en prison. La voici transformée. Elle devient une révolutionnaire, fille du peuple. D'abord, elle se laisse pousser les cheveux, les teint en châtain, les libère sur sa nuque. Ensuite, elle arbore des vêtements plus stricts et couvre souvent ses jambes d'un pantalon. À l'approche des élections de 2002, alors qu'elle vient de fonder une coalition politique contre le président Koutchma, son apparence s'infléchit encore. Désormais blonde, elle commence à tresser ses cheveux, dans la tradition ukrainienne : d'abord une natte, typique des paysannes d'autrefois, puis une couronne aux allures d'auréole. À l'approche de la révolution orange, la panoplie de l'icône se complète d'autres signes de pureté, des ensembles clairs, blancs ou beiges, rehaussés par un simple collier de perles sur un pull à col roulé. Souvent, une veste en cuir, très « révolution bolchevique », vient rompre une apparence trop virginale. Ioulia Timochenko a composé le personnage qui plaît aux médias : sainte et combattante, comme Jeanne d'Arc. Au plus fort du mouvement de décembre 2004, on la voit en pull-over noir et orange, marqué du mot « Révolution » qui, selon elle, lui aurait été offert par des fabricants de la ville de Brovary. Aussitôt, les Ukrainiens l'imitent et se procurent pour 160 hrivnas (21 euros) le vêtement symbolique.

La page de la révolution tournée, Ioulia Timochenko conserve sa célèbre tresse, mais varie ses tenues. Une gravure de mode. Quand, en 2005, elle apparaît en jean rose et polo noir, les médias occidentaux sont en transe. La voici dans des ensembles plus légers et moins stricts que naguère, combinant satin, laine et dentelles. Les talons de ses chaussures atteignent maintenant les 12 centimètres. Sa blouse bleu vif a un tel succès que toutes les Ukrainiennes veulent porter la même. En 2007, quand elle se présente devant les parlementaires pour obtenir leur soutien au poste de Premier ministre, elle est habillée d'une robe grise à manches bouffantes sur un chemisier noir en résille. « Aucun député ne pouvait s'opposer à une dame parée de tels atours », commente le journal russe *Novosti*, le plus sérieusement du monde. La presse ukrainienne fait alors les comptes : dans les six premiers mois de 2009, Ioulia Timochenko est apparue en public avec deux cents tenues différentes, toujours griffées. Elle est une star de la presse féminine ukrainienne qui apprend à ses lectrices les secrets de la belle Ioulia pour conserver un corps de rêve : elle court jusqu'à dix kilomètres par jour. C'est tactiquement bien joué : pendant qu'on débat dans la presse de ses tenues et de sa coiffure, on évoque moins ses affaires de corruption. L'image glamour voire sexy adoucit le discours de ses détracteurs sur son ambition dévorante.

En 2010, lorsqu'elle se présente à l'élection présidentielle, Ioulia Timochenko mise sur son pouvoir de séduction et l'imaginaire de pureté, voire de sainteté qu'elle s'est évertuée à bâtir autour d'elle. Une preuve ? Ses affiches électorales. Elle y apparaît tout de blanc vêtue, virginale, une natte sur l'épaule, penchée sur la jeune tigresse qu'on lui a récemment offert (baptisée TigrIoulia). Visage à la peau lisse, regardant le passant dans les yeux, le sourire charmeur, elle sera à l'image du félin, bondissant contre l'ennemi pour protéger les faibles. La sainte sent le soufre car, derrière elle, se profile Ioulia la tigresse ! Avec ce message pour le moins ambivalent, la Vénus ukrainienne de la politique érotise son image, comme jamais.

À côté de Ioulia Timochenko, femme fatale sophistiquée, Sarah Palin semble ne présenter aucun mystère. Lorsqu'en août 2008 John McCain la choisit comme colistière pour l'élection présidentielle, c'est, chez ses adversaires, après l'effet de surprise, un immense éclat de rire suivi des plus vulgaires plaisanteries sexistes. Comment la ravissante idiote, qui a défilé en maillot de bain au concours de Miss Wasilla (Alaska) pourrait-elle devenir vice-présidente des États-Unis ? Poupées gonflables à son effigie, photos truquées sur Internet, vidéos pornographiques avec des sosies de Sarah Palin, préservatifs à son nom, tout est bon pour dégrader l'image d'une femme politique ravalée au rang de bimbo. C'est oublier que l'ancienne journaliste (certes sur une chaîne d'Anchorage et à la rubrique des sports !) a gravi les échelons d'une carrière politique qui l'a conduite, en 2006, à 42 ans, au siège de gouverneur d'Alaska, l'État qui détient les deuxièmes réserves pétrolières des États-Unis. Elle est alors la première femme et la plus jeune élue à ce poste. Bien sûr, les intellectuels de la côte Ouest, qui soutiennent Obama, considèrent les habitants d'Alaska comme les derniers des ploucs, mais la candidate républicaine n'oublie jamais de rappeler, lors de ses meetings, qu'elle est soutenue par les ouvriers, qu'elle même appartient au syndicat des métallos (US Steelworkers) et que son mari, Todd, est technicien de BP sur les forages glaciaires d'Alaska. En temps de crise et de délocalisation industrielle, le message n'est pas stupide.

Sarah Palin est plus habile qu'il n'y paraît au premier coup d'œil. Au début de l'été 2010, les tabloïds américains font courir la rumeur : recourant à la chirurgie esthétique, elle se serait fait poser des implants mammaires. Les journaux publient alors des photos de Palin qui, sous son tee-shirt, laisse deviner une poitrine plus opulente que naguère. Avec un gros rire gras, la presse parle déjà de « *boob-gate* » (scandale du nichon). Aussitôt, elle convoque les caméras et déclare : « Non, je n'ai pas d'implants. » Et elle ajoute : « Être jugée sur mon apparence, mon tour de poitrine, ça me fait perdre du temps. Je me demande quels vêtements je dois porter pour éviter qu'on s'intéresse à mon anatomie ! »

Indéniablement, elle joue sur son sex-appeal. Tantôt, elle s'habille en vêtements moulants et échancrés qui mettent en valeur ses formes généreuses. Tantôt, elle porte des tenues élégantes, tailleur sombre ou coloré de *business woman*, agrémenté d'un collier de perles « bon chic bon genre » sur sa gorge nue, notamment dans les grandes réunions où elle doit prononcer un discours. Elle prend un soin particulier de son corps et fait savoir qu'elle est une sportive accomplie (ancienne capitaine des Wasilla Warriors, équipe féminine de basket-ball), qu'elle pratique régulièrement le jogging et parfois même le marathon. Cette image plaît à la clientèle électorale visée, celle des hommes de l'Amérique profonde qu'elle fait rêver, celle des femmes ordinaires qui envient sa silhouette et pour qui elle est un modèle. Mais même le très branché *Vanity Fair* finit par succomber à son charme. En février 2010, le célèbre journaliste Todd Purdum n'hésite pas à écrire, à propos de Sarah Palin : « Elle est de loin la plus jolie femme jamais montée si haut dans la politique nationale. » Après quoi il ne peut s'empêcher d'ajouter qu'elle est aussi « la première femelle incontestablement fertile à oser danser avec les molosses ». L'ex-gouverneure d'Alaska (elle a démissionné en juillet 2009) réveille le mâle chez *Vanity Fair* comme elle flatte la virilité du cow-boy texan.

Oui, Sarah Palin joue sur sa plastique qui n'est pas étrangère à l'intérêt des médias et à sa récente carrière dans les affaires. Aujourd'hui, une conférence de la star en coûte 100 000 dollars à la puissance invitante. Idole des ultra-conservateurs et du Tea Party, elle est devenue, en janvier 2010, l'une des vedettes de Fox News, se lançant même, pour la chaîne TLC (réseau Discovery), dans une téléréalité en huit épisodes sur l'Alaska dont elle est, avec sa famille, le sujet principal.

Ce qui, après les avoir étonnés, époustoufle les médias, même les moins favorables à son ascension, c'est la popularité qu'elle a acquise. Son livre, *Going Rogue. An American Life* (« Je me rebelle »), paru en novembre 2009, se vend à près de 2,5 millions d'exemplaires. Sur Facebook, elle compte 1,3 million d'amis en janvier 2010, plus de 2,6 millions un an plus tard ! Palin attire une masse impressionnante d'Américains et d'Américaines par un discours d'une simplicité déconcertante où tout est noir ou blanc, ami ou ennemi, vrai ou faux, où tout doit être conforme à la volonté de Dieu (régulièrement convoqué lorsqu'une question l'embarrasse), où s'enrichir n'est pas un péché, où le port d'armes est un droit sacré du genre humain. Pour eux, elle n'est pas une bimbo, mais une femme belle, enthousiasmante, qui parle comme eux, qui pense comme eux, qui les comprend parce qu'elle est des leurs. Elle est une mère courageuse de cinq enfants (dont un est trisomique), une épouse qui aime son mari (d'où la violence de la réaction de Palin lorsque début 2010, la presse évoqua son divorce), une femme forte, attachée aux valeurs traditionnelles, et qui, par sa carrière, incarne le rêve américain. Du coup, en jouant sur tous les tableaux, elle plaît aux mères de familles, aux femmes en quête d'esthétique, aux hommes prudes comme à ceux qui la glisseraient bien dans leur lit, aux bigots de tout poil. Ce qui, au total, fait beaucoup de monde. L'ex-reine de beauté est devenue une bête médiatique qui, à défaut de défier Barack Obama en 2012, pourrait bien se faire faiseuse de rois dans son propre camp.

Dames de cœur, dames de fer, saintes combattantes ou sex-symbols, les femmes en politique sont toujours soupçonnées du péché de séduction, toujours renvoyées à leur corps et à leur apparence. Si la femme porte une tenue trop ostensiblement identifiée à la séduction, elle se décrédibilise, passant vite pour une politique superficielle, sans idées, voire pour une parfaite gourde. Si, au contraire, elle s'habille sans recherche particulière d'harmonie, se maquille peu, ne se préoccupe guère de sa silhouette un peu ronde, elle sera la risée des caricaturistes et on s'interrogera même sur les causes de son manque de féminité : n'est-elle pas un peu fruste, un peu brutale ? Peut-on vraiment lui faire confiance ? Certes, aujourd'hui, les magazines spécialisés portent leur attention sur l'élégance des hommes politiques. Mais observez les articles de presse : quel journaliste, assistant à un meeting politique, s'occupe de la coupe du costume, la couleur de la cravate ou le pli du cheveu de l'orateur ? En revanche, si c'est une oratrice, le même journaliste se laissera peut-être aller à observer la longueur de sa jupe, la taille de ses talons ou la nuance de son rouge à lèvres, puis à livrer au public ébahi les résultats de sa scrupuleuse investigation. Je vous entends déjà vous récrier : « Mais vous parlez d'un journaliste qui est un homme ! » Pas du tout. Ce que j'affirme vaut quel que soit le sexe du rédacteur !

Conclusion

> Rien de si aimable qu'un homme séduisant, mais rien de plus odieux qu'un séducteur.
>
> Ninon de Lenclos

« Il est laid comme le fils de Satan. » Terribles paroles d'un père qui vient de se pencher sur le berceau du nouveau-né. Nous sommes en 1749 et l'enfant en question s'appelle Honoré-Gabriel Riquetti, plus connu sous le nom de Mirabeau. Quarante ans plus tard, il est devenu l'immense figure de la Révolution française. Tout le monde s'accorde pour reconnaître son apparence disgracieuse. Son crâne est énorme, ses traits épais, son teint livide, ses joues et son front criblés de petite vérole. Mirabeau admet sa difformité, mais veut en tirer sa force : « On ne connaît pas toute la puissance de ma laideur », clame-t-il. Lui consacrant une étude en 1834, Victor Hugo écrit : « Sa tête avait une laideur grandiose et fulgurante dont l'effet, par moments, était électrique et terrible. » Dans les *Mémoires d'outre-tombe*, Chateaubriand ne cache pas sa fascination pour Mirabeau : « Quand il secouait sa crinière en regardant le peuple, il l'arrêtait ; quand il levait sa patte et montrait ses ongles, la plèbe courait furieuse. » Le second, contrairement au premier, fournit un témoignage de première main. Il l'a vu à l'œuvre, à la tribune. Il a entendu son rugissement, observé ses puissants mouvements d'épaule et le déploiement de sa crinière, scruté ses gestes brusques et saccadés, reçu le choc des éclairs qui jaillissaient de ses yeux. Il a surtout été, et comme tant d'autres, subjugué par le verbe grandiose de l'orateur. « Quand cet homme était à la tribune, dans la fonction de son génie, ajoute Victor Hugo avec admiration, sa figure devenait splendide, et tout s'évanouissait devant elle. » Mirabeau séduisait son auditoire, transportait le peuple d'émoi et charmait aussi les femmes. Par sa fougue, il faisait oublier son effrayante laideur.

Posons-nous maintenant la question : où sont les Mirabeau du XXIe siècle ? Peut-on aujourd'hui réussir en politique si, à défaut d'être beau, on ne se rapproche pas des normes sociales de la perfection physique ? Le moule de la télégénie a effacé toutes les aspérités sur lesquelles, jadis, l'homme politique pouvait compter pour faire oublier une apparence commune voire une certaine laideur : l'intelligence, la culture, l'éloquence, les effets de tribune. Certes, la télévision a substitué à l'art oratoire de nouvelles formes de discours. Les hommes politiques, désormais rompus à tous les genres et familiers de tous les plateaux que propose le petit écran, sont devenus d'infatigables débatteurs, des as de la formule, des champions de la conversation rythmée. Mais la télévision, c'est d'abord de l'image, et l'image met en évidence le paraître. Toutes les apparitions publiques sont bâties pour elle ; c'est par elle que passent les stratégies de séduction. Il faut donc s'y présenter sous son meilleur jour et soigner son apparence physique. L'image fait les stars ou plombe les carrières politiques.

Jamais assez de sacrifices pour séduire. Dominique Strauss-Kahn, François Hollande, Marine Le Pen, Nicolas Sarkozy, Ségolène Royal, François Baroin, Christine Boutin, Manuel Valls et bien d'autres, selon le cas, s'astreignent à un exigeant régime alimentaire, revoient brushing, lunettes, maquillage et garde-robe. Hillary Clinton, candidate aux primaires démocrates en 2008, se fait relooker par Anna Wintour, la directrice de *Vogue*, changeant de coiffure, adoptant les talons hauts. Dilma Rousseff, pour devenir présidente du Brésil et succéder à Lula, ne peut se reposer sur sa compétence d'économiste, sur son passé de guérillera ou sa brillante culture. On la dit terne, ce qui, en langue de bois, n'est pas loin de vouloir dire laide. Alors, on transforme Cendrillon en princesse. Une équipe de coachs lui fait perdre dix kilos, la soumet au bistouri du chirurgien esthétique pour affermir ses traits, remplace ses grosses lunettes de myope par des lentilles, change sa coiffure, confiée au styliste Celso Kamura, renouvelle sa garde-robe ; Dilma Rousseff adopte les tenues rendues célèbres par la grande couturière Carolina Herrera (qui habilla Jackie Onassis). Et puis, pour plaire à l'électorat « pauvre » du Nordeste, ses communicants lui font suivre des cours de diction qui lui permettent d'atténuer son trop fort accent des « riches » du Sud. Le 31 octobre 2010, elle est élue avec 56 % des suffrages : aurait-elle triomphé sans toutes ces concessions à l'apparence ?

Le pire, pour un homme politique est que, brusquement, le charme se rompe. L'incident est si vite arrivé. Un mot qui dérape, une mise en situation grotesque, et la belle mécanique séductrice s'enraye sous le regard des caméras et de millions de personnes à la fois. Il y a trente-cinq ans, le président Gerald Ford, qui succéda en 1974 à Nixon après sa démission sur fond d'affaire du Watergate, en fit la triste expérience. Ford, titre *Time* en janvier

1976, c'est « le problème du ridicule ». Il ne semble pas tenir debout, dégringole de la passerelle de l'Air Force One, sur l'aéroport de Vienne, chute lourdement à ski devant les caméras. Les scènes font le tour du monde. En référence à sa carrière universitaire de footballeur, l'ex-président Johnson s'amuse : « Il a trop pratiqué son sport favori sans casque. » Cruel, Nixon renchérit : « Il est incapable de monter à cheval et de mâcher un chewing-gum en même temps. » Il devient la risée des émissions satiriques, comme « Saturday Night Live ». Mais ce n'est pas fini. Devant le président égyptien Sadate, il porte un toast « au grand peuple d'Israël ». À Atlanta, il s'y reprend à huit fois pour prononcer le mot « géothermie ». En 1976, en campagne électorale, il salue les habitants de l'Ohio, alors qu'il est dans l'Iowa, se dit heureux d'être à Pontiac, alors qu'il vient d'arriver à Lincoln. Le sommet est atteint, lors du deuxième débat télévisé où il affronte Jimmy Carter, affirmant qu'il n'y a aucun pays d'Europe orientale sous la coupe de l'Union soviétique ! Carter le regarde, médusé. Devant leur téléviseur, ses supporters se décomposent. Ford sera-t-il « le premier président chassé de sa fonction par le rire ? », s'interroge le *Washington Post.* Ses communicants essaient bien de contre-attaquer en expliquant que ses gaffes sont le signe de son humanité. Peine perdue, « le bon vieux Jerry » est battu.

Les politiques ne constituent pas une population à part. Ils sont à l'image des sociétés dans lesquelles ils vivent, parce que les opinions veulent des dirigeants qui leur ressemblent et qui les flattent. Dans les années 1930, la bedaine d'Édouard Herriot, qui faisait les délices des caricaturistes, était la marque d'un bon vivant, aimant la bonne chère et les plaisirs de la vie (le leader radical était connu pour ses conquêtes féminines). En 1984, malgré sa rondeur, Raymond Barre faisait partie des hommes politiques que, selon un sondage, les Françaises estimaient les plus séduisants (la palme revenant au Premier ministre de l'époque, Laurent Fabius). Aujourd'hui, on ne parlerait plus de rondeur, mais d'obésité. Un homme politique doit montrer son dynamisme et sa volonté au travers d'un corps travaillé par l'effort sportif. Une part de la communication se fonde alors sur l'image du président en baskets et en short qui s'exhibe complaisamment au regard des photographes et des cameramen. Comment s'en étonner ? Dans des sociétés où la vertu première est celle de l'adaptation à un monde en constante mobilité, le corps est devenu le signe de la nécessaire vitalité. Pour être beau et séduire, il faut être mince, tonique, se rapprocher de la silhouette des stars du cinéma ou de la mode. Mieux : les critères de beauté sont désormais universels, comme le confirment les enquêtes de chercheurs anglais, en 2005, auprès de Britanniques et de Japonais. Quand on soumet à un groupe-test une série de photos de visages et de silhouettes et qu'on demande aux « cobayes » de les classer par ordre de préférence, les résultats sont rigoureusement identiques. Des universitaires californiens (Los Angeles) sont allés plus loin. Ils ont présenté les clichés d'hommes et de femmes censés être candidats à une élection. L'opération a été menée en deux temps. Premier temps : on demande aux personnes présentes de les classer selon l'impression qu'ils leur donnent. Résultat : viennent en tête les plus souriants, les mieux coiffés, les mieux habillés, les plus grands, les plus minces. Second temps : on livre aux testés les programmes des candidats fictifs et on leur demande de procéder à un nouveau classement. Et qu'arrive-t-il ? La hiérarchie est inchangée. Quand on sait que l'influence sur l'autre passe à plus de 80 % par le visage et par la voix et moins de 10 % par le discours, on comprend mieux pourquoi les hommes politiques soignent particulièrement leur apparence.

Alors, bien sûr, la politique ne saurait se réduire à des perceptions visuelles, et la séduction politique ne se limite pas à une affaire de beauté et de look. Plaire à l'électorat relève de mécanismes infiniment plus complexes. Ils reposent sur la gamme des émotions et des attitudes irrationnelles qui font la force des stratégies de la communication. La « markétisation de la République », comme l'a nommée Régis Debray dans son essai *L'État séducteur* (1993), a contribué à les aviver. Le « tout-séduction » est souvent jugé comme le signe d'une dégradation de la chose publique où l'homme politique se vend comme un produit et le citoyen devient un consommateur, où le contrat sur l'idée et le projet se dilue dans le rapport affectif. « Nous quittons l'ère de l'opinion pour entrer dans celle de l'affectivité publique », disait Jacques Séguéla à *L'Express*, en avril 1995. Dans une société guidée non plus par la croyance collective en un destin commun mais par les valeurs de la consommation individuelle (plaisir, épanouissement personnel, bonheur immédiat), l'homme politique est devenu lui-même un objet de consommation qui doit susciter le désir. Mais soyons honnêtes : en démocratie, une élection est quasiment toujours gagnée par l'imaginaire du rêve et l'illusion du changement. La règle est ancienne. On convainc rarement l'opinion en lui promettant du sang et des larmes. Le séducteur conduit à lui l'électeur en lui faisant miroiter l'horizon des matins clairs.

C'est bien le problème, et il s'accentue sous le jeu grandissant des stratégies de communication. Comme en amour, la séduction n'a qu'un temps. En politique, on appelle cela l'« état de grâce ». Cela dure deux, trois mois, une année parfois, rarement plus. L'élu croit à la fidélité de sa conquête et à la puissance de son charme ensorcelant. Comme dit l'adage, il n'y a pas d'amour, mais des preuves d'amour. En politique, on attend que celui qu'on a choisi soit conforme à l'être idéal imaginé et que, d'un coup de baguette magique, il transforme ses douces promesses en suaves réalités. Hélas, cela ne se passe pas exactement comme cela. L'exaltation retombe vite, et la déception est d'autant plus douloureuse que le coup de foudre fut brutal. L'électeur séduit fait payer au vil séducteur le prix de sa trahison, confiant son désenchantement aux sondeurs. Mitterrand promettait de changer la vie en 1981. En arrivant à l'Élysée, sa cote de confiance, selon TNS-Sofres, était de 74 % ; fin 1982, alors que le gouvernement va prendre le tournant de la rigueur, elle passe sous la barre de 50 %. Sarkozy faisait rêver les Français. En juin 2007, sa popularité atteignait 63 % ; six mois plus tard, elle tombe à 49 %. « *Yes we can* », proclamait Obama. En février 2009, 76 % des Américains le plébiscitaient (selon Opinion Research Corporation) ; ils ne sont plus que 61 % en juin, moins de 50 % en janvier 2010.

Mais un séducteur n'a jamais dit son dernier mot. Il connaît la versatilité de sa proie, sa capacité d'oubli ou de pardon et, surtout, maîtrise parfaitement son principal terrain de chasse : la campagne électorale. Il sait aussi que l'opinion n'aura pas le choix : elle devra se donner de toute façon, à lui ou à un autre. Alors, il lui répète à l'oreille les mots doux qu'elle aimait entendre. Il lui dit qu'il a changé, qu'il n'est plus le même homme, qu'il a compris son désarroi, qu'il ne la trahira plus. Il la convainc de ne pas tomber dans les bras de l'autre qui, à coup sûr, l'entraînera dans une aventure sans lendemain, tandis que lui la protégera. Il ranime en elle les souvenirs de bonheur partagé. Et elle cède à son charme. Cette fois, c'est sûr, tu ne me tromperas pas, implore-t-elle ? Je te le jure, répond-il avec l'accent de sincérité qui l'enchanta la première fois. Elle succombe et le séducteur triomphe à nouveau. Mais peut-on vraiment changer ? Abusée une seconde fois, la victime se vengera en envoyant l'abject au fond du fond des sondages d'opinion. Mitterrand fut réélu président en 1988 et conduisit la gauche, en 1993, à une défaite historique. Bush, parti perdant en 2004, parvint à battre son adversaire démocrate John Kerry. Mais la fin de son deuxième mandat prit des allures de lente agonie. Voici qui éloigne l'homme politique de Dom Juan : jamais il ne méprise ses conquêtes. Tout au contraire, il doit entretenir chez elles la flamme amoureuse, tout en tentant de vaincre de nouveaux cœurs.

Peut-on alors réussir en politique sans chercher à séduire, sans fonder sa percée dans l'opinion sur des stratégies de charme ? Le 18 mars 2010, l'Académie française accueille une nouvelle Immortelle, Simone Veil. Concluant son discours de réception, Jean d'Ormesson déclare avec émotion : « Comme l'immense majorité des Français, nous vous aimons, madame. Soyez la bienvenue au fauteuil de Racine qui parlait si bien d'amour. » La veille, *Le Journal du dimanche* a publié un sondage où l'ancienne présidente du Parlement européen (1979-1982) est distinguée, à 82 ans, comme « la personnalité féminine préférée des Français ». Ce n'est guère une surprise, à vrai dire : Simone Veil, depuis la fin des années 1970, a toujours été chérie par les enquêtes d'opinion. On trouve même aujourd'hui, une page Facebook intitulée « On aime Simone Veil ».

Rescapée d'Auschwitz, la femme qui fit voter la loi sur l'interruption volontaire de grossesse (1974), fut plusieurs fois ministre, quitta la vie publique en 2007 après avoir présidé le Conseil constitutionnel suscite l'admiration profonde du plus grand nombre et la haine de quelques-uns. Un lien affectif s'est tissé avec les Français qui en ont fait une icône (bien avant, précisons-le, qu'elle ne raconte, avec pudeur, sa douloureuse histoire de déportée). L'a-t-elle cherché ? En 1979, elle est tête de liste de l'UDF aux élections européennes. Sa campagne de communication est confiée à Jacques Hintzy, qui conseilla Valéry Giscard d'Estaing cinq ans plus tôt. En charge de l'affiche destinée aux panneaux commerciaux, il soumet Simone Veil à une séance de photos et retient un cliché où, tendrement souriante, son visage irradie comme celui de la Madone. Ses yeux bleus étincellent. Mais, au moment d'arrêter le projet d'affiche, la candidate refuse d'y apparaître. « Ne me mettez pas sur l'affiche », dit-elle à Hintzy. À l'heure où tous ses concurrents se réjouissent d'apparaître à chaque coin de rue pour croiser le regard du passant, la demande surprend. « Dois-je vraiment faire cela ? » implore le communicant. Il insiste. Simone Veil, après avoir beaucoup résisté, finit par céder, sous la pression de son mari, Antoine. Au moment du scrutin, sa liste arrive en tête (27,6 %), bien avant celle du RPR que conduit Jacques Chirac (16,3 %).

Tout au long de son parcours politique, Simone Veil a séduit les Français sans recourir aux stratégies de charme concoctées dans les laboratoires des conseils en communication. On y verra, peut-être, l'empreinte d'une éthique personnelle ou le témoignage d'une femme qui n'est pas prête à tout sacrifier pour satisfaire son ambition politique. « La politique, écrivait Gaston Aubligny en 1889, est un peu comme ces magiciennes célèbres qui attiraient les chevaliers par les charmes de leur voix enchanteresse [...]. Oui, la politique séduit et enivre. » La séduction ne seraitelle pas finalement la marque d'un appétit jamais assouvi ?

Bibliographie

ABÉLÈS Marc, *Le Spectacle du pouvoir*, Paris, L'Herne, 2007.

ACHIN Catherine et DORLIN Elsa, « Nicolas Sarkozy ou la masculinité mascarade du président », *Raisons politiques*, 31, mars 2008, p. 19-45.

ALLAMAN Jacques, *Vladimir Poutine et le poutinisme*, Paris, L'Harmattan, 2004.

ALMEIDA Fabrice D' (dir.), *L'Éloquence politique en France et en Italie, de 1870 à nos jours*, Rome, École française de Rome, 2001.

—, *La Politique au naturel. Comportement des hommes politiques et représentations publiques en France et en Italie du XIXe au XXIe siècle*, Rome, École française de Rome, 2007.

AMADIEU Jean-François, *Le Poids des apparences. Beauté, amour et gloire*, Paris, Odile Jacob, 2002.

AMBROISE-RENDU Anne-Claude, « Peopolisation et scandales », *Le Temps des médias*, 10, 2008/1, p. 281-286.

ANKERSMIT Franklin Rudolf, *Political Representation*, Stanford, Stanford University Press, 2002.

APOSTOLIDÈS Jean-Marie, *Le Roi-machine. Spectacle et politique au temps de Louis XIV*, Paris, Éditions de Minuit, 1981.

ARMONY Victor, « Populisme et néopopulisme en Argentine : de Juan Perón à Carlos Menem », *Politique et sociétés*, 21/2, 2002, p. 51-77.

ARTUFEL Claire et DUROUX Marlène, *Nicolas Sarkozy et la communication*, Paris, Éditions Pepper, 2006.

BAKER Keith Michael, « Modèles de pouvoir dans les rites royaux en France », *Annales. Économies, sociétés, civilisations*, 1987/1, p. 41-71.

BARBIER Jérôme, « Pourquoi les Russes aiment Poutine », *Les Cahiers de psychologie politique*, 13, juillet 2008 (en ligne).

BASINGER Jeanine, *The Star Machine*, New York, Alfred A. Knopf, 2007.

BAUDRILLARD Jean, *De la séduction*, Paris, Éditions Galilée, 1979.

BENOIT Jean-Marc et Philippe, *La Politique à l'affiche. Affiches électorales et publicité politique, 1965-1986*, Paris, Éditions du May, 1986.

BERT Jean-François, « La séduction. Une anthologie », *Le Portique*, 2003/12 (en ligne).

BERTHIAUME Pierre, « Les récits de séduction à la fin de l'Ancien Régime », *@nalyses*, printemps 2006 (en ligne).

BERTRAND Jean-Michel, « Un héros médiatique : Bernard Tapie. Notes critiques sur l'émission "Ambition" du 11 avril 1986 », *Quaderni*, 1988/1, p. 77-88.

BLUMLER Jay G. et MCQUAIL Denis, *Television and Politics. Its Use and Influence*, Londres, Faber & Faber, 1968.

— et KAVANAGH Dennis, « The Third Age of Political Communication : Influences and Features », *Political Communication*, 16/3, 1999, p. 209-230.

BOËTSCH Gilles et GUILHEM Dorothée, « Rituels de séduction », *Hermès*, 43, 2005, p. 179-188.

BONGRAND Michel, *Le Marketing politicien. Grandeur et décadence des stratégies de pouvoir*, Paris, Bourin, 2006.

BONNAFOUS Simone *et al.* (dir.), *Argumentation et discours politique. Antiquité grecque et latine, Révolution française, monde contemporain*, Rennes, PUR, 2003.

BOUDILLON Julie, « Une femme d'extrême droite dans les médias. Le cas de Marine Le Pen », *Mots. Les langages du politique*, 78, juillet 2005, p. 79-89.

BOUDON Jacques-Olivier, « Grand homme ou demi-dieu ? La mise en place d'une religion napoléonienne », *Romantisme*, 100, 1998/28, p. 131-141.

BOULET-GERCOURT Philippe, *La Machine Bush*, Paris, Grasset, 2004.

BOURDIEU Pierre, « Remarques provisoires sur la perception sociale du corps », *Actes de la recherche en sciences sociales*, 14, 1977/1, p. 51-54.

—, « La représentation politique », *Actes de la recherche en sciences sociales*, 36, 1981/1, p. 3-24.

—, *La Domination masculine*, Paris, Seuil, 1998.

BOUREAU Alain, *Le Simple Corps du roi. L'impossible sacralité des souverains français, XVe-XVIIIe siècles*, Paris, Éditions de Paris, 2000 [1988].

BOY Daniel, DUPOIRIER Élisabeth et MEYNAUD Hélène-Yvonne (dir.), *Le Marketing politique. De la conviction à la séduction. Association française de science politique, 2e congrès national, Grenoble, 25-28 janvier 1984*, Paris, Association française de science politique, 1984.

BOY Daniel et CHICHE Jean, « L'image des candidats dans la décision électorale », *Revue française de science politique*, 57 (3-4), juin-août 2007, p. 329-342.

BRANTS Kees, « De l'art de rendre la politique populaire… Ou "qui a peur de l'infotainment ?" », *Réseaux*, 118, 2003/2, p. 135-166.

BREGMAN Dorine, « La fonction agenda », *Hermès*, 4, mai 1989, p. 191-202.

BRIQUET Jean-Louis, « Communiquer en actes. Prescriptions de rôle et exercice quotidien du métier politique », *Politix*, 28, 1994/7, p. 16-26.

BRIZZI Riccardo, « Ne fais de bruit avec ta soupe, laisse-moi entendre ce que dit le député Reale. Les premiers pas de la politique italienne à la télévision », *Le Temps des médias*, 7, 2006/2, p. 65-77.

BROMBERGER Christian, « Paraître en public. Des comportements routiniers aux événements spectaculaires », *Terrain*, 15, 1990, p. 5-11.

BRUHNS Hinnerk, « Le charisme en politique : idée séduisante ou concept pertinent ? », *Les Cahiers du Centre de recherches historiques*, 24, 2000, p. 11-29.

CALBRIS Geneviève, *Expression gestuelle de la pensée d'un homme politique*, Paris, CNRS Éditions, 2003.

CAMPBELL Alastair, *The Blair Years*, Londres, Huntchinson, 2007.

CARRÈRE D'ENCAUSSE Hélène, *Nicolas II. La transition interrompue*, Paris, Fayard, 1996.

—, *Catherine II*, Paris, Fayard, 2002.

CHAMPAGNE Julie, *Le Parti Bleue. Analyse de réception d'une campagne « électorale » auprès de son public-cible québécois*, mémoire de maîtrise en communication, université du Québec à Montréal, 2009.

CHARAUDEAU Patrick, *Le Discours politique. Les masques du pouvoir*, Paris, Vuibert, 2005.

CHATRIOT Alain, « Justin Godart rendant hommage à Jaurès », *Cahiers Jaurès*, 189, 2008/3, p. 57-58.

CHAUVEAU Agnès, « Un idéaltype : la communication du Premier ministre. Laurent Fabius, juillet 1984 - mars 1986 », *Hermès*, 13-14, 1994, p. 285-304.

CHELES Luciano, « L'image au pouvoir. Les portraits de Berlusconi », *Vingtième siècle. Revue d'histoire*, 80, octobre-décembre 2003, p. 113-122.

CLAIRE Audrey, *Obama, le roman de la nouvelle Amérique*, Monaco, Éditions du Rocher, 2008.

CLARKSON Stephen et MCCALL Christina, *Trudeau*, Montréal, Éditions du Boréal, 2 vol., 1990-1995.

COLLIER Peter et HOROWITZ David, *The Kennedys. An American Drama*, New York, Werner Block, 1984.

COLLOVALD Annie, « Le fabuleux destin de Jacques Chirac ou les mésaventures de la démagogie politique », *Mouvements*, 23, septembre-octobre 2002, p. 123-130.

CORBIN Alain, COURTINE Jean-Jacques et VIGARELLO Georges (dir.), *Histoire du corps*, Paris, Le Seuil, 3 vol., 2005-2006.

CORNOG Evan, *The Power and the Story. How the Crafted Presidential Narrative Has Determined Political Success from George Washington to George W. Bush*, New York, The Penguin Press, 2004.

COTTERET Jean-Marie, *Gouvernants et gouvernés. La communication politique*, Paris, PUF, 1973.

—, *Gouverner, c'est paraître. Réflexions sur la communication politique*, Paris, PUF, 1991.

—, *La Démocratie télé-guidée*, Paris, Michalon, 2006.

— et MERMET Gérard, *La Bataille des images*, Paris, Larousse, 1986.

COULOMB-GULLY Marlène, *La Démocratie mise en scènes. Télévision et élections*, Paris, CNRS Éditions, 2001.

COURTINE Jean-Jacques et HAROCHE Claudine, *Histoire du visage. Exprimer et taire ses émotions (du XVIe siècle au début du XIXe siècle)*, Paris, Payot, 2007.

DAIGNEAULT-DESROSIERS Laurence, *Le Fonctionnement de la pornographie politique dans les pamphlets de la révolution française (1789-1793)*, mémoire de maîtrise en études littéraires (dir. Dominique Garand), université du Québec à Montréal, 2008.

DAKHLIA Jamil, *Politique people*, Rosny, Bréal, 2008.

DALOZ Jean-Pascal, « Sur la modestie ostensible des acteurs politiques au nord du 55e parallèle », *Revue internationale de politique comparée*, 3, 2006/13, p. 413-427.

DAMIEN Robert, « Le Prince pornocrate », *Cités*, 16, 2003/4, p. 177-188.

DA SILVA Helenice Rodrigues, « Les reportages de Zuenir Ventura sur la campagne électorale de Lula », *Hermès*, 8-9, 1990, p. 59-63.

DASPRE André, « L'image de Jean Jaurès dans les romans de Jules Romains, Roger Martin du Gard et Aragon », *Cahiers Jaurès*, 185, 2007/3, p. 79-89.

DAUPHIN Cécile et FARGE Arlette (dir.), *Séduction et sociétés. Approches historiques*, Paris, Le Seuil, 2001.

DAYAN Daniel, « Présentation du pape en voyageur. Télévision, expérience rituelle, dramaturgie politique », *Terrain*, 15, 1990, p. 13-28.

DEBORD Guy, *La Société du spectacle*, Paris, Buchet-Chastel, 1967.

DEBRAY Régis, *L'État séducteur. Les révolutions médiologiques du pouvoir*, Paris, Gallimard, 1993.

DE HEUSCH Luc, *Charisme et royauté*, Conférence Eugène Fleischmann, Nanterre, Société d'ethnologie, 2003.

DE LA TORRE Carlos, *Populist Seduction in Latin America*, Athens (Ohio), Ohio University Press, 2010 (2e éd.).

DELOIRE Christophe et DUBOIS Christophe, *Sexus politicus*, Paris, Albin Michel, 2006.

DELOUZE Marie, « *Sodom* (1676) et le *Bordel patriotique* (1791) : mises en scène d'une pornographie politique », *Loxias*, 2007 (en ligne).

DELOYE Yves, « Le charisme contrôlé », *Communications*, 69, 2000/1, p. 157-172.

DELPLA François, *Les Tentatrices du diable. Hitler, la part des femmes*, Paris, L'Archipel, 2005.

DELPORTE Christian, *Images et politique en France au XXe siècle*, Paris, Nouveau Monde Éditions, 2006.

—, *La France dans les yeux. Une histoire de la communication politique de 1930 à nos jours*, Paris, Flammarion, 2007.

—, « Quand la peopolisation des hommes politiques a-t-elle commencé ? », *Le Temps des médias*, 10, 2008/1, p. 27-55.

DEMARTINI GOMES Neusa et ANTONIOLLI Juliana, « Médias et politique : le rôle de la publicité dans la construction de la nouvelle image de Lula », *Sociétés*, 83, 2004/1, p. 19-34.

DICHTER Ernest, *La Stratégie du désir. Une philosophie de la vente*, trad. de l'anglais par Pierre Jean-Louis Chaslin, Paris, Fayard, 1961.

DICKASON Renée, « Margaret Thatcher en campagne et les médias britanniques, 1979-1987 », *Le Temps des médias*, 7, hiver 2006-2007, p. 126-142.

— et RIVIÈRE-DE FRANCO Karine (dir.), *Image et communication politique. La Grande-Bretagne depuis 1980*, Paris, L'Harmattan, 2007.

DOGAN Mattei, « Le personnel politique et la personnalité charismatique », *Revue française de sociologie*, 6, 1965/3, p. 305-324.

DONOVAN Robert J. et SCHERER Ray, *Unsilent Revolution. Television News and American Public Life, 1948-1991*, Cambridge, Cambridge University Press, 1992.

DORMAGEN Jean-Yves, « Le Duce et l'état-major du fascisme : contribution à une sociologie de la domination charismatique », *Revue d'histoire moderne et contemporaine*, 55, 2008/3, p. 35-61.

DORNA Alexandre, « La question du Chef charismatique : l'image épique et la dynamique émotionnelle », *Les Cahiers de psychologie politique*, 13, juillet 2008 (en ligne).

DUCRET Diane, *Femmes de dictateurs*, Paris, Perrin, 2011.

DUJOVNE ORTIZ Alicia, *Eva Perón. La madone des sans-chemise*, Paris, Grasset, 1995.

DUPUY Roger, *La Politique du peuple, XVIIIe-XXe siècles. Racines, permanences et ambiguïtés du populisme*, Paris, Albin Michel, 2002.

DURPAIRE François et RICHOMME Olivier, *L'Amérique de Barack Obama*, Paris, Demopolis, 2007.

EDELMAN Maurice, *Disraeli Rising*, Glasgow, Collins, 1975.

ÉLOI Thierry, « La sexualité de l'homme romain antique. Actualité bibliographique », *CLIO. Histoire, femmes et sociétés*, 2005/22, p. 167-184.

ENGELS Jens Ivo, « Dénigrer, espérer, assumer la réalité. Le roi de France perçu par ses sujets, 1680-1750 », *Revue d'histoire moderne et contemporaine*, 50-3, juillet-septembre 2003, p. 96-126.

ÉTIENNE Robert, *Jules César*, Paris, Fayard, 1997.

FAIDIT Jean-Michel, « Jean Jaurès à Nîmes et dans le Gard », *Cahiers Jaurès*, 185, 2007/3, p. 51-75.

FARO Philipe, « La chute d'un chef charismatique, le cas de Mussolini », *Les Cahiers de psychologie politique*, 13, juillet 2008 (en ligne).

FLEUDORGE Denis, *Les Rituels du président de la République*, Paris, PUF, 2001.

FOLEY Michael, *The British Presidency. Tony Blair and the Politics of Public Leadership*, Manchester, Manchester University Press, 2000.

FONSECA BREFE Ana Claudia et GUALDÉ Krystel (dir.), *Pouvoirs. Représenter le pouvoir en France du Moyen Âge à nos jours*, Paris, Somogy, 2008.

FRADIN Guillaume, « Cinquante ans de dévoilement de soi : le recours des hommes politiques français aux émissions de divertissement (1955-2005) », *Le Temps des médias*, 10, 2008/1, p. 53-65.

FRANKLIN Bob, *Packaging Politics*, Londres, Edward Arnold, 1994.

FRAU-MEIGS Divina, *Médiamorphoses américaines. Dans un espace privé unique au monde*, Paris, Economica, 2001.

FUMAROLI Marc, *L'Âge de l'éloquence. Rhétorique et « res literaria », de la Renaissance au seuil de l'époque classique*, Genève, Droz, 1980.

—, « Dictature de l'image ? », *Le Débat*, 64, mars 1993, p. 3-21.

FUSCO Marie-Claude, « Langue totalitaire. Langue du religieux », *Topique*, 96, 2006/3, p. 125-133.

GAEHTGENS Thomas W. et HOCHNER Nicole (dir.), *L'Image du roi de François Ier à Louis XIV*, Paris, Éditions de la Maison des sciences de l'homme, 2006.

GARRIGUES Jean, *Le Général Boulanger*, Paris, Olivier Orban, 1991.

—, « Boulanger, ou la fabrique de l'homme providentiel », *Parlements*, 2001/1, p. 8-23.

GAUJOUR Françoise, *La séduction est leur métier*, Paris, Carrère, 1987.

GENTILE Emilio, *La Religion fasciste. La sacralisation de la politique dans l'Italie fasciste*, Paris, Perrin, 2002.

GEORGEL Jacques, *Sexe et politique*, Rennes, Apogée, 1999.

GERVEREAU Laurent, *Terroriser, manipuler, convaincre ! Histoire mondiale de l'affiche politique*, Paris, Somogy, 1996.

GHERMANI Naïma, « Le corps du prince et ses représentations », *Socio-anthropologie*, 8, 2000 (en ligne).

GIESBERT Franz-Olivier, *François Mitterrand ou la tentation de l'histoire*, Paris, Le Seuil, 1977.

—, *Jacques Chirac*, Paris, Le Seuil, 1987.

GIESEY Ralph E., « Modèles de pouvoir dans les rites royaux en France », *Annales. Économies, sociétés, civilisations*, 41, 1986/3, p. 579-599.

GINGRAS Anne-Marie, « L'argumentation dans les débats télévisés entre candidats à la présidence américaine. L'appel aux émotions comme tactique de persuasion », *Hermès*, 16, 1995, p. 187-200.

GIRAN Jean-Pierre, *Proximité et politique*, Paris, Economica, 2001.

GIRARD Patrick, *Ces don Juan qui nous gouvernent*, Paris, Éditions n° 1, 1999.

GODIN Seth, *Tous les marketeurs sont des menteurs. Tant mieux, car les consommateurs adorent qu'on leur raconte des histoires*, trad. de l'anglais par Michel Édéry, Paris, Maxima, 2007.

GOULD Philip, *The Unfinished Revolution*, Londres, Little Brown, 1998.

GUNDOLF Friedrich, *César, histoire et légende*, trad. de l'allemand par Marcel Beaufils, Paris, Rieder, 1963.

GUTMANN Raphaël, « Lula ou la politique de la cordialité », *Études*, 412, avril 2010/4, p.451-462.

GWYN Richard, *Le Prince*, Montréal, Éditions France-Amérique, 1981.

HAAS R., « Political Handshake : Non Verbal Persuasion in Image Construction », *Quartely Journal of Speech*, 58, 1972, p. 340-342.

HAROCHE Claudine, « Position et disposition des convives dans la société de cour au XVIIe siècle. Éléments pour une réflexion sur le pouvoir politique dans l'espace de la table », *Revue française de science politique*, 48, 1998/3, p. 376-386.

HOLTZ-BACHA Christina, « La mise en vedette de la vie privée des personnalités politiques dans les médias allemands (1990-2004) », *Le Temps des médias*, 10, printemps 2008, p. 170-184.

HUET Sophie, *Le Coup de poing américain. 35 ans de publicité politique aux États-Unis*, Paris, Jean-Claude Lattès, 1987.

JACKALL Robert, *Propaganda. Main Trends of the Modern World*, New York, New York University Press, 1994.

JAMIESON Kathleen H., *Eloquence in an Electronical Age. The Transformation of Political Speechmaking*, Oxford, Oxford University Press, 1988.

JOST François et MUZET Denis, *Le Téléprésident. Essai sur un pouvoir médiatique*, La Tour-d'Aigues, Éditions de l'Aube, 2007.

JOURDAN Annie, *Napoléon. Héros, imperator, mécène*, Paris, Aubier, 1998.

KAID Lynda Lee et HOLTZ-BACHA Christina (dir.), *The SAGE Handbook of Political Advertising*, Londres, Sage, 2006.

KAPFERER Jean-Noël, *Les Chemins de la persuasion*, Paris, Dunod, 1990.

KASPI André, *Franklin D. Roosevelt*, Paris, Fayard, 1988.

—, *John F. Kennedy. Une famille, un président, un mythe*, Bruxelles, Complexe, 2007.

KAVANAGH Dennis, *Election Campaigning. The New Marketing of Politics*, Oxford-Cambridge, Blackwell, 1995.

—, « Les politiciens face aux médias », *Pouvoirs*, 93, 2000, p. 173-174.

— et SELDON Anthony, *The Powers Behind the Prime Minister. The Hidden Influence of Number Ten*, Londres, Harper Collins, 1999.

KERSHAW Ian, *Hitler, essai sur le charisme en politique*, trad. de l'anglais par Jacqueline Carnaud et Pierre-Emmanuel Dauzat, Paris, Gallimard, 1995.

—, *Hitler*, trad. de l'anglais par Pierre-Emmanuel Dauzat, Paris, Flammarion, 2 vol., 1998-2000.

KING Elliot et SCHUDSON Michael, « Le mythe de la popularité de Reagan », *Politix*, 37, 1997/10, p. 97-116.

KUHN William, *The Politics of Pleasure. A Portrait of Benjamin Disraeli*, New York, Simon & Schuster, 2007.

LANGLADE Jacques DE, *Disraeli, le fou de la reine*, Paris, Perrin, 1996.

LAVERNY Sophie DE, « La représentation commensale du courtisan au XVIIe siècle : reflets et conscience de soi », *Cahiers de la Méditerranée*, 66/2003 (en ligne).

LEFERME-FALGUIÈRES Frédérique, « Le fonctionnement de la cour de Versailles. Une modélisation des notions de centre et périphérie », *Hypothèses*, 1999/1, p. 207-218.

LE FOULGOC Aurélien, « 1990-2002 : une décennie de politique à la télévision française. Du politique au divertissement », *Réseaux*, 118, 2003/2, p. 23-63.

—, *Politique et télévision. Extension du domaine politique*, Paris, INA-Éditions, 2010.

LE GRIGNOU Brigitte et NEVEU Érik, « Émettre la réception. Préméditation et réceptions de la politique télévisée », *Réseaux*, 11, 1993/2, p. 65-97.

LEMAIRE Jean-G., « Séduction, amour, pouvoir », *Dialogue. Recherches cliniques et sociologiques sur le couple et la famille*, 164, 2004/2, p. 19-33.

LE ROY LADURIE Emmanuel, « Auprès du roi, la Cour », *Annales. Économies, sociétés, civilisations*, 1/1983, p. 21-41.

LINDON Denis, *Le Marketing politique*, Paris, Dalloz, 1986.

LOUSSOUARN Sophie, *L'Odyssée politique de Tony Blair*, Biarritz, Séguier, 1998.

MAAREK Philippe J., *Communication et marketing de l'homme politique*, Paris, Litec, 2001 (2e éd.).

MCGINNISS Joe, *Comment on « vend » un président*, Paris, Arthaud, 1968.

MACHADO DA SILVA Juremir, « La construction médiatique d'un président communiquant », *Hermès*, 42, 2005, p. 196-197.

MALTESE John Anthony, *Spin Control. The White House Office of Communication and the Management of Presidential News*, Chapel Hill, The University of North Carolina Press, 1994 (2e éd.).

MARGOLIS Michael et RESNICK David, *Politics as Usual. The Cyberspace « Revolution »*, Thousand Oaks, Sage, 2000.

MARIN Louis, « Pouvoir du récit et récit du pouvoir », *Actes de la recherche en sciences sociales*, 25, 1979/1, p. 23-43.

—, *Le Portrait du roi*, Paris, Éditions de Minuit, 1981.

MARION Philippe, « De la presse people au populaire médiatique », *Hermès*, 42, 2005, p. 119-125.

MARIOT Nicolas, « Les formes élémentaires de l'effervescence collective, ou l'état d'esprit prêté aux foules », *Revue française de science politique*, 51/5, octobre 2001, p. 707-738.

—, *C'est en marchant qu'on devient président. La République et ses chefs de l'État, 1848-2007*, Montreuil, Aux lieux d'être, 2007.

MATHEWS Joe, *The People's Machine. Arnold Schwartzenegger and the Rise of Blockbuster Democracy*, New York, Public Affairs, 2006.

MAYER Martin, *Madison Avenue USA*, New York, Bodley Head, 1958.

MERCIER VEGA Louis, *Autopsie de Perón. Le bilan du péronisme*, Bruxelles, Duculot, 1974.

MESSEDER PEREIRA Carlos Alberto, « Politique et culture dans le Brésil contemporain. L'expérience des élections présidentielles de 1989 », *Hermès*, 8-9, 1991.

MILZA Pierre, *Mussolini*, Paris, Fayard, 1999.

— (dir.), *Napoléon III. L'homme, le politique, Actes du colloque organisé par la Fondation Napoléon, Collège de France, amphitéâtre Marguerite de Navarre, 19-20 mai 2008*, Saint-Cloud, Napoléon III Éditions, 2008.

MISSIKA Jean-Louis et WOLTON Dominique, *La Folle du logis. La télévision dans les sociétés démocratiques*, Paris, Gallimard, 1983.

MODERNE Franck, « Les avatars du présidentialisme dans les États latino-américain », *Pouvoirs*, 98, 1996, p. 63-87.

MONNEYRON Frédéric, *Séduire. L'imaginaire de la séduction de don Giovanni à Mick Jagger*, Paris, PUF, 1997.

MOSCOVICI Serge, *L'Âge des foules. Un traité historique de psychologie des masses*, Bruxelles, Complexe, 1985.

MOSSE George L., *L'Image de l'homme. L'invention de la virilité moderne*, trad. de l'anglais par Michèle Hechter, Paris, Abbeville, 1997.

MUNIER Roger, « La séduction des images », *Le Portique*, 12, 2003 (en ligne).

MUSSO Pierre, *Berlusconi, le nouveau prince*, La Tour-d'Aigues, Éditions de l'Aube, 2003.

—, *Le Sarkoberlusconisme*, La Tour-d'Aigues, Éditions de l'Aube, 2008.

NAY Catherine, *Le Noir et le Rouge, ou l'Histoire d'une ambition*, Paris, Grasset, 1984.

—, *Un pouvoir nommé désir*, Paris, Librairie générale française, « Le Livre de poche », 2007 (rééd.).

NEMNI Max et Monique, *Trudeau, fils du Québec, père du Canada*, Montréal, Éditions de l'Homme, 2006.

NEVEU Érik, « De l'art (et du coût) d'éviter la politique. La démocratie du talk-show version française (Ardisson, Drucker, Fogiel) », *Réseaux*, 118, 2003/2, p. 95-134.

NEYRAND Gérard, « Stratégies de séduction et fascination médiatique : le minitel squattérisé », *Quaderni*, 5, 1988/5, p. 75-85.

NIMMO Dan D., *The Political Persuaders. The Techniques of Modern Election Campaigns*, Englewood Cliffs, Prentice Hall, 1970.

—, *Popular Images of Politics*, Englewood Cliffs, Prentice Hall, 1974.

—, *Subliminal Politics. Myths and Mythmakers in America*, Englewood Cliffs, Prentice Hall, 1980.

— et SAVAGE Robert L., *Candidates and Their Images. Concepts, Methods and Findings*, Glenview, Scott Foresman & Co, 1976.

— et SAVAGE Robert L., *Politics in Familiar Contexts. Projecting Politics through Popular Media*, New York, Ablex Publishing, 1990.

NOIR Michel, *Réussir une campagne électorale : suivre l'exemple américain ?*, Paris, Les Éditions d'organisation, 1977.

OLENDER Maurice, « La laideur d'un dieu », *Les Cahiers du Centre de recherches historiques*, 24/2000 (en ligne).

O'SHAUGHNESSY Nicholas J., *Politics and Propaganda. Weapons of Mass Seduction*, Manchester, Manchester University Press, 2004.

PACKARD Vance, *La Persuasion clandestine*, trad. de l'anglais par Hélène Claireau, Paris, Calmann-Lévy, 1958.

PELLISSIER Pierre, *La Vie quotidienne à l'Élysée au temps de Valéry Giscard d'Estaing*, Paris, Hachette, 1978.

PELLERIN Jean, *Le Phénomène Trudeau*, Paris, Seghers, 1972.

PEREZ Stanis, « Les rides d'Apollon : l'évolution des portraits de Louis XIV », *Revue d'histoire moderne et contemporaine*, 50-3, juillet-septembre 2003, p. 62-95.

POIZAT Michel, *Vox populi, vox dei. Voix et pouvoir*, Paris, Métailié, 2001.

POLLETTA Francesca, *It Was Like a Fever. Storytelling in Protest and Politics*, Chicago, University of Chicago Press, 2006.

POURCHER Yves, « "Un homme une rose à la main". Meetings en Languedoc de 1985 à 1989 », *Terrain*, 15, 1990, p. 77-90.

—, *Politique parade. Pouvoir, charisme et politique*, Paris, Le Seuil, 2007.

PROCHASSON Christophe, « Jaurès en congrès ou l'utopie délibérative », *Cahiers Jaurès*, 187-188, 2008/1-2, p. 63-85.

« Propagandes en démocratie », *Quaderni*, 72, printemps 2010.

RABAIN Jean-François, « Le charme inquiétant de la beauté », *Revue française de psychanalyse*, 67, 2003/2, p. 469-491.

REEVES Richard, *President Kennedy. Profile of Power*, New York, Simon & Schuster, 1993.

REICHEL Peter, *La Fascination du nazisme*, trad. de l'allemand par Olivier Mannoni, Paris, Odile Jacob, 1997.

RICARD Serge, « Theodore Roosevelt et l'avènement de la présidence médiatique aux États-Unis », *Vingtième siècle. Revue d'histoire*, 51, juillet-septembre 1996, p. 15-26.

RIVIÈRE Claude, *Les Liturgies politiques*, Paris, PUF, 1988.

RIVIÈRE-DE FRANCO Karine, *La Communication électorale en Grande-Bretagne, de M. Thatcher à T. Blair*, Paris, L'Harmattan, 2008.

RODIN Judith et STEINBERG Stephen P., *Public Discourse in America*, Philadelphie, University of Pennsylvania Press, 2003.

ROPER Juliet, HOLTZ-BACHA Christina et MAZZOLENI Gianpietro (dir.), *The Politics of Representation. Election Campaigning and Proportional Representation*, New York, Peter Lang, 2004.

ROUQUAN Olivier, « La stratégie charismatique gaullienne », *Parlement[s]*, 4, 2005/2, p. 75-93.

RYFE David Michael, « De l'audience au public des médias : le courrier des causeries du président Roosevelt », *Le Temps des médias*, 3, 2004/2, p. 95-107.

SABATIER Gérard, « Les rois en représentation. Image et pouvoir en Europe », *Revue de synthèse*, 3-4, CXII, juillet-décembre 1991, p. 387-422.

—, *Versailles ou la Figure du roi*, Paris, Albin Michel, 1999.

—, « La gloire du roi. Iconographie de Louis XIV de 1661 à 1672 », *Histoire, économie et société*, 19, 2000/4, p. 527-560.

SAINT-CLAIR Gilbert, WATERMAN Richard W. et WRIGHT Robert, *The Image-Is-Everything Presidency*, Boulder, Westview Press, 1999.

SALINGER Pierre, *Avec Kennedy*, Paris, Buchet-Chastel, 1967.

SALMON Christian, *Storytelling*, Paris, La Découverte, 2007.

SAUSSEZ Thierry, *Politique séduction. Comment les hommes politiques réussissent à vous plaire*, Paris, Jean-Claude Lattès, 1985.

SCHERER René, « La composition du charme », *Le Portique*, 12, 2003 (en ligne).

SCHLESINGER Arthur M., *Les 1000 jours de Kennedy*, trad. de l'américain sous la dir. de Roland Mehl, Paris, Denoël, 1966.

SCHWARTZENBERG Roger-Gérard, *L'État spectacle. Essai sur et contre le star system en politique*, Paris, Flammarion, 1977.

—, *La Politique mensonge*, Paris, Odile Jacob, 1998.

—, *L'État spectacle 2. Politique, casting et médias*, Plon, 2009.

SCIROCCO Alfonso, *Garibaldi, citoyen du monde*, trad. de l'italien par Jérôme Nicolas, Paris, Payot & Rivages, 2005.

SEIZELET Éric, « Koizumi Jun'ichirô, superstar de la vie politique japonaise », *Le Temps des médias*, 10, printemps 2008, p. 115-128.

SERGEANT Jean-Claude, « Entre transgression et consentement, le traitement des personnalités politiques par les médias : le cas britannique », *Le Temps des médias*, 10, 2008/1, p. 185-196.

SORENSEN Theodore C., *Kennedy*, Paris, Gallimard, 1966.

SOURD Cécile, « Femmes ou politiques ? La représentation des candidates aux élections françaises de 2002 dans la presse hebdomadaire », *Mots*, 78, 2005, p. 65-78.

STOICIU Andrei, *Énigmes de la séduction politique. Les élites roumaines entre 1989 et 1999*, Montréal-Bucarest, Humanitas-Libra, 2000.

STURANI Enrico, *Mussolini, un dictateur en cartes postales*, trad. de l'italien par Marguerite Pozzoli, Paris, Somogy, 1997.

SULZBERGER Cyrus Leo, *L'Ère de la médiocrité*, trad. de l'américain par Raymond Albeck, Paris, Albin Michel, 1974.

SUSCA Vincenzo, « Phénoménologie de Silvio Berlusconi », *Sociétés*, 84, 2004/2, p. 41-56.

—, *À l'ombre de Berlusconi. Les médias, l'imaginaire et les catastrophes de la modernité*, trad. de l'italien par Isabelle Mansuy, Paris, L'Harmattan, 2006.

TCHAKHOTINE Serge, *Le Viol des foules par la propagande politique*, Paris, Gallimard, 1949.

« Trente ans d'études des langages politiques (1980-2010) », *Mots*, 94, 2010/3.

TRIPPI Joe, *The Revolution Will not Be Televised. Democracy, the Internet and the Overthrow of Everything*, New York, Harper Collins, 2005.

VALENSISE Marina, « Le sacre du roi : stratégie symbolique et doctrine politique de la monarchie française », *Annales. Économies, sociétés, civilisations*, 41, 1986/41, p. 543-577.

VEDEL Thierry, *Comment devient-on président(e) de la République ? Les stratégies des candidats*, Paris, Robert Laffont, 2007.

VEYNE Paul, « L'homosexualité à Rome », *Communications*, 35/1982, p. 26-33.

—, *Sexe et pouvoir à Rome*, Paris, Tallandier, 2005.

VIGARELLO Georges, « La séduction », *Le Portique*, 12, 2003 (en ligne).

—, *Le Corps redressé. Histoire d'un pouvoir pédagogique*, Paris, Armand Colin, 2004 (nouvelle éd.).

—, *Histoire de la beauté. Le corps et l'art d'embellir de la Renaissance à nos jours*, Paris, Le Seuil, 2004.

VILLEPIN Dominique DE, *De l'esprit de cour. La malédiction française*, Paris, Perrin, 2010.

WARAH Aïda, « Seduction as a leadership competency », *Optimum. The Journal of Public Sector Management*, 28/4, 1999, p. 43-47.

WEBER Max, *Le Savant et le Politique*, Paris, Plon, 1959 (1e éd. 1919).

WHITE Theodore H., *La Victoire de Kennedy ou Comment on fait un président*, Paris, Robert Laffont, 1961.

YAVETZ Zvi, *La Plèbe et le Prince. Foule et vie politique sous le haut-empire romain*, traduit de l'anglais par Maud Sissung, Paris, La Découverte, 1984.

—, *César et son image. Des limites du charisme en politique*, trad. de l'anglais par Élie Barnavi, Paris, Les Belles Lettres, 2004.

YOUNG Hugo, *Margaret Thatcher*, Paris, La Manufacture, 1989.

Index

Table

Composition et mise en page

CET OUVRAGE
A ÉTÉ REPRODUIT
ET ACHEVÉ D'IMPRIMER
SUR ROTO-PAGE
PAR L'IMPRIMERIE FLOCH
À MAYENNE EN FÉVRIER 2011

N° d'édition : L.01EHBN000210.N001. N° d'impression : 78935.
Dépôt légal : mars 2011.
Imprimé en France